FISHNETS - EN EL LEJANO ORIENTE

(LA VERDADERA HISTORIA DE UNA BAILARINA EN COREA)

MICHELE E. NORTHWOOD

Traducido por

RANDY VÁZQUEZ PÉREZ

Publicado en 2021 por Next Chapter

Textura de la contratapa por David M. Schrader, utilizada bajo licencia de Shutterstock.com

Este libro está dedicado a mi madre y a mi padre,
ambos tristemente fallecidos, que siempre me animaron a seguir mis sueños.
Y a mi esposo Randy,
quien tan fácilmente se hizo cargo, donde lo dejaron ellos.
Gracias, te amo.

"Una historia contada es una vida vivida."
(Willoughby the Chinaman, Outlander, temporada 3, episodio 9.)

1

"¿COREA?... ¡PERO SI ESOS SIEMPRE ESTÁN EN GUERRA!"

MEDIADOS DE MARZO DE 1989.

Las tres prestamos atención como unos soldados durante la inspección, en lugar de las bailarinas que éramos en realidad pues, nuestra agente y coreógrafa Marion, desfilaba ante nuestras camas como un Sargento Mayor, mirando con recelo nuestro equipaje. Los diez días de ensayos se habían terminado y al día siguiente, debíamos emprender nuestro viaje a Corea del Sur.

Tanto Louise como Sharon, las dos chicas con las que pasaría los próximos seis meses de mi vida, recibieron un desdeñoso gesto de aprobación, pero yo tuve menos suerte. Marion se quedó mirando mi equipaje con incredulidad, dos maletas, un estuche de maquillaje y una bolsa de mano, todo ello, lleno hasta reventar.

"¡No puedes llevar todo eso a Corea!", exclamó teatralmente. "¡Una maleta! ¡Y no la llenes mucho! ¡En Corea todo es 'TAN' barato, que podrás comprar un vestuario nuevo!"

Miré consternada mi equipaje, cargado con todo menos el fregadero de la cocina, intentando imaginar cómo diablos se suponía que debía reducir su contenido. Hasta ahora, había trabajado en centros vacacionales como parte del equipo de entretenimiento, donde lo habitual, era partir en cada temporada de verano, llenando el coche de mi padre hasta los topes, para luego

descargarlo todo al llegar con su ayuda. (Personalmente... ¡pensaba que lo había reducido bastante!).

Papá, mi fiel amigo de carretera, parecía tan irritado como yo. Se puso de pie con las manos en las caderas sacudiendo la cabeza. Se le veía completamente desorientado.

"Fíjate en Sharon, sólo ha traído una maleta pequeña", continuó Marion aparentemente ajena a nuestro dilema. "¡Sólo el cielo sabe qué te ha poseído para traer tantas cosas! ¡No podrás embarcar todo eso en el avión!"

Sharon se levantó sonriendo ligeramente, con la mirada llena de pura complacencia sin adulterar. En el primer día de ensayos, la habían nombrado jefa de grupo, debido únicamente, al hecho de que ya había trabajado para esa agente en un contrato anterior. A los ojos de Marion y a pesar de que Sharon

era la más joven de las tres, creía conocer los entresijos y, por lo tanto, se consideraba la más idónea para el trabajo, o quizás, en otras palabras, la que fuese menos probable que saliera huyendo.

Inesperadamente, mi padre se arrodilló. Por un fugaz instante, pensé que iba a suplicar a Marion que me dejara llevar mis preciadas posesiones, pero únicamente, inclinó la cabeza y abrió la maleta lentamente con un suspiro.

"¡Venga Michele, vamos a organizarnos!"

Media hora más tarde, mi equipaje recibió la aprobación de

Marion y nos dispersamos, para reunirnos al día siguiente en el aeropuerto y comenzar una gira de seis meses por Corea del Sur.

A la mañana siguiente, cuando papá me llevaba al aeropuerto, a cada kilómetro, me ponía más nerviosa. Sentada en el asiento del pasajero, rumiando los sucesos que me habían conducido a la inminente partida al Lejano Oriente...

Estaba cenando felizmente en la mesa del comedor, inconsciente de la perentoria declaración de mi madre:

"Acabo de enterarme, de que hay una agente que busca bailarinas para trabajar en el Lejano Oriente...", me informó desde su posición autoritaria al frente de la larga mesa. "Y he organizado una audición para ti, este sábado por la mañana".

"No sé..." murmuré automáticamente, empezando a sentir aprensión.

"Tú iras primero", dijo mi madre, ignorando totalmente mis reservas. "Y si todo sale bien, dejaré que tu hermana pequeña vaya en un contrato posterior".

Sin disfrutar la idea de ser el conejillo de indias de la familia, expresé con frecuencia en los días siguientes, mis dudas, mi general falta de entusiasmo y el temor a una muerte inminente, pero todo cayó en saco roto.

El sábado llegó demasiado rápido y me fui a Londres a la audición. A pesar de llevar un mal presentimiento conmigo, la prueba salió bien. Me tranquilicé un poco más al encontrar allí a un grupo de cinco bailarinas en pleno ensayo. Parecía que también se iban a Corea en unos días. Las chicas eran amables, charlatanas y un par de ellas, ya habían trabajado para ese agente con anterioridad, lo que ayudó a calmar mis temores a ser vendida e inconscientemente convertirme en una víctima más del tráfico humano.

Una semana más tarde, me llamaron de Londres para comenzar los ensayos. Con un creciente pavor, llegué a la pensión con las palabras de mi vecino, amigo de mi madre, resonando en los oídos.

"¿Corea? ¿A qué vas allí? ¡Pero si esos siempre están en guerra!".

"Bueno, no es que vaya a vivir allí de forma permanente", argumenté. "De todos modos, es sólo por seis meses", dije, tratando de convencerme más a mí misma que a mi vecino. "¡Además, siempre he querido visitar Asia!".

"¡Pues he oído decir que la gente va a Corea, ¡pero nunca vuelve!", dijo.

¡Era difícil encontrar palabras para infundir confianza, cuando me dirigía al otro lado del mundo!

Las dos chicas con las que estaba destinada a pasar los seis meses siguientes, ya estaban instaladas en la pensión cuando llegué, por lo que me quedé con la cama sobrante.

"Hola", dije tímidamente mientras colocaba mis pertenencias.

"Hola", respondieron, mientras me miraban con curiosidad, reclinadas en sus camas; una dando cuenta de una bolsa de patatas fritas y la otra, hojeando una revista.

Al principio, la conversación entre las tres, era marcadamente artificial, pero, mientras deshacía el equipaje, las tres continuamos evaluándonos, charlando con cautela, tratando de descubrir puntos en común y qué otros trabajos de baile habíamos hecho.

Me encontré comparándonos con el quinteto que había conocido con anterioridad y, podría decirse que apenas éramos la personificación de un trío de baile perfecto. Sharon medía 1 '63 y algo pasada de kilos, con el pelo largo, lacio y rubio.

Louise medía metro setenta y tres, exuberante, con una melena negra y rizada que le llegaba a los hombros y el par de pechos más impresionantes que había visto en mi vida. Y estaba yo; ¡metro setenta, pelo largo pelirrojo, el cuerpo con forma de barra de bomberos y el pecho totalmente plano!

A pesar de estas disparidades, nuestra agente, en su máxima sabiduría, consideraba oportuno juntarnos y en los diez días siguientes, trabajó diligentemente para moldearnos en una especie de trío de bailarinas, enseñándonos dos pases de veinte minutos, que, según Marion, harían las

delicias de los coreanos.

Nuestro barroco trío fue bautizado como 'The Collier Dancers', cosa que resultó bastante desafortunada, no sólo porque me hizo pensar en tres mineros acercándose al escenario, sino que también, los coreanos, bueno, en realidad todos los asiáticos, luchan constantemente con la dificultad de pronunciar la 'L' y la 'R'. ¡La posibilidad de anunciarnos como el trío Collier, rozaba lo imposible!

Ensayamos con diligencia del amanecer al anochecer. Cada espectáculo de 20 minutos, contenía un promedio de seis rutinas y constaba de un número de apertura con tocados de plumas, dos actuaciones en solitario y una variedad de duetos y tríos para terminar cada show. Dos de estos, eran números de "playback", que básicamente, involucraba a una de nosotras, emulando en perfecta sincronía con la música, mientras que las otras dos, bailaban detrás.

Me asignaron un playback de Donna Summer "Finger on the trigger" y una de las rutinas de solo. Tenía que vestirme como una chica Bond y, mientras blandía un arma, bailaba con la banda sonora de 007. ¡No tengo ni idea de por qué todo lo que me tocaba en la coreografía, tenía que estar relacionado con las armas!

Una vez que habíamos memorizado todas las rutinas, nos preparamos para el ensayo final. Cosa que no fue tarea fácil. En momentos específicos de cada rutina, una o dos de nosotras, tenía que salir corriendo del escenario en una loca carrera hacia la esquina del estudio, donde toda nuestra ropa estaba dispuesta una encima de otra, preparada para cada cambio de vestuario, que resultaba ridículamente rápido.

Repetimos el ensayo general insistentemente, hasta dominar el arte de arrancar un traje y reemplazarlo por otro en treinta segundos, mientras que el final de la rutina de la música anterior se acercaba cada vez más rápido.

Generalmente, cada cambio consistía en reemplazar una muda completa: bikini y plumas por un vestido, vestido por un leotardo, leotardo por medias de lycra y un top con lentejuelas, además, los obligatorios `accesorios Marion´: guantes y tocado o sombreros, acompañados de diferentes tipos de botas.

Cada vez que una de nosotras fallaba en completar un cambio, ¡nos enfrentábamos a la ira de Marion! Se detenía la música y la agente se volvía hacia nosotras con cara de perro. Era pequeña en comparación con Louise y conmigo, que éramos mucho más altas, sin embargo, lo que le faltaba en estatura, lo compensaba en actitud.

Nadie quería estar en su lista negra, ni enfrentarse al aluvión de abusos que consideraba oportuno gritar en nuestra dirección, cada vez que una lentejuela se enganchaba a las medias de malla y no conseguíamos completar el maratoniano y rápido cambio.

"¡Vamos! ¡Vamos! ¿A qué estás jugando? ¡Cuidado con el traje! ¡Si lo rompes, tendrás que arreglarlo!" ladraba ella, luego se dirigiría hacia el equipo de música sacudiendo la cabeza y murmurando algo inaudible, seguramente, improperios.

Cuando finalmente logramos completar con éxito todos los cambios necesarios para dos shows, Marion nos consideró preparadas para Corea. Su marido Mike, estático en la puerta, asegurándose una vista privilegiada mientras nos arrancábamos la ropa repetidamente y luchábamos en nuestras tangas y mallas de red, para vestirnos de nuevo. Cuando terminamos, carraspeó, supuestamente para llamar nuestra atención, ¡pero ya sabíamos que estaba allí!

"Bien chicas, tenéis que acompañarme a nuestro piso, tenemos contratos que firmar. También podemos ver las fotos que os hice en la sesión de hace unos días. Necesito enviarlas por fax a nuestra agencia en Corea".

Todo me sonó muy amable, pero en el fondo de mi mente, no pude evitar los persistentes sentimientos de duda que albergaba cuando firmamos el contrato. La vocecilla de la razón dentro de mí, vociferaba a diario, molestándome sigilosamente, a medida que me enredaba más y más profundamente en las complejidades que suponían los procedimientos, hasta que llegó un momento en el que estaba tan involucrada, que sentí que ya no podía echarme atrás.

De vuelta en el apartamento, una vez que se completó la firma de los contratos, Mike, nos informó de que, por algún motivo, las fotos que enviaba por fax a la agencia coreana, estaban llegando borrosas.

"No importa", dijo, "voy a enviar fotos del grupo de baile original de Sharon en su lugar. No supondrá ninguna diferencia".

Me pareció un poco raro y bastante engañoso, pero no expresé mi opinión. Lo hecho, hecho está. Había firmado el papeleo, así que todo lo que podía hacer, era dejar que el destino siguiese su curso.

2

CAMINO A KYONGJU

Al día siguiente, 28 de marzo, comenzamos nuestro periplo de 24 horas a Corea del Sur. Salimos resplandecientes, en modo alerta y emocionadas, y llegamos aturdidas, desaliñadas, desorientadas y abriéndonos paso por la marabunta del aeropuerto, con las consecuencias propias del 'jetlag'. Mientras mirábamos a nuestro alrededor, observando a la multitud de personas que se reencontraban y se saludaban con lágrimas, risas o austeridad, avistamos a dos jóvenes coreanos con firme paso militar, que se dirigían hacia nosotras.

Sin preámbulos, ni de formalidad ni de otro tipo, se detuvieron en seco frente a nosotras.

"¡Bailarinas, vosotras venir!", dijeron sin el menor indicio de una sonrisa, de manera brusca y autoritaria.

Parecían no hablar más inglés que la frase que acababan de pronunciar, y nosotras, ciertamente, no hablábamos coreano, así que a través de un proceso de exagerados gestos y de agitar bajo nuestra nariz el papeleo que no pudimos leer, los seguimos hasta la salida, luchando por mantener su ritmo y no perder todo nuestro equipaje en el intento.

Cuando se abrieron las puertas, el espesor del aire que nos golpeó, nos obligó a detenernos. Oprimidas como en un horno, tragamos el embriagador aire; era picante, una fusión de aromas, una mezcla agridulce de flora, humo de automóvil, comida y sudor.

Los dos hombres se adelantaron ajenos a nuestro apuro, mientras atravesábamos el aparcamiento en silencio, concentradas en seguir a los dos coreanos dictatoriales, que no hicieron el más mínimo intento en ayudarnos, mientras arrastramos todas nuestras pertenencias personales, además de una maleta enorme y otra más pequeña en la que iban los trajes, hacia una furgoneta que nos estaba esperando.

Bajo la mirada de los hombres, empezamos a meter el equipaje y estábamos a punto de subir, cuando un tercer coreano, llegó con otro grupo de tres chicas australianas. Supusimos su nacionalidad por los pasaportes que aún tenían en las manos. El trío se abstuvo de hablar y simplemente, nos miraron de arriba abajo con expresión de desprecio, mezclado con curiosidad.

Los coreanos intercambiaron palabras agitados y revisaron los papeles y, de inmediato, todo cambió. Arrojaron sin ceremonias nuestro equipaje al suelo del aparcamiento y nos ahuyentaron como a un grupo de perros.

Las tres australianas, que continuaba ignorándonos, suspiraron de un modo extraño ante el inconveniente, mientras nos apartábamos a un lado, permitiéndoles ocupar nuestros sitios dentro de la furgoneta.

"¿Qué pasa?", preguntamos al unísono.

"¡Tteonana, tteonana!" (¡Iros!) Repetían los hombres incesantemente, mientras nos apartaban con las manos y agitaban los papeles.

"¡Ohhh! Parece que no somos el trío que esperaban", dijo

Louise. “Creo que estábamos a punto de irnos con los coreanos equivocados”.

"¡Maldición!" Fue la única interjección que pude articular. "Me pregunto dónde habríamos terminado, si nos hubiéramos ido con ellos."

“¡Ni lo digas!”, contestó Louise. “¡No quiero ni pensarlo!”

Abatidas, volvimos lentamente sobre nuestros pasos, arrastrando la colección de equipaje hacia la sala del aeropuerto, donde se hizo más que evidente, que no había nadie esperando para recibirnos.

Estuvimos sentadas durante más de una hora, hablando intermitentemente y mordiéndonos las uñas con nerviosismo, hasta que Sharon se acordó de que le habían dado el número de teléfono del agente coreano.

Tras lograr cambiar algo de dinero en moneda coreana (wons), se alejó para buscar un teléfono.

“El agente llega tarde!”, nos dijo al regresar sonriendo, “pero no os preocupéis, está en camino”

"¡Dinos algo que no sepamos!", murmuró Louise en voz baja.

“¡Esto no es muy buena señal!”, dije nerviosamente.

“Sí, no está causando una buena primera impresión, ¿verdad?”, respondió Louise.

Nos sentamos durante casi dos horas, antes de que la pequeña y rechoncha sombra de un hombre, entrase en el aeropuerto. Llevaba un traje marrón oscuro, gafas y sudaba profusamente. Nos vio amontonadas e hizo señas para que nos diésemos prisa.

“¡Llego tarde, llego tarde!”

“A una cita importante”, cantó Louise en voz baja, mientras reuníamos el equipaje, una vez más, y lo arrastrábamos hacia él.

Al llegar a su lado, saltamos de golpe, cuando abruptamente, lanzó su brazo derecho hacia adelante, sosteniéndolo en alto. Por un instante, pensé que nos había confundido con alemanas y nos iba a ofrecer un saludo militar, doblando el brazo al tiempo que acerca su codo hacia la cara, para que la muñeca se detuviese directamente frente a su ojo derecho. Nos percatamos de que estaba mirando el reloj, (más tarde, sabríamos que casi había perdido el ojo en una pelea, cuando un agresor lo había apuñalado con un lápiz).

Dándose palmaditas en las mejillas y frotándose la frente con un pañuelo mugriento, se presentó como el Sr. Lee; apellido que descubriríamos era uno de los tres más comunes en Corea, y que más de la mitad de la población usaba. (Park, Lee y Kim). Nos condujo hacia lo que se conocía localmente como una `Bongo van´: un vehículo similar al del que habíamos sido expulsadas anteriormente.

"Venir, contaré los planes", dijo, mientras nuevamente luchábamos para subir el equipaje sin ninguna ayuda.

Nos llevaría a un hotel en el centro de Seúl, en la provincia de Chong-y-Chong, donde podríamos quedarnos un par de días para recuperarnos del `jetlag´. Luego iríamos a la provincia de Kyong-ju (también conocida como Gyeongju) para trabajar allí, en un hotel.

Cuando salimos del aeropuerto y nos incorporamos a la autopista, sentí emoción, pero estaba decididamente nerviosa y muy vulnerable, pero traté de eliminar cualquier duda y disfrutar de mis primeras impresiones sobre Corea. Estas, resultaron ser una mezcla de sorpresa y decepción. Ingenuamente, había asumido, que todas las construcciones que vería, serían las tradicionales pagodas asiáticas, y no esa enorme metrópolis cosmopolita con rascacielos de gran altura y serpenteantes mega autopistas que, por otro lado, me parecieron imponentes. Oteé el paisaje en busca de alguna construcción tradicional, pero cuarenta y cinco minutos más tarde, cuando la Bongo Van llegó al Central Hotel, no había visto ninguna.

El Central Hotel, que era un edificio grande, deteriorado y de aspecto decrépito, justo en el corazón de un ajetreado centro urbano. El hotel parecía eclipsado por la gran cantidad de autopistas elevadas, una elaborada mezcla de seis carriles de tráfico que conducían en todas las direcciones a su alrededor. El incesante flujo de vehículos parecía no tener fin. Los conductores impacientes, hacían sonar sus bocinas constantemente, luchando para cambiar de carril, en un vano intento de llegar a sus destinos un poco antes.

Seguimos al Sr. Lee hasta la recepción, arrastrando nuestras pertenencias, otra vez. Esperamos mientras negociaba con el personal de recepción, hasta que nos reservó una habitación. Nos acompañaron al quinto piso, donde nos mostraron una pequeña habitación, en la que, una vez habíamos depositado todas nuestras pertenencias en el interior, nos dejó poco espacio en el suelo para movernos.

Sharon y Louise, fueron las primeras en elegir cama. Yo, me quedé con la que sobraba. No era el Ritz, pero llegado este punto, estábamos tan cansadas, que no nos importaba. El Sr. Lee se despidió, y en menos de media hora, nos habíamos muerto para el mundo.

Al recuperar la consciencia, descubrimos que habíamos dormido durante casi dieciséis horas y, por un momento, no sabíamos si era de noche o de día. Resultó ser a media tarde. Estaba emocionada y ansiosa por explorar la ciudad. Salimos para experimentar la vida en el Lejano Oriente.

Acostumbrada al aire acondicionado del hotel, salir al calor fue, una vez más, abrumador. En unos segundos, ya estábamos cubiertas de un fino brillo de sudor y polvo. Las calles estaban plenas con una frenética cacofonía de sonidos, desde gritos y música, hasta comida en llamas, motores de motocicletas, bocinas y el tintineo de los timbres de las bicicletas.

Todos los sitios donde podía haber gente, había gente, y mucha. Apretujados y empujados, siempre hacia adelante entre la muchedumbre, de la manera habitual, obviamente para todos, menos para nosotras.

A nuestro paso, hombres, mujeres y niños, se detenían para mirarnos fijamente, boquiabiertos. Las mujeres nos señalaban y se reían escondidas detrás de sus manos. Los hombres, se reían abiertamente, sacudiendo la cabeza con total incredulidad.

Nuestro físico y nuestro atuendo de jeans y camiseta, parecían resultar muy divertidos para los coreanos. (Sin embargo, en este punto debo señalar, que Louise llevaba unos vaqueros con las rodillas desgarradas, como era la moda en Reino Unido en ese momento, ¡y fue ella, la más afectada por el ridículo!). Los Levi´s de Louise, causaban un sinfín de felicidad en los coreanos que cacareaban. Tras diez minutos de constante ridículo, perdió la calma.

"¿Cuál es vuestro problema?", gritó al aire, golpeando el suelo con el zapato y apretando los puños con frustración. Desafortunadamente, este arrebato, instó a los coreanos a reír más fuerte.

Seguimos caminando, tratando de ignorar las risitas y las señales, pero pronto aprendimos que salir a las calles coreanas, no era tan sencillo como cabría imaginar. Las pocas aceras existentes, eran intransitables, ya que los coches estaban aparcados al azar y las personas tendían a rodearlos, recordándome en cierta medida, a una colonia de hormigas. Se movían de una manera incesante, luchando constantemente hacia adelante con un objetivo oculto del que nadie más estaba al tanto.

Las motocicletas también eran conducidas en las aceras, por jinetes que entraban y salían despreocupadamente de las hordas de peatones. Toda la escena resultaba caótica. ¡Casi parecía más seguro caminar en la calzada entre los seis carriles de tráfico! También había bicicletas por todas partes, apoyadas contra los escaparates de las tiendas o contra los árboles, pero, sorprendentemente, ninguna parecía tener candado para evitar robos, a diferencia de en casa.

En casi todas las esquinas de la calle había pequeños carritos, donde mujeres envejecidas por el tiempo, vendían sus productos. Estos iban desde frutas y nueces, hasta patatas al horno y, lo que se convertiría en uno de mis favoritos, "rollitos de pan con huevo". Una rebanada de pan y unos trozos de col y zanahoria finamente picados; los sumergían en un huevo batido y luego, arrojaban todo a una plancha. Una vez cocinado, lo enrollaban como un rollito suizo y lo depositaban en un cucurucho a prueba de grasa. Era simple, sabroso y barato (300 wons coreanos, o aproximadamente 0´30 €). Acabaría viviendo de ellos los meses siguientes.

También había un puesto de algodón de azúcar, ¡pero lo evitamos a propósito, por el viejo vendedor, simplemente por razones de higiene! Las mangas de su chaqueta estaban impregnadas con los restos de, probablemente años de viejos residuos de azúcar tostado, tuvimos que asumir que probablemente aquí, las inspecciones de salud y seguridad no existían.

A lo largo de los lados de la carretera, aparecían varias carpas de obreros. Al principio, pensamos que tenía que haber innumerables obras viales en Seúl, pero en una inspección más cercana, resultaron ser pequeños bares que vendían cerveza y bocadillos.

Aunque me había enamorado del hecho de vivir en el Lejano Oriente y me embebía con entusiasmo en los alrededores, empapándome del idioma y obteniendo mis primeros sorbos de la cultura coreana, un sentimiento de pavor llegó a mí como un tren en marcha, mientras me daba cuenta de mi situación. Miré al frente, a donde podía llegar con la mirada. Sintiendo los codazos en las costillas y siendo zarandeada de izquierda a derecha, inmersa en un mar de pelo negro, empecé a compararme con lo que me rodeaba y me sentí tan ajena a esa gente, que en ningún momento me pude imaginar en lo que me había metido. Era una emoción abrumadora y opresiva.

¿Qué estoy haciendo aquí? ¡¿Qué he hecho?!, grité interiormente.

Después de un par de horas de deambular, en el que ser dianas de las risas, había progresado hasta ser golpeadas y empujadas en varias partes de nuestra anatomía, todas habíamos tenido suficiente y regresamos al santuario del Central Hotel.

A los pocos minutos de llegar, recibimos una llamada telefónica del Sr. Lee.

"Cambio de planes", informó Sharon. "Mañana vamos a la provincia de Kyonjy".

Nuestro conductor llegó a la mañana siguiente y amablemente, nos ayudó a subir el equipaje a la Bongo Van, antes de empezar el viaje de cuatro horas. Una vez más, examiné la zona en busca de una pagoda tradicional sin éxito, sintiéndome decepcionada.

Al llegar al hotel Kyongju-Chosun, estábamos más impresionadas y enormemente complacidas, al ver una extensa construcción de ocho alturas con vistas panorámicas al lago Pomunho.

El Sr. Lee nos registró en el hotel y arrastramos nuestras pertenencias sin ayuda al ascensor, y a lo largo de un pasillo, siguiendo a tres hombretones que no hicieron ningún esfuerzo por ayudar. Nos enseñaron la habitación, donde Louise y Sharon se pelearon de nuevo por las camas, y yo, me quedé la restante. Dejé las maletas en el suelo y levanté las cortinas esperando ver el hermoso lago, ¡sólo para descubrir que nuestra vista era del aparcamiento! Sin embargo, había varias montañas verdes y exuberantes al fondo, así que no estaba del todo mal.

Nos dijeron que nos acomodáramos, o al menos eso es lo que supusimos que decían. De hecho, la única parte que entendimos completamente, fue cuando uno de ellos apuntó un dedo índice en nuestra dirección y pronunció una frase en algo parecido al inglés.

"Tonight, work. Show start `ereben´ o´clock". ("Esta noche, trabajo. Show empezar `ereben´ o´clock").

Esa noche, después de llegar al lugar, mientras nos mostraban el escenario, se nos reveló la tarea desalentadora de lo que estábamos a punto de hacer. Todo fue bien en el ensayo general en Londres, donde había que correr cuatro pasos hasta los rincones del estudio de baile para cambiar de vestuario. ¡Aquí, se esperaba que abandonáramos el escenario, corriéramos por un pasillo y nos metiéramos en un camerino, antes de que pudiéramos siquiera pensar en cambiarnos!

Media hora más tarde, estábamos al lado del escenario, esperando para realizar nuestro "debut" en el club nocturno del hotel. La música de la discoteca llegó a un abrupto final, las luces se atenuaron y la sala se volvió siniestramente silenciosa. Un disc jockey carraspeó audiblemente por el micrófono y nos anunció:

"...El equipo de baile llegado de In-gal-tela ... Cul-on-ass - Tres Show", balbuceó al micrófono y antes de darme cuenta, estábamos caminando hacia el escenario.

Nuestra rutina de apertura era un número de bikini y plumas, por lo que ocupamos nuestras posiciones iniciales de espaldas al público. Siguiendo el ritmo de la música, cada chica se giró y levantó los brazos en 'V' sobre la cabeza. Cuando los primeros acordes de la música sonaron a través de los altavoces, Louise giró primero y los coreanos jadearon y aplaudieron audiblemente en reconocimiento por su impresionante escote, que amenazaba con explotar la parte superior del bikini. Sharon se volvió y recibió una apreciación similar. Luego me di la vuelta ... Parecía haber una ligera pausa mientras todos se fijaron, que probablemente, tenía menos pecho que las chicas coreanas, entonces, ¡todos se echaron a reír! ¡Desde ahí, todo pareció ir cuesta abajo!

El único aspecto positivo de esa primera actuación en Corea fue que, a pesar de nuestra aprensión corriendo con adrenalina pura, las tres logramos realizar milagrosamente todos los cambios de vestuario, ¡aunque sinceramente, no sé cómo!

A medida que avanzaba la noche, el público masculino se embriagó y se volvió cada vez más atrevido. Cuando realizamos el segundo show alrededor de la medianoche, el escenario parecía a un campo de batalla. Estábamos bailando bajo el constante temor de ser atacadas.

Varios de los miembros más jóvenes, saltaron en repetidas ocasiones frente al alto escenario con la frenética necesidad de tratar de tocarnos. Cuando nos acercábamos demasiado, agarraban cualquier cosa, en un intento desesperado de llevarnos a su nivel. La idea de ser arrastrada a aquella mafia borracha era, para ser honesta, extremadamente aterradora. Sus cerebros empapados en alcohol, significaban que nada estaba fuera de límites.

Después de que terminaron los shows, cuando asumimos que finalmente podríamos calmarnos y aliviar la tensión acumulada, nos encontramos de pie detrás de la puerta del camerino, empujando con una fuerza oculta que ninguna de nosotras sabía que poseíamos, en un intento de evitar que los miembros de la audiencia masculina entrasen al cuarto.

El pasillo estaba lleno de innumerables contendientes borrachos, cuya única prioridad, parecía ser, entrar en el camerino. ¡Nos angustiaba pensar, qué harían si entrasen!

Mientras el peso combinado de varios hombres empujaba una vez más en un lado de nuestro único medio de salida, más impelíamos con todas nuestras fuerzas en el otro, diciéndoles en términos inequívocos que se fueran, nos dimos cuenta de que, en medio de toda esta confusión, ¡que alguien estaba llamando formalmente a la puerta! Nos miramos sorprendidas.

"¡Chicas, chicas! ¡Por favor, abrid la puerta! Soy Yoyo. El gerente está aquí conmigo."

No teníamos ni la menor idea de quién era Yoyo, pero dócilmente, nos hicimos a un lado y la puerta se abrió de golpe contra la pared. Un gerente iracundo, se abrió camino a través del grupo de borrachos de su clientela. Mientras los gorilas contenían a nuestros fanáticos merodeadores, entró, agarrando un puñado de cuartillas arrugadas de Sharon con su grupo original. Su expresión de descontento mientras nos miraba a todas de arriba a abajo, no ayudó a calmar nuestros nervios. Cruzó el camerino, marchando de izquierda a derecha, agitando las cuartillas bajo nuestras narices, olfateando y resoplando como un toro atrapado. Disparó un aluvión de coreano de la boca antes de tirar dramáticamente los folletos en el suelo.

"`Eh, solly´. Este es el señol Lee", explicó Yoyo, que resultó ser el DJ, mientras el gerente continuaba resoplando. "Él es el gelente. No feliz. No son chicas en la foto."

Las tres nos quedamos de piedra. Allí, como unas novatas bajo su primer foco, sintiéndonos un poco aturdidas. Después de una larga pausa, sin saber qué decir. Sharon se agachó lentamente para recuperar una cuartilla y luciendo su encanto, se señaló a sí misma en la foto.

"Bueno ... esta soy yo", dijo, mostrando su sonrisa más seductora. "Y ... esas son ellas", añadió, de manera menos convincente, movió la mano a lo largo del papel en nuestra dirección. Louise y yo nos quedamos juntas y sonreímos débilmente. Era obvio que no éramos las mismas chicas que en la foto y que el gerente no se lo creía. Resopló, nos `deleitó´ con otro aluvión de fuego rápido coreano, luego tosió un montón de flema, la escupió en el suelo y se abrió camino entre sus guardias y la multitud de dipsómanos.

"Solly, solly, ¡no te pleocupes!", susurró Yoyo, siguiéndolo. Ofreciéndonos una reverencia de disculpa, se escabulló, mientras mirábamos fijamente el glóbulo de mucosidad depositado a nuestros pies.

"¡Encantador!", comentó Louise.

Después del trabajo de la noche siguiente, donde pasamos los primeros quince minutos después del espectáculo apoyadas en la puerta del vestidor, el Sr. Sun, el propietario del hotel, entró de la misma manera accidentada que el gerente había hecho la noche anterior. Nos dijo que nos cambiáramos, que nos llevaba a comer. (O lo dedujimos de sus gestos mímicos). Poco sabíamos lo que tenía reservado para las tres.

El Sr. Sun había decidido enseñarnos el equivalente coreano de un establecimiento japonés de geishas. Cuando las puertas corredizas se abrieron a una gran sala que parecía un restaurante, nos obligaron a quitarnos los zapatos antes de entrar. Examinamos la escena. Los hombres se sentaban alrededor de mesas bajas, sobre cojines delgados y multicolores, bebían y comían, mientras las geishas vagaban de una mesa a otra o se sentaban con la clientela. La música tradicional se hacía eco a través de los altavoces y la voz aguda de una cantante, resonaba en la habitación.

El Sr. Sun, sonriente, nos condujo a un segundo conjunto de puertas correderas que conducían a una habitación privada. Esta, también albergaba una mesa baja en el centro y una generosa variedad de cojines arrojados a su alrededor.

"No sé vosotras, ¡pero yo, creo que esto es una casa de putas!" - dijo Louise, expresando verbalmente lo que había estado pensando.

"¡Qué alegría!", dijo Sharon - (una expresión que se "atascó" y que usaríamos incesantemente durante los siguientes seis meses).

Cuando tomamos asiento, entraron dos hombres que parecían ser amigos del Sr. Sun. En la parte trasera, se veían tres "geishas" coreanas con las caras pintadas de blanco y trajes tradicionales coreanos. Entraron inclinándose y sonriendo. Después de que se hicieron las presentaciones, las geishas tomaron su lugar entre cada hombre y luego comenzaron a servirnos a todos.

Para el Sr. Sun y sus amigos, el principal requisito era el whisky. Cuando se le entregaron vasos de chupito a todos, me di cuenta de que el whisky parecía ser la única bebida. Arrugué la nariz.

"No me gusta el whisky. ¡No puedo beber eso!"

"Sólo finge beberlo", dijo Louise. "De lo contrario, ¡nos emborracharemos en poco tiempo!" A pesar de su cautela, ella optó por no prestar atención a su propio consejo. Poniendo un vaso del líquido ámbar en sus labios, tomó un trago. "¡En realidad, esto está bastante bueno!"

Una de las geishas, la Srta. Han, hablaba algo de inglés y había entendido nuestra conversación.

"Este whisky más caro que nosotros vender. Una botella 170 € y tiene 100º alcohol".

"¡¿Qué?!", gritamos al unísono.

"No preocupalse", nos aseguró. "Traer poco coca cola y tú meter whisky ahí".

A medida que pasaban las horas, el whisky seguía fluyendo, el Sr. Sun, sus colegas masculinos y las geishas, se embriagaban cada vez más. La señorita Han, explicó que las geishas coreanas, consideraban el 'sumun' de los malos modales, rechazar el whisky de un hombre, y que había un proceso, o costumbre, de aceptarlo para no ofender al macho de la especie. Después de que un hombre le pida a una geisha que beba, ella debe:

1. Sostener el vaso en la mano derecha.

2. Su mano izquierda debe extenderse recta, con la palma hacia adentro y con los dedos tocando el lado del vaso.

3. El hombre vierte el whisky.

4. La Geisha lo bebe de un golpe.

5. La geisha le pasa el vaso al hombre.

6. El hombre sostiene el vaso en su mano derecha.

7. La geisha llena el vaso.

8. El hombre lo bebe de un solo trago.

A pesar de ser extranjeras, todavía se esperaba que bebiéramos el whisky cuando nos lo ofrecían, pero pronto nos dimos cuenta, de que si poníamos caras para expresar cuán fuerte era el alcohol, los hombres se reían, perdían el interés y nos dejaban beberlo a nuestro ritmo, dándonos un ligero respiro.

A medida que avanzaba la noche, los hombres se embriagaron totalmente. Logré verter la mayor parte de mi whisky discretamente en un vaso grande y casi vacío de coca cola debajo de la mesa, pero a medida que pasaban las horas, me vi obligada a seguir dándole sorbos, ya que tenía sed y no había nada más disponible.

Alrededor de las tres de la mañana, cuando estábamos todos menos sobrios, se abrieron las puertas corredizas y comenzó a llegar una gran cantidad de comida. Había nueces y frutas, fideos, arroz, un tipo de pescado rebozado servido con guisantes y una pizza al estilo coreano que consistía en huevos, verduras y pescado. Todo se comía con palillos, ¡incluida la pizza! Las geishas alimentaron a los hombres. Comimos, con la esperanza de que las viandas absorbiesen parte del exceso de alcohol que habíamos consumido.

A lo largo de la noche, llegaron más y más víveres y las geishas continuaron alimentando a sus hombres, mientras retiraban intermitentemente las camisas de sus clientes, para masajearles la espalda. Esto parecía una acción tan íntima, que me hizo sentir incómoda y como una intrusa.

En algún momento durante la noche, las puertas corredizas se abrieron de nuevo y entró un guitarrista para tocar. Más tarde, cada geisha ofreció su papel en la actuación. Una cantaba, otra tocaba un instrumento musical coreano llamado kayagum (un instrumento de doce cuerdas similar a una cítara), mientras que la tercera bailaba.

Cuando nos dijeron que tomáramos el relevo, lo hicimos, ¡literalmente! Decidimos probar algunos movimientos de break dance y pronto giramos sobre nuestras espaldas como cangrejos desorientados.

El Sr. Sun, que a estas alturas del procedimiento apenas podía levantarse, decidió que quería bailar conmigo. Para que no se ofendiese, obedecí. Apenas estaba consciente y tratar de sostenerlo, se volvió imposible. En consecuencia, nos derrumbamos en el suelo y terminamos todos, teniendo una pelea de cojines.

Sinceramente, no recuerdo cómo regresamos al hotel esa noche, pero sí recuerdo que, el Sr. Sun nos acompañó por el pasillo con un andar asombroso y nos dijo que practicaba artes marciales. De repente, saltó en el aire y pateó una lámpara en el techo, que se estrelló contra el suelo con un estruendoso choque. Todas nos sorprendimos y expresamos una gran admiración por su comportamiento.

"¡Wow, Sr. Sun! ¡Muy bien!", exclamamos, estallando en aplausos, lo que aumentó su ego de borracho sin fin. En retrospectiva, nuestro entusiasmo fue probablemente demasiado alentador, ya que luego procedió a romper una segunda lámpara, luego, más abajo en el pasillo, una tercera. ¡Cómo fue capaz de lograr eso, cuando casi no podía levantarse, aún hoy está más allá de mi comprensión!

3

UN PICNIC, UN PERVERTIDO Y UNA PAGODA

Un par de días después, el 4 de abril, el Sr. Sun llamó a nuestra puerta a las diez de la mañana. Prácticamente nos sacó de un sueño inestable y nos dijo que bajáramos a recepción.

Como no habíamos ido a la cama hasta las 4:45 am, no nos entusiasmaba especialmente que nos subiesen en una Bongo Van y nos llevaran a un lugar desconocido. La furgoneta finalmente se detuvo bruscamente en el borde de un bosque, donde el Sr. Sun, nos dijo que saliéramos. Le seguimos a regañadientes. Tres almas contrariadas, siguiendo a un hombre a las profundidades del bosque, sin la menor idea de hacia dónde íbamos, ni por qué.

"¿A dónde diablos nos está llevando?", susurré.

"¡Solo Dios lo sabe!", suspiró Sharon.

"Tiene suerte de ser tan jovial", dijo Louise. "Si no, supongo que lo más normal, sería asumir que nos ha traído al bosque, para dejarnos a nuestra suerte. ¡Nuestro crimen, es que no somos las chicas originales de los folletos!"

Las tres nos echamos a reír, no sólo por el comentario de

Louise, sino también, por la ridícula situación en la que estábamos. Aunque Louise había expresado lo que todas pensábamos, nos hizo sentir incómodas y llenas de incertidumbre. Sin embargo, seguimos ciegamente al Sr. Sun, hasta que los árboles se disiparon y nos encontramos en medio de un claro del bosque.

Nos sorprendió gratamente, y nos sentimos aliviadas, al descubrir que todos los miembros de la banda y los porteros del club, también estaban en el claro. Todos descansaban despreocupadamente, tendidos en posiciones reclinadas sobre la hierba, o sentados en las rocas de la orilla de un pequeño arroyo.

Contemplamos el asombroso escenario, reprendiéndonos silenciosamente por no llevar una cámara. Detrás del arroyo, una cadena montañosa se extendía ante nosotros y la majestuosidad de los altos árboles de detrás, creaban un paisaje idílico, en el que la paleta de un pintor probablemente, no podría hacer justicia. Era un hermoso día soleado; el sonido del arroyo y los pájaros cantando en los árboles, fueron una grata sorpresa y nos ayudaron a relajarnos casi de inmediato.

"Bueno, definitivamente, valió la pena levantarse temprano", dije. Las chicas expresaron su acuerdo, asintiendo.

El personal del hotel había encendido pequeñas hogueras con ramitas, utilizando un encendedor, y algunos papeles de color enrollados, como si fuesen piñas gallegas. Sobre esto, habían colocado una malla de alambre, con trozos de papel de aluminio encima. Al lado de cada pequeño fuego, había una bolsa de plástico que contenía finas rebanadas de carne de res, que cocinaban en las barbacoas improvisadas. También había una variedad de verduras (principalmente lechuga, cebolleta y ajo) que lavaban en el arroyo y luego cocinaban. Las bebidas, latas de cerveza y limonada, estaban en cajas enfriándose en el río.

Fue una gran experiencia. Mientras conversábamos con los demás y aprendíamos algunas palabras en coreano, comencé a sentir que nos habían aceptado como parte de su equipo. Finalmente, nos habíamos unido, no sólo con los coreanos, sino también con los demás. Además, era evidente que experiencias como esta, justificaban vivir y trabajar en el país. Me sentí extremadamente privilegiada de formar parte de ello.

A medida que avanzaba el día, y las improvisadas barbacoas se consumían, tuve que reírme, al percatarme de que la fuente de alimentación del fuego, no era otra cosa que, los folletos. Sharon, ¡estaba lejos de estar impresionada! A Louise y a mí, por otro lado, nos pareció muy divertido, ¡y extrañamente liberador!

La tarde llegó demasiado rápido y cuando el sol comenzó a descender tras las montañas, todos empezaron a apagar las hogueras y recoger. Fue en esa coyuntura que instantáneamente tuve una sensación de hundimiento en el estómago. La constatación de que debíamos volver al trabajo fue un pensamiento desalentador, uno que me llenó de temor.

Nuestro programa de espectáculos nocturnos, significaba que normalmente, no terminábamos de trabajar hasta las primeras horas de la madrugada y luego salíamos a comer, por lo que invariablemente, no nos íbamos a la cama hasta las 4:30 am. Por lo que, al despertarnos por segundo día consecutivo a las ocho en punto de la mañana por el sonido del teléfono, no estábamos particularmente contentas. Una Sharon adormilada, descolgó el auricular.

"¿Hola?"

"Hola, soy Jeffrey, trabajo para el Ejército de los Estados

Unidos. Anoche vi vuestro programa y me encantaría conoceros. ¿Os gustaría salir a tomar un café?"

Llevábamos en Corea diez días y no habíamos visto a nuestro agente desde que nos 'depositó' en Kyongju por lo que no nos había pagado. No se podía rechazar la idea de algo gratis. Aceptamos de inmediato la invitación y concertamos un encuentro con él, en media hora en la recepción.

Desafortunadamente, Jeffrey, no era un hombre acostumbrado a esperar, así que, veinte minutos más tarde, mientras luchábamos por ir al baño y nos apresurábamos en vestirnos, llamó a la puerta. Sharon la abrió, y fue tal su sorpresa al ver allí de pie a un enorme afroamericano, con sobrepeso y casi dos metros, que habló sin primero poner el cerebro en marcha.

"¡Oh, Dios mío! ¡Es un jodido gordo enorme!", exclamó.

Louise y yo nos detuvimos, como conejos asustados bajo los faros de un coche, sin saber cómo continuar. Mientras estábamos allí, encogiéndonos interiormente, deseando poder retroceder el tiempo, Louise fue la primera en recuperar la compostura y se dirigió hacia la puerta, con la mano extendida.

"Hola", dijo, estrechando la mano con el gran gordo. "Soy Louise, esta es Michele y esta Sharon".

"Hola", sonreí.

"Hola", murmuró Sharon, mirando al suelo, mientras trataba desesperadamente de esconderse detrás de la puerta.

Afortunadamente, Jeffrey optó por ignorar el comentario de Sharon y, como aún se ofrecía a invitarnos al café, lo seguimos a la cafetería. Esto progresó hasta invitarnos a todas a pasar el día en su apartamento en la provincia de Taegu. Aceptamos de nuevo, esperando en secreto, ¡comer gratis!

Durante el viaje en coche a Taegu, establecimos que Jeffrey era un oficial del Ejército de alto rango que vivía en un apartamento fuera de la base. (¡O eso dijo!). Tenía su propio conductor, otro GI aún más alto, llamado Nuller, cuyo físico musculoso, lo convertía en alguien con quien no meterse. Jeffrey, tenía algo que me produjo una extraña sensación, pero a pesar de mi aprensión, pensé que había seguridad en los números y, tenía que admitir que, era un cambio agradable, poder hablar con alguien en inglés un rato, fuera de nuestro trío.

Al llegar a su apartamento, cuando Jeffrey abrió la puerta, lo primero que atrajo nuestra atención fue una enorme cama con dosel en el centro de la habitación, y pronto nos dimos cuenta de que, oficial del Ejército o no, Jeffrey era un hombre. Totalmente obsesionado con el sexo.

"¡Aquí, echadle un vistazo a esto!", dijo, mientras nos sentábamos nerviosas en los sofás de la sala de estar. "¡Una carpeta roja para mis películas picantes!", ronroneó. "Elegid una, ¿cuál queréis ver?"

Las tres nos lanzamos miradas frenéticas.

“Hoy no estamos de humor para ver la tele”, respondió Louise. Sharon y yo asentimos de acuerdo.

"Pero, ¡las grabé todas yo!", proclamó con orgullo.

"Es un apartamento muy bonito, Jeffrey", dije, con la esperanza de cambiar de tema.

"Sí, lo es, ¿no?", respondió. "¡Aquí, mira esto!". Me hizo una seña para que me acercara a un estante donde una figurilla estaba colocada en posición sexual.

"¡Oh, sí, interesante!", dije, sin saber muy bien cómo esperaba que reaccionara.

"Mira Louise, cariño", canturreó Jeffrey. "Aquí hay otra más."

"Sí, seguro que hay".

Había una serie de adornos repartidos por el apartamento en una variedad de poses sexuales. Otra, que se parecía inocentemente a la cabeza de un hombre y que, en una inspección más cercana, se componía por un amasijo de hombres y mujeres en diversas posiciones de la misma índole.

A medida que pasaban las horas, se hizo más que notable que Jeffrey estaba encaprichado de Louise. Sus comentarios e insinuaciones sexuales se hicieron cada vez más evidentes y Louise se sintió cada vez más incómoda, al igual que Sharon y yo, y no pudimos evitar preguntarnos cómo íbamos a salir con éxito de esta situación.

"Tengo un yate. ¿Te gustaría ser mi capitana, Louise?", canturreó, acercándose a ella. "Podría llevarte a navegar un día. ¡Serías el capitán perfecto!"

"En realidad, nunca me ha llamado la atención navegar", respondió Louise con indiferencia.

"Lástima que no quieras serlo, siempre me han gustado las mujeres con un poco de carne en los huesos", sonrió Jeffrey, acercándose más. "Me gusta algo a lo que poder agarrarme. Entonces puedo gritar ¡Espera bebé, que ya voy!"

"¡Qué bien!", dijo Louise, haciendo lo posible por mantener la barra de desayuno de por medio.

Nuller, el conductor, que se había mantenido en segundo plano y realmente no había hablado, nos informó de que tenía que volver a la base. Esto llevó a Jeffrey a invitarnos a escribir una lista de provisiones.

"Anotad lo que necesitéis, volveré con Nuller y lo conseguiré de la PX", dijo.

Después de establecer que PX, la abreviatura de 'Post Exchange' significaba el 'Comisario', o en la base del ejército 'La Tienda', me puso una pluma y un papel en la mano y me dijo que empezara a escribir.

A las tres nos pareció una buena idea, ya que podríamos matar dos pájaros de un tiro; tendríamos un descanso de Jeffrey y sus lujuriosas ideas y, además, podría ayudarnos a resolver un par de problemas que teníamos desde nuestra llegada a Corea.

En primer lugar, estaba la cuestión del desodorante; no parecía existir aquí y teníamos un serio problema de existencias. En segundo lugar, los únicos productos femeninos que pudimos encontrar, era una especie de tampón coreano, que no pararía ni una hemorragia nasal.

Jeffrey se alejó para hablar con Nuller, así que, cuando me encargaron la tarea de escribir la lista, las chicas asintieron con aprobación mientras escribía `tres desodorantes' en mayúsculas, al principio de la lista. Sin embargo, ante los primeros indicios de la palabra `tampones', hubo una fuerte inhalación de aire.

"¡No puedes pedir eso!", susurró Sharon ásperamente.

"¡Es TAN embarazoso!", dijo Louise.

"No, no lo es", argumenté. "¡Personalmente, creo que está justo en la dirección de Jeffrey!"

Las chicas tuvieron que estar de acuerdo y después de anotar algunas otras necesidades, Jeffrey se fue con una sonrisa en la cara a completar su tarea.

Tan pronto como se fue, me dirigí a la habitación. Desde que había visto la cama con dosel, había estado pensando en mi hermana menor. Ella siempre había soñado con tener su propia cama con dosel y estaba decidida a hacerme una foto reclinada, entre las sábanas de seda y los cojines.

"¡Rápido! ¡Sácame una foto aquí!", dije, poniendo mi cámara en la mano de Sharon y saltando sobre la cama.

Desafortunadamente, el proceso de sacar una foto, resultó ser mucho más difícil de lo que originalmente había imaginado. La cama comenzó a ondularse de inmediato, moviéndose arriba y abajo y meciéndose de lado a lado.

"¡Mierda! ¡Es una cama de agua!", exclamé.

"¡Oh, Dios mío!" Sharon reía, mientras yo me movía arriba y abajo como un barco en el mar.

Louise se dobló de risa.

"¡Ja, ja! ¡Se te ve muy graciosa!"

"¡Deja de reírte y ayúdame!", grité, mientras todos los cojines de seda, a juego con las sábanas de unos ricos rojos y rosas, empezaron a deslizarse hacia el centro de la cama o caerse al suelo, mientras luchaba por permanecer en una posición.

A pesar de la situación, sacó la foto, pero, mientras intentaba salir de la cama, vi algo siniestro en la esquina de la habitación.

"¡La hostia!", dije, señalando una cámara de video que Jeffrey había colocado de forma conveniente, apuntado directamente a la cama. ¡Creo que esto está preparado para nosotras!

"¡O para ti, Louise!", dijo Sharon.

"¡No es probable!", respondió Louise.

Recordando una conversación anterior, inmediatamente me quedé sin aliento.

"¡Oh Dios mío! ¡Apuesto que cuando dijo que había grabado todas las películas porno él mismo, quiso decir en esta habitación, con esa cámara!"

"¡Joder!", exclamó Sharon.

Mientras luchábamos por colocar la cama en algo parecido a su orden original, ideamos un plan sobre qué decirle a nuestro anfitrión a su regreso, con el fin de propiciar una salida rápida. Fingiendo ensayos olvidados y una reunión con nuestro agente, logramos escapar ilesas, ¡con tres nuevos desodorantes y suficientes productos sanitarios, para un par de meses!

Habíamos estado en Corea doce días, antes de poder ver mi primera pagoda. El siempre amable Sr. Sun nos invitó a salir, nuevamente por el día.

Como de costumbre, no teníamos ni idea de a dónde

íbamos, pero al leer el letrero de los Templos de Pulgaska, escrito en inglés, todo quedó claro. Nos detuvimos en el aparcamiento y allí estaba: ¡mi primera pagoda!

"¡Por fin!", sonreí, alcanzando mi cámara. "¡Salgamos de la furgoneta y saquemos algunas fotos!"

El Sr. Sun hizo los honores, tomó varias fotos con cada cámara y, al mismo tiempo, se reía para sí mismo.

"¡Semyŏnso, ja, ja, ja!" Siguió repitiendo mientras hacía clic en las cámaras. "Semyŏnso ".

Las tres nos quedamos a cuadros. Realmente no podíamos entender por qué lo encontraba tan divertido. Encogiéndonos de hombros como una idiosincrasia, seguimos posando. Cuando la sesión de fotos improvisada llegó a su fin, Sharon cruzó las piernas y comenzó a saltar hacia arriba y hacia abajo.

"Necesito ir al baño!"

"Yo también", respondió Louise.

Todavía moviéndose arriba y abajo, Sharon miró al Sr. Sun, "¿Baño?"

El Sr. Sun soltó una carcajada más y señaló la pagoda.

"¡Semyŏnso! ... Toilet", dijo, sacudiendo la cabeza de lado a lado.

"¡Genial!", respondí. "¡Acabamos de tomar cien fotografías de un baño!"

A pesar del comienzo poco propicio, resultó un día muy agradable. Tuvimos la suerte de visitar los templos. En ese momento, los cerezos estaban en plena floración, resplandecientes, con perfumadas flores blancas y rosadas que impregnaban el aire y olían a `divino'. Las combinaciones de templos y flor de cerezo hicieron que todo pareciera muy pintoresco.

Deambulamos por aquel lugar ancestral, sin realmente apreciar o comprender la riqueza de información y el significado histórico que tiene este lugar sagrado para los coreanos. Visitamos varios templos para ver las estatuas de Buda. Estaba sentado o de pie, en varios tamaños y materiales; desde enormes figuras en granito, hasta pequeñas imágenes en oro o bronce. Vimos artefactos que se remontan al siglo 7 d.C., y nos detuvimos para rendir homenaje ante las tumbas de los Grandes Reyes de Corea, que fueron enterrados dentro de pequeños montículos semejantes a pequeñas colinas. Más tarde, descubrí que los grandes líderes militares coreanos, también están enterrados allí, pero en ese momento, nos perdimos toda esa información, debido al limitado coreano que poseíamos.

Más tarde, el Sr. Sun nos llevó al lago Pomunho, que formaba parte de un complejo turístico. Allí, descubrimos que nuestro hotel está ubicado en medio de este exitoso conglomerado. Fuimos a navegar en pequeños botes en forma de cisne, tomamos una copa en la cafetería y en general, paseamos.

Cuando nos íbamos, nos detuvimos en una pequeña tienda de recuerdos y pude comprar un libro escrito en inglés sobre los templos. Más tarde, lo leí de principio a fin y me alegré mucho de haberlo hecho. El Sr. Sun estaba visiblemente orgulloso de su ascendencia y sintió que era importante para nosotras ver un lugar tan antiguo. El templo más antiguo se construyó en el año 751 a los pies de la montaña T'ohamsan. Al finalizar, se habían construido más de ochenta edificios a su alrededor. El sitio, se convirtió en uno de los mayores complejos de templos budistas en el este de Asia. Más recientemente, debido a la cantidad de artefactos y ruinas que se han encontrado allí, se le ha dado el apodo de 'La Atenas de Asia Oriental'.

Expresamos nuestro agradecimiento al Sr. Sun por un hermoso día y nos dirigimos de nuevo a la Bongo Van. Para mí, el único aspecto negativo, la idea de volver al trabajo.

4

MAFIA, MOTOS Y LÍDERES MILITARES

5 DE ABRIL DE 1989.

Después de sólo una semana en Corea, hacer los shows al final de cada día, era algo a lo que ahora temía. Me encanta bailar, pero en Corea, desde mi limitada experiencia, deduje que a las bailarinas nos tenían poco en consideración y sin ninguna duda, éramos poco apreciadas o respetadas.

En el club nocturno, el público se había vuelto tan ingobernable, que necesitábamos constantemente tener gorilas a ambos lados mientras recorríamos las tablas. Los borrachos, continuaban reuniéndose alrededor del frente del escenario, como si fuesen fanáticos en una sala de conciertos de música pop, pidiendo ayuda a sus amigos para que los aupasen y subir al escenario en un intento de tocarnos. Se había convertido en una ocurrencia muy común. En cuanto los agarrasen los guardias, serían arrojados sin ceremonias a la masa merodeadora de la embriaguez masculina que constituía nuestra audiencia. Esos hombres despreciados, rechazados y humillados, buscarían venganza lanzando proyectiles de papel o cáscaras de naranja sobre el escenario, hacia nosotras.

Una noche, cuando estúpidamente me acerqué demasiado al borde, ¡un joven saltó e intentó prenderle fuego a mi traje con su mechero!

Cada vertiginoso cambio de vestuario, resultó ser, encontrar a dos o tres hombres coreanos, sentados copa en mano en el camerino, esperando a que empezase otro espectáculo; que nos desnudásemos. Les ordenábamos que se fueran, pero nunca obedecían. No teníamos tiempo entre cambio y cambio para obligarles físicamente. A menudo me preguntaba si uno de los porteros, había llegado a un acuerdo con cierta clientela. Creo que él estaba cobrando una tarifa a aquellos muchachos, para que se sentasen allí y observaran un espectáculo en el que, involuntariamente, jugamos el papel principal.

Después de los shows, la mayoría de las veces, teníamos que apoyarnos con los hombros en la puerta del camerino, como lo habíamos hecho en nuestra primera actuación, en un intento de evitar que otros grupos de hombres accedieran. No se parecía en nada a lo que yo tenía en mente, ni para lo que nos habíamos apuntado.

Cuando por fin era seguro dejar el camerino, salíamos a buscar algo de comer. Generalmente, esto significaba que nos acosaban en la calle, o al menos, nos miraban y reían, antes de llegar a nuestro destino elegido. Después de un tiempo, nos acostumbramos a ese tipo de miradas, pero ser constantemente asaltadas, empujadas o agarradas, no era tan fácil de ignorar.

Nos acostumbramos a que cada vez que entrábamos en un bar, nos diesen un vaso de agua que dudábamos en beber, ya que no teníamos ni idea de su origen, o té de Ginseng, que parecía agua sucia y también con una dudosa procedencia. Esto solía ir acompañado de un pequeño cesto de palomitas de maíz o patatas fritas. Si teníamos suerte, podíamos comer sin interrupciones, pero la mayoría de las veces, no era así.

Una noche, al salir de un café, se nos acercaron tres

hombres de mediana edad sosteniendo un fajo de dinero coreano, meciéndose de un pie al otro y riendo como colegiales adolescentes. ¡Pronto fue evidente que asumían que éramos prostitutas y querían saber cuánto cobrábamos! Nos sentimos momentáneamente aturdidas y conmocionadas, pero sobre todo ofendidas.

Hice un intento por agarrar el dinero con la intención de lanzárselo a la cara, pero desafortunadamente para mí, ¡supusieron que estaba aceptando la oferta y estaban encantados! Rieron aún más fuerte y se dieron palmaditas en la espalda, mientras esperaban la resolución del acuerdo. Louise rechazó su oferta en mi nombre y me apartó de la situación.

Otra noche, después de un duro trabajo nocturno, Louise y yo, estábamos sentadas tranquilamente comiendo, pensando en nuestras cosas, cuando un joven coreano nos preguntó en un perfecto inglés, si podía acompañarnos. Louise no quería que la molestase y adoptó de inmediato acento escocés, en un intento de desalentar al chico.

"Och, ya sabes, pero no creo que debas. Todos ustedes no me entienden".

Desafortunadamente para Louise, el joven decidió que sí podía entenderla y se sentó. Cualquier cosa que él no entendía, me pedía que la "tradujese". ¡La pobre Louise tuvo que mantener su acento escocés durante una hora y media antes de que pudiéramos escapar! Pensé que era hilarante. Por otro lado, ¡a Louise no se lo pareció tanto!

Esa misma noche, cuando regresábamos al hotel, un joven coreano salió de la nada y me agarro por la coleta, tirando de mi cabeza hacia atrás hasta casi hacerla tocar con sus rodillas. Grité y grité, pero él se negó a soltarla, incluso cuando logré girarme. Continué gritando, balanceé los brazos dándole un puñetazo, le di patadas y le tiré del pelo, pero él seguía aferrado a mi coleta, como si en ello le fuera la vida. Esta vez fue el turno de Louise de encontrar la situación muy divertida, y que, a mí, no me lo pareciese tanto. Supuse que esta era la forma del Karma de pagarme, por reírme de Louise en el restaurante.

Al llegar al hotel, nos encontramos con Sharon en la entrada, quien se había encaprichado con uno de los DJ coreanos, Park Hyun (sus apellidos siempre se pronuncian antes de su nombre). Ella había tenido una cita con él y acababan de llegar.

"¡Adiós, adiós, te amo!", dijo, y le lanzó un beso, mientras Louise y yo nos mirábamos. Nos dimos la vuelta para ir al hotel, pero la cita de Sharon parecía renuente a irse. Se demoró visiblemente en la entrada del hotel, caminando despreocupadamente hacia arriba y hacia abajo, con las manos en los bolsillos.

"¿Creéis que quiere que lo invite a entrar?", susurró Sharon.

Louise se encogió de hombros, "Probablemente".

¡Espero que no!, pensé.

Park Hyun percibió la incertidumbre de Sharon y se volvió hacia ella.

"¡Vete, vete!", dijo, sonriendo mientras le espantaba con una mano y soplaba un beso con la otra. Mientras observábamos sus órdenes y nos dirigíamos hacia las puertas, escuchamos que un pequeño automóvil se detenía. Nos volvimos todas simultáneamente, para ver a Park Hyun trepando dentro y sentándose entre dos chicas coreanas que se estaban riendo, mientras una tercera conducía y una cuarta ocupaba el asiento del pasajero. Cuando el vehículo se alejó, Park Hyun vio la expresión irritada de Sharon y se inclinó sobre una chica para bajar rápidamente la ventanilla.

"Sharon, son negocios, sólo negocios", gritó. "No me malentiendas". Louise y yo intercambiamos miradas de complicidad, mientras Sharon consternada, observaba el pequeño coche que se alejaba en la noche.

Habíamos dormido alrededor de una hora, cuando nos despertó un fuerte golpe en la puerta. Instintivamente saltamos de la cama, preguntándonos quién demonios estaría llamando a la puerta a esas horas de la madrugada. Nos miramos alarmadas. Sharon llegó primero a la puerta y oteó a través de la mirilla.

"Son Yoyo y otro hombrecillo", susurró ella.

"Quítate del camino", ordenó Louise. Ella también miró a través del agujero de espionaje y luego, colocando la cadena y poniéndose de puntillas hasta su altura máxima, abrió la puerta lentamente.

"¿Si ...?"

De pie frente a nosotras, había un coreano algo rechoncho, cubierto de anillos y cadenas de oro, vestido con un traje caro y fumando un cigarro. A pesar de su diminuta estatura, tenía un halo de autoridad, una arrogancia que implicaba que estaba acostumbrado a salirse con la suya y que ahora no sería una excepción. Junto a él estaba Yoyo, visiblemente apocado.

"Hola, este Sr. Kyong, es un hombre muy importante en Seúl", explicó Yoyo.

"¿Oh, sí ...?", dijo Louise dubitativamente, mientras Sharon y yo nos agrupábamos detrás de ella mirando por encima de sus hombros.

"Eh ... él quiere hablar con vosotras", continuó Yoyo, evitando el contacto visual, retorciendo las manos y viéndose extremadamente incómodo.

"¡Son las cuatro de la madrugada!", respondió Louise. "¡Dígale que vuelva mañana, durante el día!"

"¡No, no entiendes!", la cara de Yoyo era la imagen de la incomodidad. "Él vio actuar y ahora querer acostarse con una de vosotras".

"Bueno, pues eso no va a suceder, ¡buenas noches!", Louise

comenzó a cerrar la puerta, pero Yoyo la agarró, sujetándose instintivamente con ambas manos como si fuera un salvavidas.

"¡Tu tener que hacer lo que dice! ¡Él ser jefe de mafia coreana!"

"¡No, escucha TÚ!", ladró Louise, mientras Sharon y yo nos mirábamos alarmadas. "No podría importarme menos si él es la maldita reina de Saba, ¡NO entra aquí!"

La puerta se cerró de golpe en sus caras y las tres nos apoyamos contra ella; ¡Una respuesta automática, supongo, de nuestras noches de trabajo en el vestuario! Hubo un silencio a ambos lados de la puerta por unos momentos, aparte de nuestros corazones palpitantes mientras nos mirábamos frenéticamente en pánico, entonces, ¡se desató el infierno!

. Nos turnamos para ver a través de la mirilla, para ver a ese pequeño coreano furioso que estaba teniendo una gran rabieta, sólo porque no se había salido con la suya. Resopló y bramó, corrió por el pasillo y luego comenzó a patear la puerta y a golpearla con puños de hierro. Mientras tanto, Yoyo hacía reverencias continuamente, se encogió y murmuró cosas apenas audibles, ¡probablemente con miedo por su vida! Nos miramos con incredulidad.

"¡Rápido, pongamos una silla debajo de la manija de la puerta!", dijo Louise.

"Y, alejémonos de la puerta", agregué. "¡Podría tener un arma!"

"¡Mierda!", exclamó Sharon, saltando instintivamente al baño adyacente.

"¡No había pensado en eso!"

Colocamos rápidamente la silla y nos alejamos de la puerta por miedo a que hubiese disparos. Entonces, esperamos. Finalmente, después de veinte minutos sin fin, los gritos y golpes en la puerta se detuvieron bruscamente y el dúo se fue. Sin embargo, nos resultó imposible dormir. Durante las siguientes horas, el jefe mafioso, llamó por teléfono constantemente a nuestra habitación en intervalos de quince minutos. Louise respondió cada vez y le dijo que dejase de llamar ... ¡o palabras a ese efecto!

Una vez que el teléfono finalmente dejó de sonar, todavía no podíamos dormir, por temor a represalias. Sin embargo, afortunadamente para nosotras, nunca volvimos a ver ni a escuchar nada de él.

A la noche siguiente, entre los shows, el Sr. Sun decidió que nos iba a llevar a comer. Esta vez, el restaurante elegido, era un club de striptease, pero en ese momento no lo sabíamos. Mientras nos concentrábamos en grandes platos de frutas exóticas, esperamos sin sospechar nada, a que comenzara el entretenimiento.

Justo a la izquierda de nuestra mesa, había un pequeño escenario redondo que estaba completamente detrás de una cristalera.

"¡Es un escenario muy pequeño!", señalé. "El suelo se inclina y hay un desagüe en el medio. Me pregunto para qué sirve".

"Parece el suelo de una ducha, pero no puede ser, ¿verdad?", respondió Sharon. "¿Por qué habría una ducha en medio de un club nocturno?"

En nuestra inocencia, no podíamos entender por qué habría necesidad de tal cosa, pero pronto lo descubriríamos.

Tres chicas coreanas entraron en el escenario, vistiendo nada más que un delgado kimono cada una y botas blancas hasta las rodillas, con suela de plataforma y tacones de 15 centímetros. Una vez dentro del escenario de cristal, la música comenzó y dejaron caer sus kimonos. ¡Casi nos atragantamos con la fruta, cuando nos dimos cuenta de que estaban completamente desnudas, aparte de sus botas!

El Sr. Sun sonrió y observó nuestras caras expectantes cuando el grupo de tres chicas lesbianas comenzó a girar una encima de otra, pasando por toda una gama de posturas sexuales, mientras continuábamos masticando la fruta. El Sr. Sun se lo estaba pasando en grande mientras nosotras, intentábamos fingir indiferencia, con mucho menos éxito que las chicas fingían sus orgasmos.

"Me siento tan incómoda por ellas", dije, con un bocado de papaya. "Debe ser horrible tener que hacer esto delante nuestra".

"Estoy de acuerdo. Supongo que estarán acostumbradas a hacerlo frente a los hombres, pero de alguna manera, esto debe parecer aún más degradante ", respondió Louise.

"¡Debe ser horrible tener que hacerlo en absoluto!", comentó Sharon. Y tenía toda la razón.

Tan pronto como terminaron su 'actuación' y dejaron el escenario, apareció una ducha, eliminando cualquier residuo que pudiera haber quedado atrás. De ahí la pendiente del suelo y el drenaje.

Hubo un poco de música disco, luego de un minuto o dos, el DJ comenzó a anunciar la próxima actuación.

"Honestamente no puedo decirte cómo me siento en este momento", dijo Louise.

"¡Lo sé!", respondí. "Estoy en parte intrigada por ver qué es lo siguiente, ¡pero temiéndolo al mismo tiempo!"

"¡Yo también!", dijo Sharon.

Intentamos centrar toda nuestra atención en las frutas tropicales restantes, mientras tres hombres y una niña, caminaban hacia un escenario más grande en el centro del club. Su actuación, consistía en que cada hombre desplegaba un látigo de nueve colas por el suelo, luego lo dirigía hacia la pobre chica atada, que era constantemente azotada. La mitad de su cuerpo estaba cubierto de cicatrices de actuaciones anteriores. El Sr. Sun y el resto de la audiencia, parecían disfrutarlo. Para mí, definitivamente, era un mejor número que el anterior ¡especialmente cuando estábamos tratando de comer!

Después de casi dos semanas en Corea, tuve que admitir que la novedad, se había agotado. En lo que a mí respecta, era un país orientado hacia los hombres, donde las mujeres eran tratadas como ciudadanos de segunda clase. No sabía si esto se debía únicamente al entorno de trabajo en el que me encontraba, pero lo dudaba seriamente.

¡El pasatiempo favorito de los hombres parecía ser, estar tosiendo flema! Carraspeaban y lo escupían, o lo sorbían por la nariz. Otro truco, que generalmente se realizaba en el exterior, consistía en inclinarse hacia delante, presionar su dedo índice en un lado de la nariz y soplar, hasta que largas líneas de moco se colgaran de su fosa nasal. Un giro rápido lo enviaría volando por el aire, un proyectil mocoso listo para adherirse a cualquier cosa: paredes, suelo o pobres transeúntes inocentes.

El trabajo continuó siendo una pesadilla constante. No era posible bailar por el mero placer de bailar. Necesitábamos estar alerta en todo momento por una "invasión" de tipo mafia o un "ataque" solitario en el escenario.

Una noche en particular, un joven ebrio saltó y se sentó en el borde del escenario de espaldas a nosotras, balanceó sus piernas hacia atrás y hacia adelante sobre el borde como un niño e hizo caras tontas y gestos con las manos al resto de la audiencia mientras actuábamos. Mientras bailaba junto a él, volvió la cabeza, entrecerró los ojos con desprecio y me escupió. Sin pensar en las consecuencias, instintivamente me incliné hacia delante y lo empujé. Inmediatamente saltó de nuevo y corrió hacia mí para atacarme. Afortunadamente, un guardia atento, adivinó el intento de represalia. Vino corriendo a rescatarme y arrojó al cliente de nuevo a la multitud rapaz.

Esa misma noche, en el mismo programa, Sharon y yo nos encontramos haciendo un dúo, ya que Louise no apareció para el final. A medida que la música continuaba y aún no había señales de ella, Sharon perdió la paciencia.

"¿Dónde diablos está?", se quejó.

Me encogí de hombros. "¡Espero que no la acosen en el camerino! ¡El hombre que empujé fuera del escenario se veía bastante molesto!"

Cuando la música terminó, hicimos una reverencia, salimos corriendo del escenario, preparándonos mentalmente para cualquier situación que estuviéramos a punto de enfrentar. Corrimos por el pasillo a toda velocidad, con la mitad de la audiencia siguiéndonos. Abrimos el camerino y, al tomar nuestras posiciones detrás de la puerta, Louise se unió a nosotras.

"¡Lo siento, chicas! ¡Se me rompió la cremallera!", dijo, mientras empujábamos contra la puerta.

"¡Qué alegría!", respondió Sharon sarcásticamente.

Después del show, salimos a comer y alrededor de las 2:30 am, cuando nos dirigíamos a casa, uno de los muchachos del club se detuvo en su motocicleta. Lo habíamos bautizado como "M A" (del equipo A), ya que siempre llevaba la camisa bien abierta para lucir una chuchería de oro colgada, lo que habría hecho avergonzarse a una cadena de librea de un alcalde. Obviamente, estaba orgulloso de su motocicleta, mientras se detenía y pasaba las manos por toda la carrocería charlando en coreano.

Sin pensar en las consecuencias, y siendo idiota, lancé mi

pierna sobre el sillín. Antes de que me diera cuenta, él se estaba alejando por el camino, conmigo aferrándome a la vida detrás de él. ¡Estaba estupefacta!

De repente, hizo girar la motocicleta y se dirigió a las chicas. Cuando nos detuvimos bruscamente, solté un suspiro de alivio y traté de escapar con cautela, liberándome del artilugio. Desafortunadamente, se dio cuenta de lo que estaba tratando de hacer y ¡de repente salió disparado! Me vi obligada a aferrarme a su chaqueta por miedo a caerme, mientras él se alejaba a toda velocidad, dejando a mis sorprendidas compañeras de baile en un estado de angustia y pánico.

¡No fueron las únicas con pánico! A medida que la motocicleta nos alejaba cada vez más de la civilización y recorría un sinfín de caminos rurales, decir que estaba asustada sería una infravaloración.

"No, no. Hotel, hotel, jeh-bahl" (Hotel, por favor, ¡te lo ruego!) Grité, constantemente aferrándome a la chaqueta, pero fue en vano. ¡Fue inútil! "M A", simplemente me dijo algo que no podía entender y sus palabras fueron arrastradas por el viento, mientras seguía conduciendo a un ritmo alarmante.

Cuando finalmente se detuvo en una zona boscosa, literalmente en medio de la nada, me dijo que bajara de la motocicleta, estaba a punto de llorar y me reprendí por mi propia estupidez. Me agarró por el codo con fuerza y me llevó al bosque.

¡Vas a ser violada! ¡Te va a matar! En silencio canté mi mantra sombrío una y otra vez, mientras me llevaba más y más profundamente en el bosque.

"¡No, Hotel!", repetí continuamente, tratando de soltar mi brazo de su agarre, pero fue en vano. Señaló hacia adelante e hizo un gesto para que siguiera caminando. Con el corazón casi latiendo fuera de mi pecho, hice lo que me ordenaron y lo seguí a regañadientes hacia la oscuridad del bosque.

De repente, dejó caer mi brazo, señaló hacia adelante, vomitó algo con entusiasmo y se puso a correr delante de mí. Me quedé inmóvil, sin saber si seguirlo, o huir. El problema, era que sabía que nunca podría encontrar el camino de regreso al hotel. Era una noche sin luna, nebulosa, brumosa y misteriosamente oscura. No tenía idea de dónde estábamos, así que decidí seguirlo a ciegas. Traté de pensar racionalmente, a pesar de la gama de películas de terror a las que me recordaba cruelmente esta siniestra escena, y decidí que, si sus intenciones eran atroces, era poco probable que se me hubiera adelantado y me dejara suficiente tiempo para intentar escapar.

Unos segundos después, se detuvo y me hizo una seña para que me acercase. Cada átomo de mi ser me decía que huyera lo más rápido posible en la dirección opuesta, sin embargo, me acerqué con aprensión, todavía extremadamente angustiada, y dudando de que estaba haciendo lo correcto. Tomó mi brazo de nuevo y me arrastró hacia una piedra. Al instante me sentí aliviada al descubrir que intentaba mostrarme la tumba del general Kim Yushin, (595-673 d.C.), uno de los líderes militares coreanos más famosos.

En ese momento, sin embargo, no tenía ni idea de quién era ese general, y realmente no me importaba. Me sentí muy aliviada, al descubrir que los motivos de "M A" para transportarme durante todo ese camino, eran mostrarme una tumba y no ubicarme en una nueva.

Después de intentar mostrar tanto entusiasmo por el lugar de descanso final del General como pude reunir, "M A" finalmente, sonrió y me llevó de regreso a la moto. Una vez allí, arrancó una flor de un arbusto cercano y me la ofreció, me ayudó a subirme a la moto y me llevó de regreso al hotel mientras yo, soltaba un gran suspiro de alivio.

Cuando finalmente llegué a mi habitación, encontré a

Louise y Sharon sentadas en sus camas, mordiéndose las uñas, llenas de preocupación.

"Lo que hiciste ha sido realmente estúpido, Michele", dijo Louise. "No sabíamos a dónde habías ido, ni qué hacer. Pensamos que ibas a ser violada, ¡o peor!"

"Lo sé, lo sé", le dije. "¡Yo también!" Luego me senté y les conté todo sobre mi aventura.

*(*El general Kim Yushin,* (595-673 *d.C.*) *brindó tanto apoyo militar a lo largo de su vida, que permitió a Kim Ch'unch´u ascender al trono y convertirse en el próximo Rey. El General ayudó a unificar dos reinos y condujo a las fuerzas chinas fuera de Corea, que unificaron por primera vez a la península coreana bajo un liderazgo político. Por su distinguida contribución al país y posiblemente por su relación con la familia real, fue honrado póstumamente con el título de rey en el año* 676 *d.C. A su muerte, su tumba fue construida a gran escala, comparable en tamaño a otros reyes fallecidos del pasado.*

5

VIAJANDO DE REGRESO A SEÚL

EL SÁBADO 8 DE ABRIL, TRES HORAS DESPUÉS DE MI aventura en moto, nos despertamos repentinamente cuando sonó el teléfono a las 6:30 am. Sharon respondió.

"Sí, Sr. Lee. No, Sr. Lee ..."

"¡Oh! ¡Me pregunto quién es!", bromeé.

"Conjeturando, yo... ¡diría que podría ser el Sr. Lee!", respondió Louise con sarcasmo. Volviéndose hacia Sharon, ella susurró ásperamente. "Dile que necesitamos algo de dinero!"

Sharon levantó la mano en dirección a Louise, haciendo un gesto de silencio para que esperara. "Sí, Sr. Lee. Ah, y Sr. Lee... " Sharon se volvió hacia nosotras. "¡Ha colgado!"

"¡Genial!", respondió Louise.

"Bueno, ¿para qué llama a esta hora impía? ¿Qué quería?", le pregunté.

"Eh... dijo que tenemos que levantarnos, eh ... ahora, recogerlo todo, ir a la estación de autobuses y ... tomar el primer autobús a Seúl".

"¿Qué?"

"¿Por qué?"

"Eh ... porque, aparentemente, ¡el hotel será inspeccionado!", respondió Sharon con indiferencia.

Explicó que, según nuestro agente, el gerente del hotel no tenía los documentos necesarios para permitir trabajadores extranjeros. Necesitábamos irnos lo antes posible, porque si nos descubrían, el hotel se enfrentaría a una gran multa. (¡El Sr. Lee había omitido decirle lo que nos pasaría a nosotras, si nos atrapaban!) Por lo tanto, tres horas después de irnos a dormir, nos encontramos haciendo el equipaje en absoluto silencio, con los oídos alerta ante cualquier ruido de actividad policial fuera del hotel.

Louise y yo terminamos de empaquetar nuestras pertenencias personales al mismo tiempo, pero Sharon, aún le faltaba mucho por recoger. De vez en cuando, se detenía con la mirada perdida y con una expresión vacía en el rostro. Dejándola así, nos dirigimos a la discoteca para recuperar los trajes.

"¡Sharon está ensimismada!", dije mientras bajábamos las escaleras corriendo. "Pensé que ella estaría lista antes que nosotras. Quiero decir, ella es la chica líder. Debería hacerse cargo de la situación, ¡pero parece que todo recae sobre nosotras!"

"¡Ella no sería capaz de organizar ni una borrachera en una fábrica de cerveza", respondió Louise. "Debería haberle pedido dinero, o mejor aún, haberlo llamado y decirle que, a menos que el gerente del hotel nos diera nuestro salario, no nos íbamos".

"¡Tienes razón!", dije. "¡Vamos a tener que viajar a Seúl prácticamente sin dinero!"

Conseguir acceder a los trajes, se convirtió en la parte más difícil de los procedimientos de huida, ya que el Club nocturno estaba cerrado, pero al final apareció un miembro adormilado del personal con las llaves y pudimos entrar. Prácticamente, tan pronto como terminamos de empaquetar y estábamos haciendo una verificación final para asegurarnos de que teníamos todos los trajes, Sharon apareció en la puerta y recogió casualmente dos accesorios.

"Oh, ¿habéis terminado?", preguntó, distraídamente.

No nos molestamos en responder - (¡Hablando de lo jodidamente obvio!)

Unos minutos más tarde, estábamos dentro de una Bongo Van con todas nuestras pertenencias y nos llevaron a la terminal de autobuses de Kyongju, donde nos abandonaron sin más ceremonias, en la penumbra.

"¿Y ahora qué, Sharon?", preguntó Louise, apenas ocultando su frustración. "¿Cómo se supone que vamos a llegar a Seúl? ¿Quién compra los billetes? Quiero decir, ¿cuál es el plan?"

"Eeeh..."

"¡Esto es genial!" Louise se desplomó sobre la funda del traje con un suspiro.

"Iré y veré ...", respondió Sharon con vacilación y se alejó. Regresó unos minutos después, justo cuando un desconocido estaba poniendo tres billetes en las manos de Louise y guiándonos hacia un autobús en espera.

Estaba triste por dejar el hotel en tales circunstancias. Significaba que nunca tendríamos la oportunidad de decirle adiós a nadie. Aunque el club nocturno había sido una pesadilla para trabajar, habíamos conocido a gente realmente amigable. En particular, extrañaría al Sr. Sun, quien había hecho todo lo posible para asegurarse de que lo pasáramos bien. Incluso si algunas de sus ideas de diversión diferían de las nuestras, ¡tuvimos algunas experiencias inolvidables!

El viaje en autobús de regreso a la capital fue una pesadilla. La distancia de Kyongju a Seúl es de 350 km, y normalmente llevaría aproximadamente cuatro horas. Nosotras, sin embargo, viajábamos en transporte público, por lo que el viaje nos llevó mucho más tiempo.

Encontramos tres asientos vacíos repartidos por los pasillos del autobús abarrotado y nos sentamos. Estábamos agotadas, pero el ajetreo y el bullicio del autobús, hacían imposible la idea de dormir un poco. A medida que salía el sol, el calor en el interior del autobús aumentaba rápidamente. Todas las ventanas estaban cerradas; una unidad de aire acondicionado anticuada en la parte delantera del autobús se sacudió y jadeó, intentando expulsar el aire frío que nunca logró alcanzarnos. Sólo los dos techos soleados proporcionaban una ráfaga ocasional de brisa.

El aire era espeso y opresivo y olía a comida frita pegajosa, sudor y pepinillos. Teníamos tanta sed... pero no teníamos nada más que lo puesto. Comparé nuestra situación con cómo deben sentirse los animales, cuando se cargan en un camión de ganado que se dirige al matadero y no pude evitar sentir, que nos dirigíamos al mismo destino, comparativamente hablando. *¿Y ahora, qué nos reservaba el destino?*

Finalmente, el autobús se detuvo para repostar combustible y todos salieron, respirando tragos de aire fresco cocido al sol y limpiándose las pestañas pegadas con pañuelos. Nos apresuramos a buscar los baños, las tres nos sentamos en el pavimento sintiéndonos totalmente abatidas. Al igual que nuestra llegada al aeropuerto, una vez más, nos sentimos como si hubiéramos sido descartadas, abandonadas y superadas por los acontecimientos.

Al juntar nuestros escasos recursos, entregamos los restos de nuestro efectivo a un hombrecito que vendía botellas de agua y una variedad de bocadillos, desde frutas y nueces, hasta burritos fríos de "pan de huevo". Armadas con nuestras inadecuadas provisiones, abordamos nuevamente el autobús, para continuar el resto del tortuoso viaje de regreso a Seúl.

Al llegar a la capital, nos llevaron directamente a las oficinas del Sr. Lee. Era la primera vez que estábamos allí y observamos el lugar con curiosidad. Nuestro agente parecía tener tres secretarias trabajando para él en la oficina, mientras que él, tenía una oficina privada en la parte de atrás. Debió escucharnos llegar y salió sonriendo.

"¡Hola! ¡Hola! ¡Me alegro verte! De acuerdo, este es el plan. ¡Vamos al hotel y mañana trabajar!", dijo, y nos hizo salir de la oficina, realmente antes de que entráramos.

"Espera un minuto", interrumpió Louise. "Hablando de trabajo. Queremos nuestro dinero por los espectáculos en Kyongju ".

"Ah, sí, un momento", dijo, sacando un fajo de billetes del bolsillo interior de la chaqueta. "Ten esto."

"Gracias, Sr. Lee", dijo Sharon, tomando el dinero y compartiéndolo.

Cuando empecé a contar el mío, Louise miró enojada al Sr. Lee.

"¿Dónde está el resto?"

Sólo había la mitad del dinero que habíamos estado esperando.

"Ah, bueno, ¡ahora no puedo dar todo el dinero! Recuerda, ¡he tenido que pagar, para sacaros de Kyongju!"

"Pero, no fue culpa nuestra que nos enviaras a trabajar en un hotel sin la licencia adecuada", argumentó Louise.

El Sr. Lee optó por no responder y, en un esfuerzo por aplacarnos, sacó un puñado de cartas de un escritorio y las agitó delante de nosotras de manera tentadora.

"¡Ah! Aquí, este es el correo que recibir para vosotras mientras estar en Kyongju", puso un paquete de cartas en manos de Sharon.

La idea de recibir noticias de casa, fue sin duda una forma de estimular a nuestros espíritus cansados y abatidos. Sharon asió la pila de correo y comenzó a repartirla.

"Louise, yo, Louise, yo, Louise, Louise, yo, yo ..."

¡No recibí una sola carta! Esa fue la gota que colmó el vaso. Estaba cansada, acalorada, hambrienta, y ahora, parecía que nadie en casa había pensado en mí. ¡Me disculpé, fui al baño y lloré!

Una vez más, nos encontramos en el Central Hotel. Esta vez había decidido que no iba a ser la última en elegir cama, así que me aseguré de entrar primera a la habitación. Había dos camas individuales y una doble en el otro extremo. Reclamé esa. Sharon eligió la del medio y Louise tomó la cama junto a la puerta, debajo de la unidad de aire acondicionado.

La habitación era decisivamente básica. Aparte de un televisor, un armario empotrado, una mesa pequeña, un espejo y un calendario en la pared, había poco más. Sin embargo, era un espacio mucho más grande que el que habíamos ocupado anteriormente. El baño también era básico, con una cucaracha maciza, de color marrón aceitoso en el medio del suelo embaldosado, que movía sus antenas con un saludo de sorpresa. Agua marrón salpicada de partículas de óxido, goteaba patética e incontrolablemente de los grifos. ¡No era exactamente, como estar en casa!

"¡Espero que no nos quedemos aquí mucho tiempo!", dije, mientras todas nos sentábamos en las camas, mirándonos con desaliento. (Poco sabíamos que esta habitación sería nuestro hogar durante los próximos tres meses).

Con el dinero que el Sr. Lee nos había dado, fuimos a dar un paseo por el centro de la ciudad, en busca de comida y provisiones. Se hizo evidente de inmediato, cuánto más occidentalizada era Seúl, en comparación con Kyongju. Debido a la gran cantidad de bases militares y, por lo tanto, de soldados estadounidenses, había cadenas de restaurantes y tiendas como McDonald's, Burger King, Dunking Donuts y Wendy's. No podíamos esperar más para entrar en McDonald's y tomar un poco de comida occidental para variar, incluso si era comida rápida, después de la cantidad de arroz y fideos que habíamos consumido desde nuestra llegada.

En el camino de regreso, nos encontramos con el grupo de cinco chicas que habían estado ensayando cuando fui a la audición en Londres. Como en aquella ocasión, fueron muy amables. Dijeron que estaban haciendo hasta cinco o seis shows por noche, que ganaban mucho dinero y aunque era difícil que el Sr. Lee aflojara al final de cada semana, terminaba por entregar el dinero. En general, dijeron que se lo estaban pasando genial. Esto impulsó nuestros espíritus, imaginando que nosotras también estaríamos en la misma situación en un par de días.

Las chicas se ofrecieron a llevarnos de paseo esa noche, así que nos reunimos con ellas una vez que terminaron de trabajar, alrededor de las 2:00 am. Querían enseñarnos Itaewon, el centro de toda la vida nocturna en Seúl.

Nunca me habían gustado las discotecas y los clubes nocturnos, pero, en contra de mi buen criterio, me uní a todas las demás, ya que no quería parecer grosera. Nos llevaron a "Kings", un club nocturno de aspecto desaliñado lleno de soldados GI americanos, a la `pesca´, y luego a varios bares con nombres atractivos: "Boston club", "Soul train", "East and West" y "The Twilight zone".

En mi opinión, de todos los bares, The Twilight zone, tenía más carácter y un mejor ambiente. Estaba ubicado en un cuarto piso y había una mezcla de mesas y sillas de diferentes formas y tamaños, así como grandes y cómodos sofás, en los que uno podía descansar si así lo deseaba. La iluminación era tenue, pero suficiente para poder ver, mientras las grandes ventanas alrededor de la barra, dejaban entrar las luces multicolores de Itaewon.

El bar vendía una gran cantidad de bebidas, así como comida, por lo que, durante el resto del contrato, cada vez que iba a Itaewon, siempre prefería parar allí. Nunca cerraba y en realidad, tenía un letrero en el exterior que decía que estaban "Abierto 25 horas al día". Esto significaba que, dependiendo de la hora del día que frecuentaras, podría haber hordas de personas o sólo unas pocas. A veces, en las primeras horas de la mañana, (la hora en que solíamos llegar), había personas que se desplomaban en un coma etílico sobre los sofás. El personal ignoraba convenientemente a sus clientes inconscientes, mientras limpiaban las mesas a conciencia y aspiraban el suelo a su alrededor.

En esta, nuestra primera ocasión, pedimos "Om-rice", que era el derivado de la tortilla francesa enrollada en forma de salchicha y rellena con una mezcla de arroz, verduras y pequeños pedazos de carne. Siendo vegetariana, esta era la única comida que podía encontrar, que no contenía demasiada carne. Pasé unos diez minutos escogiendo todos los pedacitos de carne con los palillos y colocándolos en el plato de Louise.

"¡Aquí tienes que probar esto!", dijo Tamara, una de las integrantes del quinteto. "Se llama 'Kimchi' y se sirve con todo aquí".

"¿Qué es?", pregunté, mientras todas mirábamos con sospecha el pequeño plato de col en capas, con un color rojo anaranjado.

"Es repollo fermentado, pepino o rábano y condimentado con pimiento rojo, ajo, cebolla verde y jengibre", explicó mientras arrugábamos la cara. "Está muy especiado, ¡pero se supone que es muy bueno para la salud, porque contiene todas las vitaminas y minerales que existen!"

Muy especiado era una subestimación. ¡Casi nos voló la cabeza! Mi boca estaba en llamas, ¡y sólo había comido un pedacito!

"Debe ser de gusto adquirido", le dije, escupiéndolo en una servilleta tan discretamente como me fue posible, mientras buscaba con los ojos llorosos mi ginebra con tónica y, literalmente, haciendo gárgaras con ella, en un intento por enfriar la boca. Tamara se encogió de hombros.

"¡Los coreanos juran que te acostumbras!", dijo ella.

"¿Sí? Bueno, ahora me dan ganas de jurar, ¡eso es seguro!", bromeó Louise, mientras buscaba la servilleta más cercana para depositar el contenido de su boca.

Después de comer, volvimos a salir. Las calles y bares de Itaewon estaban inundados de una gran cantidad de luces caleidoscópicas; la música sonaba en todos los establecimientos, y chicos con trajes brillantes hacían sonar panderetas o tambores, para atraer a los clientes que buscaban emoción en los bares y clubes nocturnos.

Los vendedores gritaban para publicitar sus productos por encima de la charla de miles de personas; el zumbido perpetuo de ciclomotores y bocinazos: el ajetreo y el bullicio incesante de una ciudad que nunca parecía dormir. En medio de tanta agitación, era imposible asimilarlo todo.

Tamara señaló algunos pequeños puestos que, según ella,

vendían todo tipo de curiosidades en palitos de kebab, así que nos acercamos para investigar.

"¡Puaj! Mira eso; ¡parece una especie de escarabajo!", exclamó Sharon, mientras la viejecita sonreía y saludaba con la cabeza desde el otro lado del puesto, esperando conseguir una venta.

"¡Sabe Dios lo qué es eso que está rebozado!", contestó Louise.

"Sí, ¡pero mira estos!", dijo Tamara, deleitándose con nuestra reacción. "Son pájaros bebés completamente formados, que se sacan de sus cáscaras antes de que eclosionen. ¡Mira! Puedes ver sus plumas de bebé, con sus picos y todo. ¡Entonces los coreanos los pinchan, los fríen y se los comen!"

"¡Urgh!", respondimos al unísono. "¡Eso es asqueroso!"

"¡Sí, se comen todo! ¡Ración de plumas y pico!"

En ese momento, escuché el sonido distintivo de una camioneta de helados. Después de probar el kimchi, la idea de un helado fresquito se me antojaba irresistible. Me giré en anticipación y sentí una gran decepción. ¡Descubrí que, en Corea, esa música metálica, anunciaba la llegada de los camiones de basura!

"¡Guau, esto es tan diferente de Kyongju!", dijo Sharon entusiasmada, mientras observaba a otro grupo de GI que desfilaba y sonrió recatadamente en su dirección. Louise asintió.

"¡Definitivamente!", asintió Louise mirando de arriba a abajo a los GI.

No podría estar más de acuerdo, pero por diferentes razones. Prefirieron Seúl por la atmósfera frenética sin fin, que correlacionaba una vida urbana ocupada. Yo, en contraposición, me decanto más por Kyongju, por la relativa tranquilidad de una pequeña ciudad.

Según avanzaba la noche, el quinteto de bailarinas desapareció lentamente, a medida que se conectaban con sus novios estadounidenses. Con nuestro número cada vez más escaso, una de las chicas, Amy, se levantó de inmediato.

"¡Perfecto! Vamos chicas, creo que es hora de que conozcáis Hooker Hill". (Cerro de putas).

Esta resultó ser una calle estrecha e inclinada, famosa por su variedad de prostitutas locales, que se posicionaban en puntos estratégicos a ambos lados de la colina y esperaban a los coreanos o a los GI. Pasamos por delante de ellas, sorprendidas por la cantidad de clientes potenciales que parecía haber, hasta que nos detuvimos en un pequeño establecimiento que parecía funcionar como una tienda y una cafetería.

"Y esto ..." Amy anunció, lanzando sus manos en una baja `V´ para presentar el local, "... ¡esta es la famosa Kettle House!". (Tetería)

"Eh, es probable que sea una pregunta tonta", le dije. "Pero, ¿por qué se llama Tetería?".

"Ya lo verás.", respondió Amy. "Vais a probar el Sod-u coreano, (pronunciado '¡So-d- you´!), la bebida nacional típica. Significa 'una primavera bienvenida', pero debo advertiros que es tan fuerte que debe mezclarse con zumo de frutas y yogur para proteger el estómago".

Maldita sea, pensé para mis adentros, en inglés suena ¡So-d-you´! (¡Que-te-den!) ¡hablando de nombres engañosos...!

Entramos en la diminuta tienda y nos sentamos en pequeñas mesas viejas y destartaladas, con una mezcla de taburetes y sillas desvencijadas. Inmediatamente, una mujer alta, delgada y de mediana edad, se acercó a nuestra mesa. Parecía ser tan reservada, serena y culta, que creó la impresión de casi flotar en nuestra mesa.

Mientras Amy tomaba la orden de las bebidas en coreano, estudié a la mujer más de cerca. Parecía tan fuera de lugar, que me encontré rumiando, que cómo y por qué había terminado sirviendo Sodu en una calle secundaria llena de prostitutas. La misma pregunta que me había encontrado preguntándome cuando pasé junto a las jóvenes de la noche. ¿Cuáles serían sus historias? ¿Qué las había llevado a esto?

El nombre del local pronto se volvió descaradamente obvio, ya que todos los clientes recibieron sus Sodu en viejas y silbadoras teteras, no es que estuvieran silbando ahora, pero obviamente lo habían hecho en algún momento. El Sodu se bebía de vasos de plástico desechables de una gran variedad de colores, con un trozo de pajita en el interior. El Sodu puro, era similar en apariencia al sake japonés o al griego Ouzo, totalmente incoloro y absolutamente imposible de beber solo (al menos para nosotras) Sin embargo, mezclado con zumo de frutas y yogur, se convertía en el tipo de bebida que te hace pensar que estás consumiendo poco alcohol.

"¡Esto es letal!", advirtió Amy. "¡Así que tened cuidado!"

¡No recuerdo mucho después de eso!

La noche siguiente, cuando estábamos en la habitación preparándonos para nuestro primer show en Seúl, apareció el Sr. Lee.

"¡Esta noche bailar en el club nocturno de los Estados Unidos!", anunció con jovialidad. "Recordar, hacer tu mejor espectáculo, porque esto es como una audición".

"Entonces, ¿qué está diciendo, Sr. Lee?", preguntó Louise, mirándolo con suspicacia.

"Si hacer buen espectáculo, tener trabajo. Contrato de un mes, tal vez dos"

"Sí, entonces, ¿qué está diciendo? ¿Nos pagan por el espectáculo de esta noche, Sr. Lee o qué?", insistió.

"Por supuesto... ¡NO! ¡Audición!"

"¡Genial!", respondimos sarcásticamente.

Estábamos aprensivas, mientras la Bongo Van se acercaba a la discoteca de los Estados Unidos, porque supusimos que bailaríamos en una habitación llena de soldados estadounidenses. De alguna manera, la idea de actuar frente a hombres americanos, en lugar de coreanos, era, por alguna razón, muy desconcertante y no teníamos ni idea de cómo reaccionarían ante nuestro programa. Sin embargo, cuando entramos, no había ni un solo GI a la vista.

El club estaba lleno de coreanos, que devoraban con ganas otra actuación lésbica. Según atravesábamos el bar para enseñarnos dónde estaban nuestros camerinos, captamos parte de la actuación. Una de las chicas estaba en topless, mientras que la otra llevaba la camisa desabrochada. Su actuación parecía consistir en caminar alrededor del público y sentarse sobre las rodillas de los hombres. Más tarde, una se montaba en las rodillas de la otra mientras recibía latigazos, ¡nada que no hubiésemos visto antes!

Entramos en el camerino, para ponernos los trajes. No fue una tarea fácil, cuando descubrimos que la bombilla no funcionaba, por lo que la única fuente de luz disponible provenía del corredor. Era un espacio extremadamente pequeño, con algunas sillas colocadas alrededor, pegadas a la pared.

En una esquina, no había suelo, el espacio se reducía más debido a un gran 'agujero' de unos tres metros cuadrados y un metro cincuenta de profundidad. No parecía servir a ningún propósito, así que decidimos dejar allí las cosas, para darnos un poco más de espacio.

Unos minutos más tarde, justo cuando colocamos los trajes y estábamos empezando a cambiarnos, ¡la música de nuestro show empezó a sonar!

"Mierda, no estoy lista ni de coña", exclamé.

"¡Yo tampoco!", dijeron las chicas al unísono, mientras nos

mirábamos frenéticamente, consternadas, y seguimos metiéndonos locamente en los trajes.

¡Nadie se había molestado en decirnos qué franja horaria teníamos, o qué tan pronto debíamos estar listas!

Mientras la música sonaba y el público miraba a un escenario vacío, asumí que el DJ apagaría la música y volvería a las melodías pregrabadas, pero eso no sucedió. En consecuencia, ¡el número de apertura fue un auténtico desastre! Cada una de nosotras, llegó al escenario en diferentes momentos, en cuanto teníamos el traje medio puesto.

A pesar de la debacle en el número de apertura, el resto del espectáculo salió bien. Sin embargo, al salir del escenario, empezaron otros problemas. Mientras caminábamos de regreso hacia el camerino, nos cruzamos con el siguiente grupo en actuar; un hombre con un traje elegante y corbata, que evitó deliberadamente el contacto visual. Asumí que era un cantante, y no pensé más en él.

Entramos en el vestuario y, tras ponernos nuestra ropa, salté al pequeño cuadrado en el que habíamos dejado la maleta, para empezar a empaquetar los trajes del show. Minutos más tarde, el `cantante´, regresó al vestuario con nada más que una tanga peluda. Las tres tuvimos que mirarlo dos veces, para comprobar que, en realidad, era una tanga peluda cuando, a primera vista, ¡parecía estar completamente desnudo! (Supongo que tuve una vista privilegiada, ¡ya que, en ese momento, estaba al nivel de su entrepierna!)

Cuando nos dimos la vuelta y empezamos con el proceso de guardar los trajes, el hombre se vistió rápidamente con un chándal y, sin previo aviso, se enfureció. Señalando en mi dirección, clavó en mí su mirada y empezó a gritar. Al no obtener ninguna respuesta (ya que yo no tenía ni idea de cuál era su problema), alzó una silla y la arrojó a través del camerino.

"¿Qué demonios le pasa?", pregunté, confundida, bastante

asustada y en completa desventaja por estar en un agujero y al nivel de su entrepierna.

"¡Panty, panty!", gritó.

Mientras lo miraba con irritación, Sharon estaba fuera de sí, tratando de no reírse.

"¡Oh!", dijo ella. "¡Piensa que le has quitado su tanga peluda!"

"¡No lo tengo!", grité. "¡¿Qué demonios querría yo de tu sudorosa tanga?!"

Con fuego y azufre brillando en sus ojos, continuó señalando, gritando y gesticulando en mi dirección.

"¡Panty, Panty!", gritó repetidamente.

Louise, al instante comenzó a jadear como un perro. Esto nos hizo reír a todas, lo que no ayudó en absoluto a la situación.

Otra silla fue lanzada a través del camerino mientras continuaba su diatriba de alarmas.

A pesar de la mala iluminación, finalmente Louise vio el objeto ofensivo en el suelo, detrás de una de las sillas. Levantándola con la parte enganchada en una percha, levantó la peluda tanga, la percha y todo, luego, con una expresión de absoluto disgusto, la puso bajo su nariz.

"¿Es ESTO lo que estás buscando?"

El tipo arrebató su preciada posesión y se alejó por el pasillo con un resoplido y una rabieta, mientras el sonido de nuestra risa, hacía eco detrás de él.

Al día siguiente, el Sr. Lee nos informó que tendríamos dos audiciones más esa noche. La primera, sería en el club `Valentino´ y la segunda en `The Golden Star´. Como no se mencionó al club de EE.UU., asumimos con razón, que no habíamos conseguido el trabajo.

"Entonces, supongo que estaremos trabajando gratis de nuevo, ¿no, Sr. Lee?", le dije sarcásticamente.

"Bueno, hacer buen espectáculo y empezar a ganar buen dinero", respondió.

Las tres fruncimos el ceño, pero el agente nos ignoró convenientemente.

El primer lugar, fue un club nocturno de aspecto elegante, que nos hizo sentir a las tres un poco más optimistas. Para llegar al escenario principal, debíamos caminar por una pasarela. Esto hizo que nuestras salidas para los cambios rápidos parecieran una maratón, ya que teníamos que correr por la pasarela, a lo largo de un pasillo extremadamente estrecho, que sólo permitía el paso de dos personas, - si se colocaban de lado y una, se apoyaba contra la pared. – y entonces, sólo nos quedaba un último tramo para llegar al camerino. A pesar de estos inconvenientes, logramos con éxito cada cambio rápido, arrancándonos la ropa mientras corríamos por el pasillo hacia el vestidor.

En contraste, la segunda audición en el 'The Golden Star', fue una inmersión sucia y sórdida. Tenía un escenario de tamaño decente, pero nos obligaron a maniobrar a través de los instrumentos de la orquesta para llegar a él, lo cual no fue una tarea fácil.

La clientela parecía ser en su mayoría coreana, de mediana edad y parecía no haber una sola persona sobria entre ellos. Estaban inquietos y nada impresionados con ninguno de los dos shows. Durante nuestra primera actuación, un hombre se puso de pie y se tambaleó hacia nosotras, acompañado de un alentador aplauso de sus compañeros de juerga.

"¡Cuidado, hay un borracho cerca!", advirtió Louise.

Se acercó al escenario con pasos tambaleantes y, siendo incitado por sus compañeros, ¡vertió un cartón lleno de leche en el escenario!

"¿Eso es leche?", preguntó Sharon, no creyendo del todo lo que estaba viendo.

"Sí, pero en lo que han convertido en esta guarida de iniquidad a una bebida inocente como la leche, me supera", le contesté. "Tal vez es una costumbre coreana para indicar disgusto o algo así", sugerí, mientras intentábamos evitar resbalones en el desorden lácteo que se ensanchaba lentamente. (Si era una costumbre, no lo descubrimos nunca).

"Bueno", les dije, mientras regresábamos al vestuario después del show y guardamos un desanimado silencio. "Puedo decir honestamente, que espero que no obtengamos este contrato, ¡es horrible!"

"Lo mismo digo", respondió Louise. "Me he sentido muy incómoda".

"¡Y yo!", dijo Sharon expresando estar de acuerdo.

Cuando regresamos al hotel, nos sentimos abatidas y de lo más desilusionadas. Para animarse, Sharon decidió salir a otra cita con un coreano que había conocido en recepción, mientras que Louise y yo, decidimos visitar `Twilight zone´ para tomar arroz Om y algo de alcohol, para ahogar nuestras almas.

Al día siguiente, el Sr. Lee llegó inesperadamente al hotel para darnos más correo. Sharon y Louise recibieron varias, yo, recibí una, ¡pero fue mejor que nada!

Cuando las chicas comenzaron a escanear sus cartas y tarjetas, charlando tontamente, sin previo aviso, el Sr. Lee perdió la paciencia, golpeó el suelo con el pie, apretó los puños y nos dijo que nos sentáramos. Sorprendidas por su repentino cambio en el carácter, hicimos lo que nos decía inmediatamente y miramos inquisitivamente a nuestro agente. Cuando supo que tenía toda nuestra atención, comenzó a hablar.

"Ahora, necesito hablar en serio, chicas", comenzó. "¡Vosotras darme muchos problemas, muchos problemas!"

"¿Como cuáles?", preguntó Sharon.

"Música ser mala. ¡Muy mala!"

"Bueno, ¡no lo grabamos nosotras!", discutió Louise.

"Elegir show, sólo uno. Y hacer show corto".

"Haremos el mío", dijo Sharon, eligiendo de inmediato la canción en la que tenía la rutina en solitario. (Pasarían meses antes de que tuviera que volver a bailar el número de James Bond).

El Sr. Lee asintió, viéndose un poco molesto. Luego, mirando a Sharon y Louise, añadió. "Las dos estar gordas! ¡Ser muy malo, muy malo! ¡Oh, y vosotras tener que hacer Can-can! ", añadió como una idea de último momento.

Lo miré desconcertada, pero decidí no molestarme en preguntar cómo se suponía que íbamos a cumplir sus deseos, cuando no teníamos acceso a ningún equipo de sonido, ni dinero para comprar trajes de can-can.

"Entonces, ¿estaremos trabajando esta noche, Sr. Lee?", le pregunté.

"No, no trabar hoy; ¡Y no audiciones!"

El día siguiente, miércoles 12 de abril, fue otro día de desempleo forzado.

"El Sr. Lee dijo que no podemos trabajar hoy porque, parece ser que es el cumpleaños de Buda", nos informó Sharon cuando dejó el teléfono.

"¡Eso no tiene sentido!", dije. "¡El otro grupo, hoy trabaja!"

Sharon se limitó a retorcer el labio, se encogió de hombros despreocupadamente, y luego, hurgó en una bolsa de chocolates.

En esos momentos me sentía furiosa interiormente, exasperada de que las palabras del Sr. Lee sobre su aumento de peso, fuesen ignoradas descaradamente. Me sentí atrapada en una situación lúgubre que lentamente se salía de control, ganaba impulso en cada giro y en la que no podía hacer nada al respecto.

Para nuestro quinto día de desempleo forzado, nuestro dinero se había reducido prácticamente a cero. Tenía `la gran suma´ de 9,000 wons coreanos (aproximadamente 9 €) en mi bolso y me sentía extremadamente decaída. Extrañaba mi casa, echaba de menos los ingresos regulares del trabajo de la temporada de verano, el hecho de bailar con regularidad, pero por encima de todo, lo que más extrañaba, era a mi madre.

Sintiendo el deseo extremadamente fuerte de hablar con ella de inmediato, me dirigí a la recepción y llamé a casa, cargando la llamada a la habitación. Tan pronto como la voz familiar de mi madre viajó por la línea telefónica, comencé a llorar y le conté la lamentable historia. Mamá logró calmar mis temores, pero más tarde, de vuelta en la habitación, cuando me había calmado, me sentí culpable. No pude quitarme de la cabeza la imagen de mi madre, así que decidí llamarla de nuevo. Culpé de mi arrebato al cansancio y le dije que no se preocupara. (¡Poco sabía yo, que mi madre, una pelirroja de carácter furioso, ya había llamado a la agente inglesa y le había cantado las cuarenta!)

El jueves fue una repetición del día anterior.

"El Sr. Lee no está en su oficina ", dijo Sharon colgando el teléfono.

"¡Supongo que eso significa que, de nuevo, no trabajamos!", dijo Louise enfurecida.

"Si me preguntáis mi opinión, él nos está evitando", le contesté.

Sharon se encogió de hombros y comió un poco más de chocolate.

"No lo sé, pero no me siento muy bien", dijo.

Grité interiormente. Era descaradamente obvio, que nuestro agente estaba teniendo problemas para encontrarnos trabajo, pero realmente no debería haberme sorprendido. Había una gran cantidad de bailarinas extranjeras en Seúl. Los clubes tenían su selección de grupos de baile y apenas éramos producto de primera.

Contemplamos otro día de desempleo y sin dinero, hubo un golpe en la puerta. Dos de las chicas del otro grupo, Tamara y Amy, estaban allí en kimonos, con gafas de sol en la cabeza y mantas del Central Hotel bajo los brazos.

"¡Hola! Nos vamos a tomar el sol en el tejado del hotel. ¿Queréis uniros?"

Louise y yo aceptamos. No teníamos nada mejor que hacer. Sharon se negó, diciendo que tenía una cita con Charlie, un GI afroamericano que había conocido en Itaewon.

Diez minutos más tarde, siete de nosotras estábamos tumbadas, en fila, en las mantas del hotel, en el tejado del Central Hotel.

Tomar el sol es un proceso complicado para una bailarina. No hay nada peor que broncearse y luego usar trajes de baile luciendo grandes marcas blancas de sol de bikinis o tops. En consecuencia, con sólo nuestras tangas, tomamos el sol en topless. Me gustaría decir que era un lugar apartado, ¡pero estaría lejos de la verdad! El hotel, era sobrepasado por otros edificios de gran altura, cuyos ocupantes disfrutaban de las vistas en primera fila, a vista de pájaro. (¡Aunque, quizás en mi caso, los espectadores hubieran necesitado un par de prismáticos!)

Me alegré mucho de haber aceptado la invitación. Aunque sólo estábamos tomando el sol y charlando, el grupo de cinco chicas siempre me animaba, estaban llenas de vitalidad. Sus bromas alegres fluían fácilmente entre ellas y realmente parecían estar abrazando el estilo de vida coreano. Obviamente, tener un trabajo asiduo y dinero regular, era un factor decisivo para su felicidad, pero, así y todo, siempre era agradable pasar tiempo con ellas.

Cuando se puso el sol, fui en busca de comida barata con mis 9,000 wons y encontré una pequeña tienda detrás del hotel, que vendía dos tipos de fideos: uno llamado `Chajang´, que estaba en una pequeña olla de color marrón y una segunda, en un recipiente un poco más grande, llamado fideos `Ramen´. Costaban 200 wons cada uno; (alrededor de 20 céntimos) ¡así que supe que podía alimentarme por unos días, antes de que me obligaran a morir de hambre!

El viernes por la tarde, los ánimos se estaban agotando. Louise y yo nos estábamos exasperando con nuestra así llamada `chica alfa´ que nunca parecía estar. Cuando el Sr. Lee llamaba por teléfono, siempre pedía hablar con Sharon y cuando se le informaba de que no estaba, colgaba diciendo que volvería a llamar más tarde. Fue irritante que no discutiera algo que claramente nos involucraba, sin hablar con Sharon. Cuando nuestra `jefa´ regresó de otra cita, Louise la confrontó.

"¿Ha llamado Park?" (Debido a su falta de éxito en encontrarnos trabajo, su estado había sido reconsiderado. En ese momento, no merecía `Sr.´ antes de su nombre).

"No que yo sepa, pero he estado fuera la mayor parte del día".

"¡Genial!", dije sarcásticamente.

"Bueno, ¿no crees que deberías llamarle?", dijo Louise, apenas ocultando su impaciencia.

"¡Simplemente, parece no estar nunca en la oficina!", respondió Sharon, en un débil intento por defenderse.

"Tal vez si pasas menos tiempo socializando y más tiempo haciendo tu trabajo, ¡estarías aquí cuando él te llama!", gritó Louise.

"Bueno, ¡sigue intentándolo, por el amor de Dios!", dije. "¡Esto se está volviendo ridículo! ¡Estamos peladas! ¿No puedes intentar llamarlo ahora y pedirle algo de dinero?"

Al darse cuenta de que estaba siendo atacada, Sharon se dejó caer en la cama con un suspiro y descolgó el teléfono.

"Hola, soy Sharon; ¿puedo hablar con el Sr. Lee, por favor? ... Oh, está bien, gracias". Ella colgó y se encogió de hombros. "No está allí", dijo ella, agarrando un paquete de patatas fritas.

Louise salió, golpeando la puerta detrás de ella.

Al día siguiente, cuando Louise y yo volvimos de tomar el sol en el tejado, encontramos a Sharon sentada en su cama comiendo patatas fritas y sonriendo. Nuestra confrontación parecía haber funcionado y ella se había quedado en la habitación todo el día.

"¡Buenas noticias! ¡Esta noche trabajamos!"

"¿Sí? ¿Dónde?", pregunté.

"Vamos a trabajar en tres clubes", sonrió Sharon. "¡Vamos a hacer un espectáculo en el hotel `New Seoul´, otro en un club nocturno llamado` Mugan´ y un tercero aquí!"

"¿Aquí?", dije, arrugando la nariz.

"¡Sí, parece ser que tienen espectáculos en el Central Hotel!"

"Bien, bueno, creo que deberías pedirle dinero a Park", dijo Louise.

"Oh, y también vamos a hacer de gogós en el Mugan, tras la actuación", dijo Sharon, ignorándola convenientemente.

"¿Qué son gogós?", le pregunté.

"Según el Sr. Lee, tenemos que bailar en un podio con música de discoteca durante quince minutos. Cada vez que lo hacemos, nos pagan dinero extra".

"¡Huh! ¡Esperemos que sea cierto!", murmuré.

Esa noche, cuando nos pusimos el maquillaje y nos preparamos para el trabajo, estábamos muy animadas. Ansiosas por volver a pisar las tablas y, con suerte, impulsar nuestra economía en severa decadencia.

El primer show en el New Seoul salió bien. Era un lugar bastante sofisticado, con un largo túnel cubierto en la entrada del edificio, que albergaba una gran cantidad de luces rojas y parpadeantes que se extendían a lo largo. No es que realmente tuviéramos tiempo para contemplarlo, ¡o cualquier otra cosa! Estábamos eufóricas y, tan pronto como terminamos el espectáculo, nuestro conductor nos instó a que nos apresuráramos y nos subiéramos a la Bongo Van, para que no perdiéramos nuestro puesto en el siguiente lugar.

Me sentí rara haciendo un espectáculo en el Central Hotel. Era un lugar tan viejo y en mal estado, que dudaba que su calidad de clientela estuviera interesada en lo más mínimo en cualquier tipo de entretenimiento.

El primer show allí, no nos fue muy bien. Primero, nos anunciaron como: "Hecho en Inglaterra, kolia - Tri-o", luego, cuando Sharon hizo su solo, que era una mezcla entre una lenta y moderna rutina de baile, con algunas acrobacias incorporadas, hizo una voltereta y se cayó, aterrizando con un ruido sordo de su trasero. Estaba de pie al lado del escenario esperando para entrar, así que eché un vistazo a través de las cortinas para ver a la audiencia riendo histéricamente, mientras el gerente del club, estaba en la parte de atrás de la sala con los brazos cruzados sobre el pecho, hecho una furia.

Una vez más, el conductor nos llevó rápidamente a la Bongo Van y nos fuimos al Mugan. El club era enorme y estaba muy bien decorado, en contraste con el vestidor:

"¡Qué demonios es esto!", exclamó Louise mientras observábamos desde dentro de una pequeña habitación con forma de caja. El techo era tan bajo, que tuvimos que agacharnos para entrar.

"¡Tienen que estar bromeando!", le contesté. *¡Por desgracia, no era así!* Nos cambiamos y colocamos los trajes inclinados hacia delante en un incómodo ángulo de noventa grados. Era totalmente imposible ponernos los vestidos de plumas, a menos que nos arrodilláramos y saliéramos del camerino a gatas. ¡No es la mejor opción al usar medias de malla! Nos pareció bastante divertido arrastrarnos como tres enormes bebés, las plumas hacían cosquillas a la que iba detrás. Sin embargo, no fue tan divertido cuando tuvimos que regresar para un cambio rápido.

No fue hasta después del show, cuando estábamos preparándonos para el primer pase de discoteca, que nos dimos cuenta de que no habíamos considerado lo que nos íbamos a poner. Las gogós coreanas en todos los clubes, llevaban botas de discoteca; de cuero blanco, suela de plataforma y tacones altos obligatorios. Nosotras llevábamos zapatillas de baile de color plata, un surtido de leotardos y sólo habíamos traído los trajes para el show.

"Tendremos que improvisar", dijo Sharon, oteando en la maleta de trajes.

Hicimos pedazos tres disfraces que parecían lo más diferentes posible y prometimos salir y comprar un atuendo adecuado, cuando el Sr. Lee finalmente decidiese pagarnos.

Diez minutos más tarde, nos ordenaron salir del vestidor

para trabajar en nuestro primer pase en un podio. Cuando seguí a uno de los camareros a mi lugar asignado, estaba aprensiva. Nunca había bailado en un espacio tan limitado y era consciente de lo desprotegida y vulnerable que me sentiría sin las otras dos a mi lado.

Decidí que bailar en un podio, era una experiencia innegablemente extraña. Bailar al ritmo de la música disco, no era lo mismo que bailar una coreografía. Como bailarina entrenada, me enorgullecía `mostrar mis aptitudes´ y enseñar al mundo lo que había practicado durante años, pero esos movimientos no eran apropiados. Debido al espacio limitado, cualquier movimiento debía ser controlado, pequeño y, en cierta medida, preciso.

A pesar de estas dificultades iniciales, después de un tiempo, el baile en el podio se convirtió en algo natural; todas creamos nuestro propio estilo y movimientos. Lo más importante de lo que me di cuenta en esa primera noche, es que, la mayoría de las veces, nadie nos observaba; estaban demasiado ocupados bebiendo y hablando con sus amigos o con las chicas que hacían consumación en el club.

Para ser honesta, sólo había una manera de describir un baile de gogó de quince minutos, especialmente después de haberlo hecho varios meses, ¡es ABURRIDO! Sin embargo, como esta era nuestra primera vez y una nueva experiencia, al final de ese día, cuando habíamos terminado, estábamos muy animadas. Fue bueno volver a bailar después de nuestro descanso de ocho días.

Para subir nuestra moral, el Sr. Lee apareció inesperadamente con algo más de correo y, lo que es más importante, algo de dinero, así que las tres fuimos a Itaewon para celebrarlo, ¡y para comprar un par de trajes de discoteca cada una!

Dos días después, justo cuando comenzamos a acostumbrarnos a nuestra rutina nocturna de dos actuaciones y podio, llegamos al New Seoul Hotel, para que uno de los guardias nos impidiera el paso.

"¡No show! ¡No show!", dijo, extendiendo sus brazos para detener nuestro progreso. "¡Tu manager no llamar a mi manager!"

"¿Qué está pasando?", preguntó Louise, mientras Sharon se encogía de hombros.

Era una situación molesta y a la vez decepcionante. Inmediatamente pensé en el dinero que estábamos perdiendo. Sin embargo, como no podíamos hacer nada para resolver la situación, continuamos hasta el Central Hotel, decididas a hacer un buen espectáculo.

Desafortunadamente, no fue así. Cuando subimos al escenario y esperamos a que comenzara la música de apertura, se hizo evidente de inmediato, que el Disc-Jockey, por alguna razón desconocida, había iniciado el número de apertura a mitad de la grabación. Cuando establecimos dónde estábamos en la rutina, empezamos a bailar, pero hubo unos segundos en los que nos quedamos paradas completamente despistadas.

Después del show, como a Sharon no parecía importarle, fui a hablar con el DJ al respecto. Su expresión condescendiente me dio a entender que era una total pérdida de tiempo. Me dejó luchar a través de una explicación, antes de explotar. Arrojó un bolígrafo y papeles al suelo, gritó y gesticuló, escupió en el suelo y, como gesto final, me empujó contra una pared.

Hubo más sorpresas en nuestro último lugar, el Mugan. Después del espectáculo y entre podios de discoteca, el gerente entró con un intérprete.

"Él dice, ese espectáculo no es interesante".

"Bueno, el espectáculo es el espectáculo, y eso es todo", respondió Sharon.

"Dice que mañana, Fingel in the trigger (dedo en el gatillo) debes bailar en topless ".

"¿Que qué? ¡Tiene que estar bromeando!", exclamó Sharon.

"¡De ninguna manera!", gritamos a la vez Louise y yo.

"¡Él dice, tú no lo haces, no hay tlabajo, no hay dinelo!"

"¡Entonces, no tendremos dinero!", contestó Louise, cruzando los brazos impulsivamente sobre su pecho. (¡No estaba segura de si esto era en señal de defensa o para proteger sus pechos!)

A la mañana siguiente, el martes 18, en un intento de mejorar nuestro estado de ánimo, decidimos ir de compras a Itaewon. Durante el día, los proveedores intentaban constantemente atraer a los clientes a sus establecimientos.

"¡Comprar bota Reebok, diez dólares!" Fue un canto prolífico y pensé que los había escuchado a todos, pero el dueño de una tienda llamó mi atención y nos hizo una seña para que nos acercáramos.

"¡Hola, señoras, entren! Ahora, ¿Yo ayudar a gastar tu dinero?"

Terminé por comprar un kimono por 14,000 wons (14 €), un pantalón blanco de dos piezas por 10,000 wons (10 €) y una camiseta con la frase, `He tenido la experiencia sodu´ escrita, por 2´30 €. Representaba a un gato desplomado en el suelo, con estrellas alrededor de su cabeza, totalmente ebrio.

Después de ir de compras, decidimos entrar a un café / restaurante llamado Popeye que se convirtió en nuestro refugio habitual, ya que vendía comida occidental. Satisfechas con nuestras compras y con nuestros estómagos llenos, regresamos al hotel con buen ánimo para prepararnos para trabajar.

A medida que pasaba el tiempo y el conductor no llegaba,

nos sentimos cada vez más abatidas y exasperadas. Sharon debió sentirse bastante incómoda cuando se sentó en su cama, entre Louise y yo, mientras la mirábamos en estéreo y tratamos de hacerle comprender mentalmente, que quizás debería llamar al agente. - ¡No funcionó!

Después de haber estado sentadas esperando una hora, el Sr. Lee llegó.

"¡No trabajar esta noche!", dijo, moviendo sus manos hacia nosotras, literalmente ahuyentándonos antes de que pudiéramos siquiera pensar en contraatacar.

"¡Podrías habernos llamado para decírnoslo!", comentó Louise: "Llevamos aquí sentadas una hora, pensando en qué está pasando".

"Sí, y nos hemos puesto el maquillaje para nada", dije.

Molesta, cuando el Sr. Lee me ignoró, salí de la habitación y cerré la puerta con un golpe.

A la mañana siguiente, Sharon esperó hasta que Louise estuviese en el baño y se volvió hacia mí.

"Michele, ayer, cuando te fuiste, el Sr. Lee me dijo que hemos perdido el contrato de New Seoul por el peso de Louise", susurró. "Dijo que está pensando en enviarla a casa, o tal vez enviarnos a todas a casa".

Pensé que probablemente, nuestro agente las hubiera culpado a ambas y que Sharon estuviera tratando de echarle la culpa a Louise. Aunque con toda honestidad, en ese momento, había superado los límites de importarme.

"Para ser sincera, si eso es cierto Sharon, tal cual me siento en estos momentos, no me importaría que nos enviara a casa", le contesté. "Este contrato no es lo que había previsto en absoluto".

Sharon se encogió de hombros, frunció el labio y se dio la vuelta.

No me arrepentí de mis palabras. Cuanto más tiempo pasaba con el quinteto y escuchaba que ahora hacían hasta seis shows por noche, en lugares grandes, más envidia sentía. Yo había venido a bailar, no a sentarme en una habitación de hotel, preguntándome cuándo volvería a trabajar y cuándo me pagarían.

6

ÁRABES Y ACUARIOS

20 DE ABRIL DE 1989

Con cada día de desempleo forzado, me desanimaba un poco más. Realmente estaba lamentando el haber venido a Corea. Odiaba la incertidumbre, la preocupación constante por el dinero y la comida, además parecía que estaba llorando perpetuamente o al borde de ello. Miré a mis compañeras y parecían tan deprimidas como yo.

"Bien, bueno, necesito ir a la oficina de correos y revelar estas fotos", dije, tratando de arrastrarme fuera de este estancamiento. "¿Alguien quiere pasear?"

"¡Sí!", respondió Louise. "¡Cualquier excusa para salir de aquí por un rato!"

"Yo no, me encontraré con Dave", nos informó Sharon.

"¿Quién es Dave?", pregunté.

"Oh, un GI que conocí la otra noche en Itaewon. Me va a llevar al Popeye, para comprarme el almuerzo".

"¡Oh, está bien!", le contesté, frunciendo el ceño.

Más tarde, en la calle, cuando Louise y yo nos dirigíamos hacia la oficina de correos, estaba pensando profundamente.

"¿Soy sólo yo, o crees que la cantidad de hombres con los que Sharon sale, empiezan a conformar una lista muy larga?"

"Claro que sí, pero quizás haya una estrategia detrás de su locura".

"¿A qué te refieres?"

"Bueno, míranos: estamos escatimando y ahorrando para comprar fideos y burritos de pan de huevo, ¡mientras ella disfruta de una buena comida en Popeye!"

"Sí, pero piensa cómo lo está pagando a cambio".

"Tomo nota", respondió Louise.

Nuestro paseo a la oficina de correos y tienda de fotografía, se completó en un tiempo récord y se convirtió más en una caminata forzada, que en un meandro suave. Esto se debió principalmente, al hecho de que la ciudad estaba llena de policías militares que parecían estar alerta. Había dos o tres agentes posicionados en prácticamente, todas las calles. El aire estaba cargado de tensión y, para ser honesta, no nos sentíamos particularmente seguras. Sabíamos que nos estaban mirando con más hostilidad de lo normal, pero no éramos conscientes de la causa. Sin embargo, decidimos evitar el contacto visual con los coreanos, creyendo que el más mínimo movimiento equivocado, podría desembocar en que nos atacasen. No nos gustó la idea de ser atrapadas en un brote de violencia, por lo que nos apresuramos en volver a la relativa seguridad del Central Hotel.

Esa noche nos enteramos de que había habido una manifestación de estudiantes por las mismas calles que habíamos recorrido antes. La protesta se había vuelto violenta. Habían liberado gas lacrimógeno para dispersar a las multitudes de manifestantes estudiantiles, mientras recorrían las calles de Seúl protestando por la presencia estadounidense en su país.

Después de dos días de desempleo, el Sr. Lee nos informó que volveríamos a trabajar esa noche. Le había dicho a Sharon que teníamos que estar listas para las nueve en punto, pero llegó a las ocho, en un estado de agitación.

"¿Por qué no estar lista?", se quejó, marchando por la habitación.

"¡Porque dijiste a las nueve!", ladré.

"Nosotros ir ahora. ¡Os llevo a comer!"

La idea de cualquier alimento que no estuviera basado en fideos o en un burrito, y en particular en cualquier tipo de sustento que no tuviésemos que pagar, nos impulsó a acelerar. Unos minutos más tarde, estábamos siguiendo a nuestro agente a la Bongo Van.

Nos llevaron a un club nocturno llamado `Samjung´, donde comimos aperitivos y frutas exóticas, mientras dos chicas coreanas bailaban desnudas y luego se masturbaban en el suelo delante nuestra, con tan sólo, una pantalla de cristal de separación.

"¡Estuve, lo vi y compré la camiseta!", dijo Louise, mientras engullíamos la comida. ¡Nada nos iba a impedir aprovecharnos de una invitación!

Después de la fruta y el `entretenimiento´, nos llevaron a nuestro lugar de trabajo. Esta vez, el club se llamaba `Europa´, ¡que era muy extravagante! El lugar era pequeño, con una iluminación excesivamente tenue. Nuestros pies se hundieron en la alfombra mojada y había un olor a humedad, que inundaba las fosas nasales e instintivamente me hizo no querer tocar nada a mi alcance.

El escenario, estaba en el centro del club de escaso tamaño. Era redondo, no mucho más grande que un podio y estaba cerrado con un cristal, por lo que inmediatamente lo apodamos, `La pecera´. Había un drenaje en medio del escenario inclinado, sin embargo, esta vez no tuvimos que adivinar por qué estaba allí. ¡Extrañamente, no pestañeamos al pensar en bailar sobre restos diluidos de los fluidos corporales de masturbaciones!

La única característica original aquí, o más bien la falta de ella, fue la ausencia de un camerino.

"Vosotras salir de escenario; atravesar público, cambiar ropa detrás de ellos". Nos dijo, cuando por casualidad, habíamos preguntado dónde se esperaba que nos cambiásemos.

"¡Tiene que estar bromeando!", repliqué, mirando al Sr. Lee.

"Ellos no mirar. ¡Ellos ver show!"

"¡Sí, claro!", respondió Sharon.

"Vosotras hacer," dijo el Sr. Lee, "¡luego, llevar comer conmigo!"

"¡Hablando de colgar una zanahoria delante de la nariz del burro...!", comentó Louise mientras tiraba la maleta y comenzaba a desembalar.

Hicimos el show de mala gana. No teníamos otra opción. Trabajar o morir de hambre, parecían ser las únicas dos opciones disponibles. Como esperábamos, había más hombres mirando mientras nos cambiábamos, que viendo el espectáculo.

"Mira el lado positivo", dijo Sharon, cuando habíamos terminado. "¡Con todo ese cristal, al menos no pudieron arrojar al escenario leche, fruta o escupirnos!"

Me consolé con el hecho de que, con nuestro registro actual, las posibilidades de volver aquí de nuevo, eran escasas. (¡Desafortunadamente, esta vez, también estaba equivocada!)

Después del espectáculo, el Sr. Lee nos llevó al Popeye, luego a un gran club llamado 'The Ambassador' para ver a un grupo de cinco bailarinas australianas. El suelo del escenario estaba hecho de cristal y construido sobre un auténtico acuario. Mientras las chicas bailaban, los peces nadaban despreocupadamente bajo sus pies. Se veía increíble. Mientras miraba el programa, una vez más sentí envidia y deseé ser parte de un grupo más grande y trabajar en lugares con clase, como este.

Como si un ser divino hubiera escuchado mis pensamientos, el Sr. Lee, inesperadamente hizo un anuncio.

"¡Buenas noticias!", nos informó. "Tener contrato en el club de Europa (La Pecera) dos semanas y trabajar aquí, en el 'Ambassador', en cinco días".

Jadeamos. Ilusionadas y sorprendidas gratamente, por tener trabajo en el 'Ambassador'. Sentí que mis plegarias, acababan de ser atendidas.

"Bueno, al menos aquí, ¡estaremos bailando sobre una pecera y no dentro de una!", bromeó Louise.

"¿Nos pagan por el espectáculo de esta noche, Sr. Lee?", preguntó Sharon.

"No. Hoy, audición", respondió.

Lo que el ilusorio Sr. Lee había olvidado convenientemente informarnos, era que tampoco comenzaríamos a trabajar en 'La pecera' hasta el día 25, el mismo día que en el 'Ambassador'. Esto significaba que teníamos otros cuatro días sin trabajo y sin ingresos.

Sharon hizo una maleta y desapareció durante dos de los cuatro días. No sabíamos a dónde había ido, pero asumimos que probablemente, estaba viviendo con otro GI, en algún lugar. ¡Lo molesto era que no teníamos forma de contactarla! Por segunda vez, Louise y yo sentimos que ella estaba abandonando su puesto y no hacía su trabajo. No estaba allí para atender las llamadas del agente y, a estas alturas, ya sabíamos lo impredecible que podía ser el Sr. Lee. Sus planes siempre estaban cambiando y, como se mencionó anteriormente, no parecía sentirse cómodo hablándonos a ninguna de nosotras dos, ya que Sharon era la persona con la que se suponía que debía tratar.

Para matar el tiempo, Louise y yo pasamos las noches en Itaewon y los días en el hotel. En Itaewon, nos limitamos a una bebida por noche y pasamos el resto de la noche siendo hostigadas por los soldados estadounidenses, esperando constantemente, ¡que nos invitasen, sin esperar nada a cambio!

Los días en el hotel se prolongaron y consistieron, en que nos acosaran los coreanos, o una plaga de árabes que parecía haber ocupado el séptimo piso (el nuestro) del hotel. Cada vez que íbamos al ascensor, salían de él (y dejaban un horrible y fuerte olor detrás de ellos) o entraban con nosotras (inundando el ascensor de un horrendo hedor). Y no sólo eso, sino que nos hacían proposiciones constantemente.

"Tú vienes mi habitación".

"¡No!"

"Vienes. Yo muy bien ".

"¡No tienes la menor oportunidad, amigo!"

Después de ser acariciadas en el ascensor en más de una ocasión, decidimos que deberíamos salir del hotel a través de las escaleras traseras, en un intento por evitar ser molestadas. En el camino de regreso, generalmente teníamos que correr hacia nuestra habitación con una fila de beduinos persiguiéndonos.

Durante toda la noche, los árabes y los coreanos estaban constantemente llamando a la puerta. Era a la vez molesto y aterrador. Incluso al personal de la recepción le pareció divertido abrir la puerta con la llave maestra y entrar a nuestra habitación cuando lo deseaban. Nunca parecíamos tener una noche completa de sueño, sin algún tipo de trastorno. Estábamos privadas de sueño, completamente hartas y extremadamente irritables.

Una tarde, después de otra noche casi sin dormir, Louise comenzó a garabatear en un pedazo de cartón.

"¡Bien! ¿Tienes cinta adhesiva?"

"¿Sí, por qué?"

"¡Bueno! Ayúdame a poner esto en la puerta".

Nuestro nuevo letrero decía:

¡Vete a la mierda! ¡Estamos durmiendo!
¡NO MOLESTAR!

Desafortunadamente, no pareció marcar ninguna diferencia. Cuando nos quejamos a Amy, una de las chicas del quinteto, por ser constantemente acosadas, tanto en el hotel como en la calle, ella se echó a reír.

"Sabéis que estamos viviendo en medio del distrito rojo, ¿verdad?"

"No", dije. "¡Eso explica muchas cosas!"

"¡Qué alegría!", contestó Louise.

"Es por eso que nos toquetean y nos escupen tan a menudo, cada vez que salimos", se rio Amy. "¡Todos piensan que estamos en el mundillo!"

"¡Genial!", respondió Louise sarcásticamente.

¡Me quedé sin palabras!

Sharon regresó el día 23 sin ninguna explicación de dónde había estado, o con quién, y no preguntamos. Sin embargo, a la mañana siguiente, cuando el teléfono sonó a las 4:00 am, resultó ser la última aventura de Sharon, ¡Louise y yo estábamos furiosas! Mientras que yo miraba a Sharon irritada, me senté furibunda y me di la vuelta, en contraste, Louise, explotó.

"Tal vez si duermo en el puto baño, ¡podría conseguir, que esos bastardos, me dejen dormir!", gritó. Al entrar en el baño antes mencionado, tiró una manta y una almohada y cerró la puerta.

Sharon la ignoró, continuó con su llamada y soltó una risita incesante en el teléfono, durante los siguientes veinte minutos.

Esa misma mañana, cuando Louise había salido del baño, los ánimos se habían calmado un poco y todas nos volvíamos a hablar, decidimos hacer un viaje a la Embajada Británica.

Desafortunadamente para Sharon, cuando estábamos a punto de irnos, y para complicar aún más la situación, la persona que llamó en la madrugada, eligió el momento exacto para presentarse en persona en nuestra puerta acompañado por un amigo.

"¡Hola!", dijo, sonriendo como un proverbial gato de Cheshire. "¿Cómo te va?" Sharon, dándose cuenta de que Louise todavía estaba de mala leche, trató de convencerlos de que se fueran, pero fue en vano.

"En realidad estamos a punto de salir. Vamos a la Embajada Británica", les dijo.

"¡Oh! ¿sí? ¿Por qué?"

"Bueno, nos han dicho que debemos registrarnos, en caso de que estalle la guerra entre Corea del Norte y Corea del Sur; de esa manera, la Embajada sabrá dónde encontrarnos".

"¡Guay! ¡Nosotros también vamos!"

Estaba sentada en mi cama, casi esperando que Louise estallase de nuevo, pero unas pocas horas de sueño en la bañera, parecían haberla puesto de mejor humor. Ella, simplemente miró en mi dirección, miró al cielo y negó con la cabeza.

Veinte minutos más tarde, partimos (con dos GI detrás) y comenzamos el largo viaje hacia el centro de Seúl. Esta fue una tarea ardua, ya que implicaba viajar en dos autobuses abarrotados en el calor del día. A nuestra llegada, estábamos hirviendo, sudorosos y de mal humor, después de ser empujados, magullados e insultados durante todo el viaje.

Nos encontramos en las puertas cerradas de la Embajada, a dos soldados coreanos armados con rifles.

"Hola, somos inglesas. Hemos venido a registrarnos ", les dijo Louise, agitando su pasaporte bajo las narices.

Murmuraron entre ellos por un momento y luego sacudieron la cabeza.

"No. Volver mañana."

"¡¿Qué?!", exclamamos sorprendidas.

"Mira, hemos viajado en dos autobuses para llegar hasta aquí", le dije. "Por favor déjanos entrar."

"Embajada cerrada. Vienes mañana."

"¡Maldita sea! ¡Rechazada en mi propia embajada! ¡Menos mal que no es una emergencia!", exclamó Louise.

"Pero... no me lo puedo creer! ¡Hay gente que sigue entrando al edificio!", dije a los soldados. "¡Puedo verlos!"

"No, la embajada cierra a las 4pm. ¡Demasiado tarde, ven mañana!"

"¡Pasa un minuto de las cuatro!", respondió Sharon. "¡Esto es de chiste!"

"¡Son las cuatro y un minuto!", dijo Louise. "¡Aún no eran las cuatro cuando empezamos esta discusión!"

"¡Mucho insistir para que nos registremos!", dije.

"¡Apuesto a que, si la guerra estalla, no se molestarán en venir a buscarnos!", dijo Sharon.

Al día siguiente, intentamos '¡Viaje a la embajada, toma dos!'. Esta vez llegamos por la mañana, sin nuestros chaperones GI y se nos permitió cruzar las puertas sin problemas. Al doblar una esquina y caminar hacia el edificio principal, vi una placa en la pared.

"¡Mira eso!"

A la vista de todos, estaba el horario. Cierran cada día a las 4:30 pm.

"¡Pienso que no deberían cerrar en absoluto!", respondió Louise: "¿Qué pasa si hay una emergencia?"

"¡Sigo pensando que no se molestarían en venir a buscarnos, aunque hubiese una emergencia!", repuso Sharon.

En realidad, registrarse como ciudadanas inglesas que viven en Corea, fue un procedimiento sencillo. Rellenamos un formulario y entregamos nuestros pasaportes. Los funcionarios, sentados detrás de un cristal, examinaron la foto e intentaron validarla con el individuo de pie frente a ellos. El pasaporte fue fotocopiado y sellado. Finalmente, nos informaron brevemente, que ahora estábamos oficialmente registradas en Corea del Sur. Todo el procedimiento se realizó con el habitual y estricto trato inglés, sin una sonrisa a la vista. Esperaba recibir una cálida bienvenida de nuestros compatriotas, pero en general, nos hicieron sentir que éramos menos personas que ellos, que estábamos haciéndoles perder el tiempo, estropeábamos su día y, como no éramos funcionarias, seguro que presuponían que éramos criminales.

Después de registrarnos, regresamos al hotel para prepararnos para el trabajo. Estábamos a punto de dejar la habitación cuando sonó el teléfono. Como de costumbre, lo contestó Sharon.

"Sí, Sr. Lee. Ok Sr. Lee ".

"¡Dinero!", susurró Louise, frotándose las yemas de los dedos.

"Oh, sobre el dinero, Sr. Lee ... ¿SR. Lee? ¿Hola? ¡Ha colgado!"

"¡Genial!", dijo Louise.

"¿Por qué no me sorprende?", pregunté sarcásticamente.

"Parece ser, que trabajamos en un tercer club esta noche", nos informó Sharon, ignorando nuestros comentarios.

"Ah, vale. ¿Dónde está?", pregunté.

"No lo sé, no lo dijo. Dijo que nuestro conductor lo sabe ".

Salimos a trabajar esa noche, cada una preguntándose en voz alta dónde estaría el misterioso club. Yo sospechaba y temía que, el hecho de que el Sr. Lee nos ocultase el lugar, seguro que conllevaba connotaciones negativas.

Primero bailamos, en el `la pecera´, donde la gerencia finalmente, nos proporcionó un biombo plegable para que pudiésemos cambiarnos. Aparentaba, sospechosamente, haber sido robado de una sala de hospital, ¡pero por fin estábamos agradecidas por un poco de privacidad! Más tarde, trabajamos en el club Ambassador, conocido localmente como `Amba´, y subimos dentro de la Bongo Van para ir al tercer lugar. No podíamos creerlo cuando nos detuvimos fuera del Samjung, donde el Sr. Lee nos había llevado a comer hacía cinco días.

"¡Alegraros! ¡Tal vez nuestra audición comiendo fruta, les ha gustado!", bromeé, intentando aligerar el estado de ánimo.

"¡Al menos no nos iríamos con los bolsillos vacíos como si fuese una audición!", respondió Louise.

"¡Un club de striptease! ¡Las cosas van de mal en peor!", gimió Sharon.

Nos acomodamos en el camerino, sintiéndonos totalmente desanimadas, tratando de consolarnos con que al menos, estábamos trabajando.

Afortunadamente, nos dijeron que no tendríamos que actuar en el escenario con pantalla, donde habíamos visto actuar a las lesbianas. Nos dieron el escenario más grande. Estábamos vestidas, mirando a la audiencia masculina, a la espera de escuchar que el DJ nos anunciara y comencé a reír.

"Bailarinas de Engaltela, Mar-ee-oh-ship-sheo".

Louise me miró y frunció el ceño.

"¿Qué es tan gracioso?", preguntó cuando nos pusimos en posición.

"¡Lo siento! ¡Es sólo, que cada vez que escucho a alguien decir 'Mar-ee-oh-ship-sheo', creo que dice, 'Marion mierda de show'!"

Las chicas se echaron a reír y nos vimos sorprendentemente alegres durante la rutina de apertura.

¡Esto resultó ser una ventaja, ya que el resto del espectáculo fue un desastre total! La cremallera de Louise se rompió durante una de las rutinas, por lo tanto, no llegó al escenario. Más tarde, en el número final, otra cremallera se atascó. Esto significaba que sólo tenía una bailarina de acompañamiento cuando imitaba a Donna Summer.

Sharon estaba furiosa. "¡Y esas fueron nuestras apariciones esa noche! Hacer dúo tras dúo, ¡con una aparición de Louise como invitada especial!", se quejó cuando salimos del escenario.

"Sí, el gerente no se veía muy impresionado", le contesté.

Louise se disculpó, pero el daño ya estaba hecho. En consecuencia, nunca actuamos allí de nuevo. (¡No es que ninguna de nosotras estuviera particularmente molesta por eso!)

A la mañana siguiente, Louise y yo hicimos un viaje a Itaewon para reemplazar la cremallera de su traje. Aproveché la oportunidad para arreglar un par de botas; ¡Dos nuevos tacones y un pegado de suela por 85 céntimos! Fuimos a por un café helado en el Twilight zone y luego regresamos al hotel.

Al llegar, encontramos a los dos amigos GI de Sharon, Charlie y Ted que nos habían acompañado a la Embajada, escondidos en el baño riendo nerviosos.

"¿Qué está pasando?", le pregunté.

"Han hecho un `sin-pa´ al conductor del taxi, y ahora se

esconden en el baño", explicó Sharon, riendo nerviosamente. "¡Cada vez que llaman a la puerta, se esconden!"

Louise y yo nos miramos, sabiendo exactamente lo que la otra estaba pensando. El pobre taxista sólo estaba tratando de ganarse la vida, no estaba bien que se hubieran ido sin pagar. Además, pedirle al conductor que los lleve al Central Hotel y luego huir entrando al mismo hotel, ¡no fue exactamente una idea muy lúcida! No sólo eso, era molesto que vinieran directamente a nuestra habitación y, por lo tanto, nos implicaran en sus acciones.

El personal de la recepción, obviamente, sabía quiénes eran los tipos y a quién habían venido a ver, así que fue sólo una cuestión de tiempo que uno de ellos llamara a la puerta con el taxista engañado y los muchachos tuvieran que pagar.

Cuando los estadounidenses finalmente se fueron, Louise miró a Sharon.

"Ya es suficientemente malo que tus 'amigos' vengan aquí, pero involucrarnos en esto, ¡está totalmente fuera de lugar!"

"No sabía que se habían ido sin pagar, ¡de verdad!"

"No, pero al final descubriste lo que habían hecho. Deberías haberles dicho que se fueran."

Sharon la ignoró y buscó consuelo en una bolsa de patatas fritas.

Esa noche, cuando nos llevaron a `la pecera´, había un sentimiento claramente inquietante entre nosotras. Louise y Sharon apenas se hablaban, y yo, intentaba romper el silencio, hablando de cualquier cosa y de todo lo que se me ocurría. No parecía funcionar.

Durante el espectáculo, y desafortunadamente para mí, se me atascó el tacón en el desagüe, en medio de la zona inclinada y caí torciéndome el tobillo. Me sentí como una auténtica tonta, particularmente cuando trataba de sacar el tacón de un desagüe lleno de cabello negro y fluidos corporales con mis propias manos, ¡puaj!

Afortunadamente, mi desgracia aligeró el estado de ánimo entre nosotras, ya que mis dos compañeras de baile, se echaron a reír ante mi situación. Me complació bastante que finalmente, se hubiera roto la tensión, ¡incluso si eso significaba cojear los próximos días y bailar con el tobillo envuelto con una venda elástica!

A la mañana siguiente, Louise y yo hicimos nuestro viaje habitual a la oficina de correos y la tienda de fotografía, deteniéndonos como siempre lo hacíamos, en una pequeña tienda en el camino de regreso, para poder comprar un polo en forma de trozo de sandía.

Mientras nos dirigíamos al hotel, vimos a un grupo de una veintena de hombres coreanos, acurrucados en torno a un pequeño puesto, todos riendo como niños de escuela. Intrigadas, nos abrimos paso hacia adelante para ver mejor. Al vernos infiltrar en territorio masculino, el estado de ánimo de los chicos cambió de inmediato. Se volvieron ofensivos y trataron de alejarnos, pero no antes de que viéramos el objeto de sus risas. Un hombre tenía un palo montado en posición vertical, sobre una pieza plana de madera y lentamente estaba desenredando un condón, manteniendo a su audiencia cautivada.

"¡Les está dando una conferencia sobre cómo usar un condón!", exclamó Louise mientras nos empujaban despiadadamente al camino.

Me sorprendió pensar que estos hombres no sabrían cómo usarlos, ya no sólo por su edad, sobre todo, porque la amenaza del SIDA estaba en el candelero de las noticias del Reino Unido en ese momento.

A nuestro regreso a la habitación, Sharon nos informó que volveríamos a hacer tres shows esa noche; los dos habituales, más un tercero en el New Seoul Hotel.

Estaba confusa. El New Seoul, fue el contrato que, según Sharon, habíamos perdido previamente debido al peso de Louise. La miré con una expresión de asombro en la cara. Sharon simplemente se encogió de hombros.

Esa noche, el Sr. Lee nos estaba esperando en el club, era todo sonrisas.

"Tenéis contrato seis semanas aquí. ¡Hacer buen espectáculo!", ordenó.

"¿Nos están pagando por esto, o es otra audición?", pregunté con suspicacia.

"Sí, sí, hoy dinero", dijo, suspirando con exasperación, como si fuera una completa molestia.

Luego nos llevó al Popeye para cenar y nos dio correo de casa. En mi pila de cartas, había una de la agencia inglesa. En ella se me comunicaba en términos inequívocos, que estaba fuera de lugar telefonear a mi madre, llorando. Se me acusó de `actuar como una niña´ y que tenía que recomponerme y seguir adelante (o palabras a ese efecto). Estaba muy furiosa y decidida a contestarle de una manera dura a sus acusaciones.

Louise también recibió una carta de su novio en Inglaterra.

"Bueno, ¿sabéis?, parece que soy una chica soltera y sin compromiso de nuevo", nos dijo.

Sólo llevábamos en Corea poco más de un mes. Me hizo preguntarme cuánto duraría mi relación a larga distancia con mi novio, Lenny.

El viernes por la mañana, nos despertaron unos gritos. Con cuidado, asomamos la cabeza por la puerta, en un intento de establecer lo que estaba sucediendo. Aparentemente, otro grupo de danza inglesa, había llegado durante la noche y había sido despertado por un árabe que había arrancado la puerta de sus goznes. Hubo mucha conmoción en el pasillo, cuando tres idiomas diferentes, inglés, árabe y coreano, lucharon por el dominio y la comprensión.

Además de sorprendernos de que el árabe consiguiese entrar, no estábamos demasiado preocupadas y decidimos no involucrarnos. Después de todo, se trataba de una situación a la que nos enfrentábamos casi todas las noches y que estas chicas tendrían que aprender a aceptar. Agarramos nuestras cosas, pasamos junto a ellas y nos dirigimos al tejado para tomar el sol, Louise sonrió.

"¡Yupiii! Después de todo, parece ser que mi letrero en la puerta funciona", dijo.

Esa noche volvimos a trabajar en los tres locales. Parecía que teníamos la mitad de trabajos que los otros grupos, pero al menos, significaba que tendríamos unos ingresos regulares, ¡si convencíamos al elusivo Sr. Lee, para que pagase!

En el club New Seoul, el del techo muy bajo, cuando estábamos dando los toques finales a nuestros trajes de apertura, una chica coreana entró al vestidor, seguida de cerca por un hombre. Por alguna razón, estaba realmente enojado y comenzó a hacer las cosas habituales a las que nos estábamos acostumbrando, cuando un coreano masculino estaba enfadado: gritando, gesticulando, tosiendo flemas y lanzando cosas. Sin previo aviso, él extendió la mano y golpeó a la chica con tanta fuerza en la cara, que cayó de espaldas al suelo. Luego, por alguna razón desconocida, se dio cuenta de inmediato de que estaba siendo observado y centró su ira en nosotras. ¡Su brazo se disparó y empujó a Louise muy fuerte en el cuello!

"¡Oye! ¡Qué estás haciendo, idiota estúpido!", Louise gritó, apartándolo y adoptando su postura agresiva. El hombre simplemente gruñó, pero se quedó en la puerta con las manos en las caderas, protegiendo la entrada como un guardaespaldas, determinado a que no íbamos a salir.

De pronto, nuestra música comenzó a sonar, por lo que tratamos de superar al coreano furioso, para llegar a tiempo al escenario. Desafortunadamente para nosotras, él tenía otros planes y se mantuvo firme, empujándonos a todas hacia atrás cada vez que dábamos un paso hacia él. Al final, sólo corrí hacia él, con la cabeza hacia abajo, como un toro furioso, de modo que mi tocado de plumas le subiera por la nariz y la cara. Esto le obligó a dar un paso atrás. Aprovechando su debilidad, lo empujamos hacia la pared y cargamos contra él, ¡logrando llegar al escenario justo a tiempo!

A lo largo de la rutina de apertura, temía volver al vestuario para el primer cambio rápido, pero afortunadamente, cuando regresamos, no estaba a la vista.

De vuelta en el hotel, después de este último episodio, me senté y me propuse contestarle por carta a nuestra agente en Inglaterra, en respuesta a la suya:

'Querida Marion, creo que también llorarías si estuvieras constantemente sin trabajo y en la rara ocasión en que trabajases, el agente nunca te pagara. ¿Qué te parecería vivir de un burrito de huevo al día? ¿Te gustaría preocuparte de dónde y cuándo vendría tu próxima comida? No viajé hasta aquí para sentarme en una habitación de hotel, vine a trabajar. No es así como nos 'vendió' la idea de seis meses en Corea ...'

Estaba tan absorta en la carta, que no fue hasta que Sharon nos informó que iba a salir, que fui consciente de que se estaba preparando.

"¡No regresará esta noche!", dijo Louise, sabiendo que Sharon se alejaba por el pasillo.

"¿Por qué dices eso?"

"Acabo de verla empaquetar una bolsa de viaje: cepillo de dientes, maquillaje, kimono, bragas, ¡todo!"

"¿Me pregunto con cuál se reunirá esta noche?"

"¡Sólo Dios lo sabe!", contestó Louise.

El sábado 29 de abril, seguimos nuestra rutina habitual casi diaria: un desayuno de galletas saladas; tomar el sol en el tejado; dar vueltas por la habitación del hotel; y prepararse para el trabajo. La única diferencia, era que una persona estaba notablemente ausente. Louise tenía razón, Sharon no había vuelto.

Cuando nos pusimos el maquillaje y nos rociamos el pelo con agua, para mantenerlo en su lugar (era más barato y más accesible que la laca) y discutíamos cómo íbamos a hacer el espectáculo como un dúo en lugar de un trío. La puerta se abrió bruscamente chocando contra la pared.

"Lo siento, llego tarde", dijo Sharon. "Me quedé en la base del ejército anoche. Dormí en los barracones, aunque no está permitido oficialmente, pero todos parecen tener sus propias habitaciones, así que me metió a hurtadillas cuando nadie estaba mirando ".

"¿Quién es él?", pregunté.

"Big Malc", dijo ella. "Es afroamericano y lleva aquí un año".

"Pensamos que no ibas a volver para el show", respondió Louise.

"Sí, bueno, hubiera regresado antes, ¡pero lo convencí de que me invitara a cenar!"

El silencio fue mortal. Louise y yo no habíamos comido desde el desayuno y probablemente, teníamos en el bolsillo dinero para costearnos un burrito de pan de huevo después del trabajo, eso con suerte. La distancia social entre Sharon y nosotras se estaba ampliando considerablemente con cada día que pasaba.

El trabajo esa noche fue bien en el Ambassador, pero cuando llegamos al acuario, nos pararon en la puerta y nos echaron.

"¡Vosotras ir! ¡Hoy no show!"

"¡Ya estamos, otra vez!", dije.

Era exasperante no recibir nunca una explicación de por qué seguían sucediendo estas cosas. Al mismo tiempo, pensé en la pérdida de dinero. Esto provocaba en mí, un constante estado de aparente molestia, por el hecho de que el Sr. Lee controlase el dinero y nos pagara tan poco, y encima, con tan poca frecuencia.

La cancelación del primer espectáculo, significó que llegamos al New Seoul antes de lo normal, por lo que pudimos ver algunas de las actuaciones que se presentaron antes de nosotras. Cuando nos deslizamos en algunos asientos vacíos en la parte trasera del lugar, uno de los guardias se acercó y me regaló una rosa roja.

"Quiero ser tu amigo", dijo, un simple gesto que ayudó a alegrar mi estado de ánimo considerablemente.

La primera actuación que presenciamos fue un acto lésbico (*menuda sorpresa*), el segundo fue un trío de hombres, que hicieron un número de artes marciales; se cortaban con cuchillos, caminaban sobre bombillas encendidas y lanzaban dardos a las espaldas unos a otros. El tercer acto, consistió en dos acróbatas que también trabajaban en `la pecera´. Además de las acrobacias, hicieron malabares con fuego y balones de fútbol y terminaban cada truco gritando: "¡Hey, hey!". Todavía me cuesta creer que nuestro programa, que en apariencia parecía ser demasiado modesto, estaba al mismo nivel que estos.

El lunes 1 de mayo, las tres fuimos a la azotea para tomar el sol de nuevo con las otras chicas, sin embargo, esta vez no era el ambiente alegre y despreocupado de siempre. Las cinco chicas no estaban para celebraciones. El Sr. Lee no había podido encontrarles trabajo durante las últimas dos semanas. Su actitud despreocupada, fue reemplazada lentamente por la ira, la irritación y el aburrimiento, tres sentimientos que conocía demasiado bien.

Surgió el tema del dinero, o la falta de él, y cuando se quejaron a su jefa, Louise y yo nos unimos, apuntando nuestros comentarios a nuestra jefa. Con el tiempo, Sharon pilló la indirecta. Bajó a la recepción para llamar al Sr. Lee y cobró la llamada a la habitación. Unos minutos más tarde, volvió.

"El Sr. Lee dijo que vendrá mañana por la noche", nos comunicó.

"¿Y qué le dijiste?", pregunté.

"Nada."

"¡Qué! ¿Por qué diablos no le dijiste que necesitamos efectivo ahora?"

"¡Bueno, él dijo que estaba ocupado!"

"Sí, ocupado gastando nuestro dinero", le dije.

Me fui a la recepción y decidí llamarlo. Sabía que estaba a punto de romper una regla no escrita, ya que a Park sólo le gustaba dirigirse a Sharon por teléfono, posiblemente porque ella le daba menos molestias, pero ya había tenido suficiente.

"Sr. Lee, soy Michele. No estoy contenta. No estoy nada contenta", repetí, como él solía hacer. "Tendrás que traer algo de dinero, porque no tenemos nada; ¡No tengo dinero y no estoy dispuesta para morir de hambre por nadie!"

"Oh, estoy ocupado esta noche, pero voy mañana a las 10:00 am".

"Bueno, asegúrese de hacerlo, Sr. Lee, ¡porque hoy no he

comido y me muero de hambre!", luego colgué el teléfono para darle un efecto adicional.

Me sorprendieron mis acciones. Nunca me había gustado discutir y siempre había preferido hablar para salir de los problemas, en lugar de levantarme y luchar. Evidentemente, era más fácil confrontarse por teléfono en lugar de cara a cara, y aunque sabía que debería haber dicho más, sentí que era un comienzo para adquirir confianza y arrogancia.

También sabía que tenía que agradecer a Louise mi transformación. Desde el inicio del contrato, había admirado su enfoque directo. Ella decía lo que pensaba y cuando lo hacía, la gente escuchaba, y en nuestra situación actual, para sobrevivir en este mundo orientado hacia los hombres, ¡una chica necesitaba tener actitud! Era la única forma de ser escuchada y que no se aprovechasen de ti. Inconscientemente, había empezado a modelarme a imagen de Louise.

Esa noche, cuando fuimos al Ambassador, el Sr. Lee nos estaba esperando. Sonrió y extendió el dinero de una semana en sus manos.

"Aquí, chicas, dinero".

"¡Oh, dinero!", sonrió Sharon, tomando con gracia el fajo de dólares y repartiéndolo.

"Sí, porque lo llamé por teléfono", le dije.

"Bueno, Michele", dijo Louise. "¡Al menos tienes el enfoque correcto! ¡Ya es hora de que alguien ponga a `Parky´ en su sitio!"

"¡No tenías derecho a llamarlo!", dijo Sharon enfurecida.

"¡Tengo todo el derecho, porque no estás haciendo tu trabajo!"

"¡Pero, yo soy la chica líder!"

"Entonces, ¡maldita sea, actúa como si así fuera!", le contesté.

El Sr. Lee detuvo nuestras disputas diciéndonos que nos

mantuviéramos tranquilas, porque tenía algo extremadamente importante que decir.

"Ahora, siempre que trabaje aquí, en Europa (pecera), prestar atención".

"¿A qué?", pregunté.

"Si apagar luces y cambiar música, vosotras salir del escenario inmediato. ¡¿entendéis?! También dejar club muy rápido", nos dijo.

"¿Por qué?", preguntamos.

"Será policía. Miran clubes. Aquí, muchos clubes no licencia para bailarines extranjeros. Europa no licencia ".

"¡No me digas!", exclamó Louise sarcásticamente. "Entonces, básicamente, si la sala se sumerge repentinamente en la oscuridad y no podemos ver un burro a dos pasos, ¡se supone que debemos salir del escenario, agarrar todos nuestros trajes y salir en cinco segundos!"

El Sr. Lee asintió. "Exacto."

"¡Qué alegría!", murmuré.

7

UNA FIESTA, UN BOMBARDEO Y UNA PRUEBA DE EMBARAZO

Después del trabajo del viernes 5 de mayo, elegí quedarme en la habitación del hotel, mientras que Louise y Sharon salieron a Itaewon. Posteriormente, el sábado por la mañana, me informaron que habían ocurrido dos eventos importantes. En primer lugar, Louise había conocido a un estadounidense cuyo nombre era Jim, y, en segundo lugar, nuestro trío y el quinteto celebraban una fiesta conjunta esa noche.

Se había organizado para que la fiesta fuese en nuestra habitación, pues era considerablemente más grande que las dos habitaciones de las chicas. Supuse que el grupo de cinco, estaba tratando de desahogarse. Todavía estaban sin trabajo; por lo tanto, beber en la habitación del hotel era una forma mucho más económica de ahogar sus penas. Esa noche, después de trabajar, llegaron las chicas, cada una con sus respectivos novios, formando una gran multitud.

A medida que avanzaba la noche y todos estaban un poco borrachos, tres de las chicas decidieron jugarle una mala pasada a Sharon. Sabían con cuántos hombres había estado liada desde nuestra llegada y querían demostrar algo a sus novios; ¡Básicamente, que parecía que ella saldría con cualquiera! Persuadieron a uno de los chicos, Tommy, para que se fuera a la habitación de las cinco bailarinas, llamara a Sharon y la convenciese de reunirse con él esa noche en Itaewon.

"Hola, ¿eres Sharon?", preguntó Tommy mientras las tres chicas se agolpaban alrededor del teléfono para escuchar.

"Si, ¿quién eres?"

"Mi nombre es ... eh ... Frank. Te he visto cerca de Itaewon y te encuentro muy atractiva".

"Oh, ¿en serio ...?", respondió Sharon, riendo.

"Sí, escucha. Me gustaría conocerte. ¿Podrías venir ahora a Twilight Zone?"

"¿Ahora?"

"Sí, realmente me gustaría conocerte mejor, ¡si sabes lo que quiero decir!"

"¡Está bien!", respondió ella. "¿Cómo te reconoceré?"

"Eh ... llevaré una gorra de béisbol de los Bulls y una rosa", le dijo, mientras las tres amigas sofocaban su risa.

Poco después, se dirigió, por su cuenta, al centro de Itaewon, a las cuatro en punto de la mañana, para encontrarse con un hombre que nunca había visto. Según Louise, ella había preparado una bolsa de viaje. Me parecía una broma tonta y peligrosa, pero las chicas querían demostrarles a sus parejas que lo haría. Dos horas más tarde, la broma resultó contraproducente, cuando Sharon regresó, con un hombre. Los muchachos se sorprendieron, pero las chicas sintieron que habían demostrado su teoría.

A lo largo de la fiesta, me sentí bastante distante, triste y desilusionada. Todos parecían tener pareja y yo era la extraña. Mi novio estaba a miles de kilómetros de distancia y, después de que Louise recibiera su carta de `Querido John´, comencé a preguntarme si estaba perdiendo el tiempo tratando de permanecer fiel. Decidí que tenía dos opciones. Básicamente, podría estropear la fiesta sentándome y llorando, o podría encontrar consuelo en el alcohol. Estúpidamente, hice lo último.

Para ahogar mis penas, preparé una poción letal de `ponche´, que consistía en una botella de Sodu, media botella de ginebra, un chorrito de Jim Beam y zumo de melocotón para rematar. Luego, deambulé por la habitación ofreciéndola a todos. ¡Nadie quería beberla!

"¡En serio, reconsideraría beber eso, si fuera tú!", me aconsejó uno de los chicos. "O, al menos, ¡ponle un poco de yogur, para asentar el estómago!"

"¡Nah! ¡Está bien!", dije en mi euforia de borracha y tomé otro largo trago de la mezcla letal.

Poco después, siendo la única persona lo suficientemente idiota como para beber mi potente bebida miasmática, me estrellé en la cama, muerta para el mundo, mientras la fiesta continuaba en pleno apogeo a mi alrededor. Durante las siguientes horas, me desperté varias veces, para arrastrarme al baño a vomitar violentamente, mientras que los miembros restantes de la fiesta, que aún estaban conscientes, se reían de mi situación auto infligida.

"¡Ahora, puedes usar oficialmente tu camiseta de `He tenido la experiencia sodu´!"

"¡Eres la viva imagen del gatito!", se rieron. Yo, por otro lado, estaba lejos de reírme.

Debido a la peor situación que había experimentado en mi vida, me perdí la mayor parte del día siguiente, y finalmente, volví a la tierra de los vivos (o casi viva) alrededor de las 6:30 pm. Me palpitaba la cabeza, no podía ver con claridad y me sentía absolutamente terrible.

El Sr. Lee llegó, trayendo más correos. Al verme acostada

boca abajo en la cama, sonrió, y descubrió que era muy divertido que sufriera una resaca, ya que sólo me había visto con Coca Cola, o alguna cerveza.

Afortunadamente, nuestro contrato en `la pecera´ había terminado el sábado, así que sólo tuve que luchar en dos shows con mi resaca. Estaba decidida a trabajar y lo hice. Cómo hacerlo, sin vomitar, ¡no estaba del todo segura!

Dos días después, las tres fuimos a despedirnos del quinteto. Tras haber estado sin trabajo por más de tres semanas, el Sr. Lee había llamado el día anterior para informarles que les había encontrado algo. Al día siguiente, se irían a Cheongju, a una distancia de aproximadamente 95 km de Seúl, así que, esa mañana, estaban ocupadas haciendo las maletas. La emoción en sus caras ante la idea de trabajar de nuevo, fue reconfortante.

Más tarde, cuando regresamos a nuestra habitación, sonó el teléfono, era nuestro agente.

"El Sr. Lee, dijo que no podía pagarnos hasta el jueves, porque tiene que encontrar el dinero para enviar al quinteto a Cheongju", dijo Sharon y dejó el teléfono.

"Entonces, ¿qué dijiste?", preguntó Louise.

"Nada". Sharon respondió con mal humor.

"¡Genial!"

"¡Ese no es nuestro problema!", me quejé, "¡Estoy harta de tener que luchar constantemente por nuestro dinero!"

"¡Malditamente acertada!" Louise estuvo de acuerdo. "Estoy harta de eso también".

Sharon se encogió de hombros y suspiró.

"Bueno, ¿qué esperas que haga?"

"Llámalo y dile que eso no es suficiente", dije.

Louise y yo esperamos una respuesta, la cual no llegó.

"Esto se merece una visita sorpresa a su oficina", declaró Louise. "Quiero mi maldito dinero. ¿Quién viene conmigo?"

"¡Yo!", respondí.

Sharon se quedó en silencio. Cuando nos disponíamos a partir, no hizo ningún esfuerzo por levantarse de la cama y hacer el viaje con nosotras.

Una vez más, el largo viaje en autobús en el calor del día, ser observadas, empujadas casi continuamente, no ayudó a ponernos de buen humor, por lo que Louise y yo, teníamos muchas ganas de ver a Park. Estábamos listas para una confrontación en el momento en que entramos en la oficina del Sr. Lee.

Nuestro agente no tuvo tiempo de esconderse, ya que se estaba yendo cuando entramos. No estoy segura de si se sintió superado en número o si podía sentir que hablábamos en serio, pero entregó el dinero de una semana completa, prácticamente en el acto.

En consecuencia, pasamos una tarde agradable de compras en Itaewon. Incluso encargué un traje de pantalón de cuero con un top de tiras y una chaqueta a juego con borlas en ambos brazos. Logré un acuerdo con el sastre, que me permitiría pagar en cuotas, la única forma en que hubiera sido posible, al no confiar en el Sr. Lee para obtener ingresos regulares.

Cuando regresamos al hotel, descubrimos que después de que las cinco chicas hubieran guardado todas sus pertenencias, el Sr. Lee las llamó nuevamente para informarles que el contrato se había incumplido y que, desafortunadamente, no iban a ir a ninguna parte. Me sentí muy mal, ya que me dio por pensar, que sería culpa nuestra, y el dinero de los billetes de las cinco, es con el que nos pagó el Sr. Lee, ¡pero decidí sabiamente, guardarme esos pensamientos!

***.

Un par de días después, me desperté con un fuerte resfriado. (¡Culpé al Sodu!) Decidí que mis defensas estaban al borde de la extinción. Me dirigí al farmacéutico, para pedir pastillas vitamínicas. A pesar de aparentar debilidad y tener tos, el pobre hombre que estaba detrás del mostrador, no tenía la menor idea de lo que estaba tratando de decir. Recurrí a contar las vitaminas en mis dedos.

"Vitamina` A´, vitamina `B´, vitamina` C´, vitamina `D ´..."

"¡Ah!", dijo levantando su dedo índice en alto, significando un momento de lucidez. Me dijo que esperara, desapareció en la habitación de atrás y regresó unos segundos más tarde.

"¡Vestir los dedos!", dijo.

Suspiré, dándome cuenta de que no estaba llegando a ninguna parte, pero se veía tan complacido consigo mismo, que no tuve corazón para discutir. ¡Salí de la farmacia con una caja de tiritas y un rollo de esparadrapo!

Esa noche, nos preparamos para el trabajo. Todavía estábamos haciendo sólo dos shows por noche, pero nos consoló el hecho de que al menos el `New Seoul´ era un lugar decente. Sin embargo, esa noche, cuando comenzamos el número de apertura, todos los miembros de la audiencia, que generalmente se comportaban bastante bien, estaban alcoholizados. ¡Pasamos más tiempo empujando hombres fuera del escenario que bailando!

El final de nuestro show no fue mejor. Durante mi playback, un hombre comenzó a imitarme, caminando arriba y abajo frente al escenario, haciendo reír al público. Yo, por otro lado, me sentí humillada e irritada, así que decidí vengarme.

Ya me había hartado de ser ridiculizada, así que la siguiente vez que paso junto a mí, me incliné hacia delante y lo golpeé muy fuerte en la cabeza con mi micrófono. De hecho, lo golpeé tan fuerte, ¡que la parte superior del micrófono se rompió en dos! Él gritó y se aferró a la cabeza, entonces, se giró para mirarme. Su expresión jovial se había convertido instantáneamente en una asesina. Se lanzó al escenario. Mientras yo huía, los guardias tuvieron que intervenir para protegerme, al mismo tiempo que lo reducían.

Desafortunadamente, después del show, las cosas no se pusieron más fáciles. Estaba de pie apoyada contra una pared, esperando para abandonar el club, cuando un hombre pasó junto a mí, se dio la vuelta y me pellizcó el trasero. Luego simplemente se fue como si nada hubiera pasado y se apoyó contra la misma pared, pero más abajo. Como todavía estaba furiosa por ser ridiculizada en el escenario, ¡esta era la gota que colmaba el vaso! ¡Cargué hacia él y le pellizqué el trasero con tanta fuerza, que gritó de dolor!

"No te gusta, ¿verdad?", le dije, tratando de parecer lo más intimidante posible. "Entonces no me lo hagas!"

Mientras se escabullía, inclinándose y frotándose el trasero al mismo tiempo, me sentí llena de júbilo y satisfecha de que mis acciones hubieran tenido el efecto requerido. También tuve que admitir que la joven bailarina ingenua que había llegado hacía seis semanas, estaba empezando a endurecerse. No estaba segura de si eso era un atributo positivo o no, pero definitivamente, había empezado a creer que era necesario.

A la mañana siguiente, temprano, les anuncié a las chicas que iba a salir.

"¿A dónde vas?", preguntó Louise. Hasta este punto del

contrato, ella me había tomado bajo su tutela y me había `cuidado´, algo que aprecié mucho, ya que ella poseía un conocimiento práctico de la vida más amplio que yo. También se había comprometido a acompañarme a todas partes, pues era consciente de que yo no tenía ningún sentido de la orientación. ¡A menos que haya repetido un camino al menos seis veces, tengo pocas esperanzas de encontrar mi camino en cualquier lugar!

"Sólo a la tienda de fotografía y la oficina de correos", le contesté. "¡Los mismos dos lugares de siempre!"

"Espera un momento, me vestiré e iré contigo. Creo que es mejor que no vayas sola", dijo.

Esa mañana en particular, tuve la impresión de que se ofrecía a acompañarme más por obligación que por placer. Sabía que estaba cansada, pues la noche anterior había salido con Jim, el GI. No quería que se sintiera obligada a acompañarme, y después de todo, esta era la nueva `yo´, una persona segura, que se sentía mucho más preparada para enfrentar sola al mundo.

"¡Louise, estoy segura que estaré bien! Sólo voy a la tienda de fotografía y a la oficina de correos", le dije. "Conozco el camino de ida y vuelta, lo hemos hecho muchas veces. ¡Soy bastante capaz de ir por mi cuenta! ¿Qué podría salir mal?"

Me fui, sintiéndome orgullosa de mi nueva autoestima y de mi recién encontrada independencia. Después de recoger con éxito mis fotos, me fui a la oficina de correos, ¡y fue allí donde inesperadamente, todo salió mal!

Estaba de pie en el mostrador contando mi dinero despreocupadamente después de sólo comprar algunos sellos, cuando, sin previo aviso, una sirena extremadamente fuerte de ataque aéreo, resonó afuera. En el momento en que comenzó a retumbar en la ciudad, la oficina de correos se convirtió en una sucesión de acciones preestablecidas. Los trabajadores de correos, empujaron a todos los coreanos a una habitación lateral, pero decidieron dirigirme hacia la puerta principal, ¡me empujaron hacia afuera y la cerraron!

Me quedé allí, en estado de shock. No tenía ni idea de lo que estaba pasando. El ruido era ensordecedor y además de eso, la escena frenética que se desarrollaba ante mí, no hizo nada para calmar mis nervios.

Mirara a donde mirase, la gente corría en busca de refugio, ¡así que también comencé a correr! Las carreteras principales con seis líneas de tráfico, que generalmente eran prácticamente imposibles de cruzar, se habían paralizado por completo. Los ocupantes habían abandonado sus coches y se estaban refugiando en las puertas de las tiendas y en las entradas del metro. Todos los pequeños puestos, que siempre estaban estacionados arriba y abajo de la calle, habían sido abandonados o retirados.

En ese momento, comencé a sentir pánico y seguí corriendo. Un anciano me agarró del brazo y me detuvo, hablando en coreano, miró hacia el cielo y señaló. Miré hacia arriba también, esperando ver aviones de combate; pero todo lo que podía ver, era un cielo azul claro. Sin embargo, estaba convencida de que el hombre estaba tratando de decirme que los aviones de combate estaban en camino. ¡Visiones de películas de guerra pasaron por mi cabeza y me quedé petrificada!

¡Eso es todo!, pensé. *Voy a ser bombardeada por Corea del Norte. ¡Voy a morir aquí!* Mi único pensamiento lúcido, era regresar al hotel y a las chicas lo más rápido posible. Corrí tan rápido como mis piernas podían llevarme. A lo largo de las calles casi desiertas, sacudiendo a cualquiera que intentara arrastrarme hacia el metro y las puertas de las tiendas. ¡Si iba a morir, quería estar con las chicas!

Cuando finalmente llegué al hotel y entré corriendo, mi corazón latía con fuerza, me faltaba el aliento, pero, aun así, no dejé de correr hasta que subí las escaleras, llegué al séptimo piso, abrí la puerta de la habitación e hice una parada brusca.

"¡VAMOS A SER BOMBARDEADAS!", grité.

Sharon y Louise, que estaban sentadas tranquilamente comiendo burritos de atún y mayonesa (cortesía de Jim), giraron las cabezas y miraron divertidas en mi dirección. No podía comprender cómo se podían sentar allí, tan placenteramente relajadas, mientras la sirena del ataque aéreo seguía sonando en Seúl.

"¿Qué?", pregunté, confundida por su falta de pánico.

"Michele, mira la televisión, ¡es solo un simulacro de ataque aéreo!", dijo Sharon. "Hacen esto cada dos meses, para que los surcoreanos sepan qué hacer, si es que son atacados por el Norte".

Pasando a lo largo de la parte inferior de la pantalla de la televisión, en inglés, se leía:

"Esto es un simulacro de ataque aéreo. Por favor, quédese dentro. No

salga."

Me quedé allí, con la cara roja, con el pelo por todas partes, sudando a mares y respirando como si acabara de terminar una maratón, con mis cartas y sellos aún en la mano. La constatación de que estábamos completamente seguras, vino con sentimientos encontrados. Alivio, obviamente, pero también me sentí muy avergonzada. ¡Me había comportado como una auténtica idiota! Tenía que admitir que mi ingenuidad, que pensaba erróneamente que había desterrado para siempre, seguía allí después de todo. ¡Mi nueva fachada, no era tan fuerte como yo pensaba!

Louise continuó mirándome de arriba abajo con una expresión de desconcierto y condescendencia en el rostro, mientras continuaba comiendo su burrito.

"¡Te dije que no salieras por tu cuenta!"

Ese mismo día, nos sorprendió saber que el quinteto (que todavía estaba sin trabajo) había tenido una gran discusión. Tres de las chicas le habían dicho al Sr. Lee que ya habían tenido suficiente y querían irse a casa, pero las otras dos preferían quedarse. Esto causó una gran ruptura entre todas y se convirtió en algo habitual, encontrar a dos o tres de ellas en nuestra habitación, en cualquier momento del día o de la noche, en un intento de escapar de la tensión.

El hecho de que aún estuviéramos trabajando, incluso si sólo estuviéramos haciendo dos shows por noche, de alguna manera no parecía tan malo después de todo, a pesar de que todavía teníamos que mantener una lucha semanal por los salarios con el Sr. Lee.

Fue durante este tiempo que una de las chicas, que permanecerá sin nombre, me pidió en silencio que le hiciera un favor.

"No he tenido el período este mes, ¡y creo que podría estar embarazada!", me confió.

"¿Qué vas a hacer?", le pregunté.

"¿Me preguntaba si irías a la farmacia por mí y me pedirías un test de embarazo?"

"¡¿Yo?!", recordando mi último intento de tratar de obtener pastillas de vitaminas, supuse que probablemente no era la mejor opción para el trabajo. Conociendo mi suerte, ¡acabaría con medicamentos para el estreñimiento o algo peor!

Parecía leer mis pensamientos, (*¡o mi expresión facial!*)

"No te preocupes, sé exactamente dónde están las pruebas. Todo lo que tienes que hacer es señalarlo. Lo haría yo misma", agregó. "Simplemente no quiero que las demás se enteren. Después de todo, podría ser una falsa alarma".

En contra de mi buen juicio, acepté a regañadientes y partimos hacia la farmacia, mientras recibía instrucciones sobre la ubicación exacta de la prueba de embarazo. Entré, mientras ella prefirió esperar afuera tratando de no parecer cómplice. Esta vez me atendió una farmacéutica que parecía preocupada por mi bienestar. ¡Me dispensó el kit de embarazo y cuando me entregó el cambio, me dio unas palmaditas en la palma de la mano para tranquilizarme!

¡Genial!, pensé. *¡Ahora piensa que estoy embarazada!*

De vuelta en el hotel, la prueba se llevó a cabo en el baño. Los resultados fueron negativos y nadie estuvo al tanto de la situación. Sin embargo, sería yo, quien sufriría las consecuencias.

Durante los siguientes meses, me di cuenta de que cada vez que pasaba por la farmacia, la mujer me miraba fijamente al estómago. ¡Supongo que ella estaba buscando indicios de crecimiento! Después de dos meses, su ojo vigilante se estaba volviendo tedioso, así que decidí pasarme por las instalaciones, extendiendo mi vestido, como si estuviera muy embarazada. Ella se rio, (detrás de su mano, por supuesto) y nunca volvió a mirar la zona de mi estómago.

La noche siguiente, nos fuimos a trabajar para hacer nuestros dos shows. En el club New Seoul, cada vez que Louise bailaba, un hombre se ponía de pie como si se sintiera atraído magnéticamente hacia ella y se dirigía al frente del escenario. Se paraba directamente frente a ella y miraba asombrado el tamaño de sus pechos. Fue un momento jovial, incluso Louise vio el lado divertido. Finalmente, un portero tuvo que alejarlo.

Más tarde, en el mismo programa, cuando realicé la rutina de "playback", un hombre diferente se paró frente al escenario, atravesándome con ojos negros sin vida, llenos de odio.

"¡TÚ! ¡TÚ!", repitió una y otra vez, señalándome maliciosamente.

"¿Cuál es su problema?", murmuré a las chicas mientras seguíamos con la rutina.

"¡Tal vez sea el tipo al que le pegaste con el micrófono el otro día!", bromeó Louise. ¡Todas nos echamos a reír!

Después del espectáculo, el Sr. Lee anunció una sorpresa.

"Venir, venir. Vosotras tener show en otro club. Club Carnegie ".

"¿Nos pagan por eso, Sr. Lee?", le pregunté.

"¡Audición, audición!", dijo, alejándose.

"¡Entonces no hay sorpresa!", murmuró Louise, mientras metía sus trajes en el estuche.

Esperaba que esta fuera otra oportunidad para ganar un poco más de dinero, sin embargo, cuando llegamos al lugar, hubo un cambio de plan. Al parecer, el gerente había `salido´. Nos quedamos por un tiempo, pero al final nos fuimos, para no volver jamás. Cualquiera que fuera el trato sucio que el Sr. Lee había arreglado, obviamente había fracasado.

La noche siguiente, las ocho chicas fuimos a Itaewon a los lugares habituales: Twilight zone, Kings, Seoul Train y Kettle House, lo que significa que no llegamos a casa hasta las 7:45 am. Llevábamos una hora durmiendo, cuando nuestra puerta se abrió de golpe y entró uno de los muchachos de la recepción al que llamamos Stuart.

"¡Disculpe, disculpe!", dijo alegremente, marchando a través de la habitación y abriendo las cortinas para permitir que el sol de la mañana entrase en el cuarto oscuro. Cuando nuestros ojos se adaptaron a la luz, nos dimos cuenta de que, al acercarse, había un hombrecillo vestido con un mono y una máscara de gas, que llevaba un gran recipiente cuadrado sobre sus hombros, con una manguera de goma gruesa.

"¡Oh! ¡Mira! ¡Son los caza-fantasmas!", bromeé.

Como no se nos había dado tiempo para hacer nada, excepto sentarnos y observar los procedimientos de manera estupefacta y aturdida, el hombrecito comenzó caminando hacia la cama de Louise y roció un poco de líquido maloliente sobre la alfombra.

"¡Oye! ¿Qué demonios estás haciendo?", gritó Louise, frotándose los ojos aún adormilados y tapándose la boca con una mano para no respirar la mezcla podrida y apestosa que empapaba la alfombra.

El `caza-fantasmas´ balbuceaba algo inaudible a través de su máscara y continuó fumigando.

"¡Limpiar alfombra!", nos informó Stuart, como si no lo hubiéramos adivinado ya.

El `caza-fantasmas´ se acercó a la cama de Sharon y luego a la mía, hasta que toda la habitación apestaba a químicos rancios y la alfombra estaba completamente empapada. Entonces, tan abruptamente como habían aparecido, se fueron.

"¿Qué demonios estamos respirando?", se quejó Louise poniendo la mano sobre la boca, de nuevo. "Si tiene que usar una máscara, ¡no creo que debamos quedarnos aquí!"

Sharon y yo estuvimos de acuerdo, así que a las 9:30 am, después de sólo una hora de sueño, nos encontramos nuevamente en Itaewon.

Regresamos a primera hora de la tarde al hotel y a una alfombra empapada y olorosa. Totalmente agotadas, nos las arreglamos para dormir cuatro horas, antes de tener que volver al trabajo.

Al día siguiente, descubrimos que tres de las cinco chicas del otro grupo, se irían a casa ese día. Fue una ocasión bastante triste y marcó el final de una era. Las dos chicas restantes, comenzarían a trabajar como un dúo, adaptando el espectáculo en consecuencia.

El Sr. Lee vino al hotel para recoger a las tres que se iban, pero parecía incapaz de mirarlas a la cara. No pude decidir si esto se debía a que se sentía culpable por no haber cumplido con su parte del trato, al no proporcionarles un trabajo constante, o molesto con ellas por abandonar y romper el trato. De cualquier manera, estaba muy molesto por verlas partir. Sin embargo, entremezclado con la tristeza por su partida, brillaba el destello de la esperanza de que, quizás ahora, con menos bailarinas, podríamos cobrar con más regularidad.

El viernes 18 de mayo, a última hora de la tarde, cuando nos estábamos preparando para el trabajo, nuestra puerta se abrió y entró otro de la recepción. Esta vez, tenía un equipo de hombres con él.

"¿Os importaría llamar a la maldita puerta antes de entrar aquí?", gritó Louise.

"Vosotras cambiar habitación. Los hombres limpiar alfombra".

"¡¿Otra vez?! ¡¿Qué diablos van a echar esta vez?!", me quejé.

"¡La limpiasteis hace dos días!", les dijo Sharon.

"Vosotras cambiar de habitación. ¡AHORA!"

"Espera un minuto", dijo Louise, mirándonos. "Pensemos

en esto. Si cambiamos de habitación, probablemente será algo permanente. Dudo que volvamos a recuperar esta".

"Bien visto", le contesté. "Las otras habitaciones que hemos visto, son mucho más pequeñas. Y aparte de eso, ahora me he acostumbrado bastante a esta habitación, armarios y todo. ¡Ya sabes, las cucarachas, el agua del grifo que gotea de color marrón y todo! "

Louise se volvió hacia los intrusos.

"No nos movemos, puedes limpiar la habitación rodeándonos".

"¡Tu mover!"

"¡No!", Nos sentamos en silencio en señal de protesta en las camas y nos negamos a ceder.

¡Transcurridos unos minutos de enfrentamiento no verbal, ganamos! El equipo entró con aspiradoras, limpiadores a vapor, espuma y limpiaron a nuestro alrededor, ya que decidimos apropiarnos de los espejos y continuar poniéndonos el maquillaje. Todos los muebles fueron fumigados y colocados sobre las camas, la alfombra, una vez más, se lavó y se limpió con vapor. Salimos de la habitación para ir a trabajar, volvimos esa noche a una alfombra un poco menos empapada y olimos los muebles que aún estaban encima de las camas, era una mezcla intensa de productos químicos que se filtraban lentamente en la ropa de cama. A pesar de esto, nuestra moral estaba alta. ¡Tuvimos éxito en mantener nuestra habitación y lo sentimos como una gran victoria!

El sábado por la noche, hicimos los shows y la cremallera de Louise se rompió de nuevo. Sharon estaba enfadada y la confrontó después del show.

"Ve a Itaewon mañana y arréglalo", ordenó. "Llévalo al mismo lugar donde lo arreglaron la última vez".

Esto se convirtió en una discusión, pues a Louise, no le gustaba que alguien le dijera qué hacer, y en particular si ese alguien, era Sharon.

"¡Hazlo tú! ¡Es tu trabajo! ¡Tú eres la `jefa´!"

"¡Pero es tu traje!"

"¡Me importa una mierda!"

El viaje de regreso en la Bongo Van fue tenso, por decirlo suavemente. De vuelta en el hotel, después de que ya no pude soportar la tensa atmósfera, me obligué a sugerir que las tres, deberíamos salir a tomar algo y relajarnos. Sin embargo, tan pronto como el taxi nos dejó en Itaewon, lo lamenté. Siempre me sentía incómoda allí por la noche y realmente, no era un lugar donde pudiera relajarme.

Como de costumbre, visitamos los mismos cuatro clubes, esta vez terminando en Twilight Zone en lugar de comenzar allí. La apatía debía de estar grabada en mi cara, porque un GI se acercó y se sentó a mi lado.

"¿Qué pasa? ¿Por qué se te ve tan aburrida?"

"Me veo aburrida, porque estoy aburrida", le respondí, preguntándome cómo iba a deshacerme de él.

El chico parecía sorprendido.

"¿Pero...? ¡Eso no puede ser! ¿Cómo es posible que te aburras, cuando hay más de mil GI aquí?", dijo con una mirada de completa incredulidad en su rostro.

"¿Y qué?", respondí. "No me interesa encontrar un hombre".

"Pero ... ¡somos soldados de los Estados Unidos!", respondió genuinamente sorprendido.

"El hecho de que seas un soldado del ejército, no significa que esté obligada a salir contigo. ¡No tengo que estar impresionada al instante!", le contesté.

Se fue, sólo para ser reemplazado cinco minutos más tarde por otro GI, que vino a probar suerte. Este, me regaló una rosa.

"¡He estado buscando por todo este lugar y tu belleza está más allá de toda descripción! Eres, con mucho, la chica más hermosa del lugar", dijo.

Sí, sí ... pensé. Aquí vamos de nuevo. *¡Más frasecitas cursis!*

Luego siguió una pequeña charla, más cursi si cabe, de una sola frase, pero cuando finalmente se dio cuenta de que no estaba llegando a ninguna parte, fue cuando su actitud cambió rotundamente.

"¿Por qué estás jugando a hacerte la dura?"

"Mira", dije tratando de decepcionarlo amablemente. "Simplemente no estoy interesada. Tengo un novio en Inglaterra, ¿de acuerdo?"

"¿Y?", respondió. "Tengo una esposa en los Estados Unidos, ¡pero eso no me detiene!"

¡Inmediatamente me sentí apenada por su esposa!

"Bueno, ya ves, la cosa es que tengo moral, algo de lo que obviamente, andas escaso", le contesté.

"Puedes decir lo que quieras", escupió. "¡Pero no creo ni por un minuto, que no te hayas acostado con nadie desde que llegaste aquí!"

"¡No me importa si me crees o no!", le espeté. Arrojando la rosa en su cara y le inquirí a que me dejara sola.

Más tarde, una de las chicas del grupo de cinco, que se había quedado atrás para formar el dúo, entró. Ella tampoco parecía estar muy feliz. Le pregunté qué iba mal, pero en retrospectiva, fui la última persona a la que debería haberle preguntado.

"Me siento como una mierda!", dijo ella.

"¿Por qué?, ¿qué ha pasado?"

"Estaba en la cama con mi novio, ¿entiendes?", comenzó. "Y mientras lo estábamos haciendo, ¿sabes lo que dijo?"

"No, ¿qué?"

"Dijo, '¿Sabes Michele? Creo que es realmente encantadora. Ella romperá muchos corazones sin siquiera intentarlo. Todos los chicos la encuentran atractiva, porque es como una niña".

"Oh ... lo siento mucho", dije, sintiéndome extremadamente incómoda.

La conversación de ahí en adelante, fue creciendo en incomodidad hasta la siguiente pausa. Mientras yo, intentaba pensar en algo con lo que cambiar de tema.

"Entonces, ¿cómo es trabajar como un dúo?", dije, encogiéndome interiormente.

Me desperté el domingo por la mañana para encontrar a Sharon en la cama con otro GI que había enganchado la noche anterior. Mientras pensaba en levantarme, sonó el teléfono. Resultó ser su afroamericano 'Big Malc', que parecía una persona intermitente en la vida de Sharon.

Cuando él le preguntó acerca de sus travesuras de la noche anterior, ella jugó con las sábanas.

"¡No, por supuesto que no pasó nada! ¡Sólo estábamos hablando, eso es todo!"

Sacudí la cabeza en completo desconcierto. Ahí estaba el chico con el que sólo "había estado hablando", desparramado por la cama, tan grande como la vida, luchando por sentarse.

Louise y yo hicimos una salida rápida y pasamos la mayor parte del día afuera, dejando a Sharon con su última conquista. Esa misma tarde al volver, el GI no estaba y Sharon, se ponía el maquillaje sentada en la cama, comiendo un paquete de patatas fritas.

Cuando llegó el momento de comprobar que todo estaba en

orden, los trajes y accesorios correctos, hubo un gran enfrentamiento entre Louise y Sharon, cuando se hizo evidente que ambas, se habían olvidado de arreglar la cremallera que se había roto la noche anterior.

"¡Pensé que ibas a llevarlo a reparar!", discutió Sharon. "Has estado fuera todo el día, ¡podrías haberlo hecho fácilmente!"

"Lo hice la última vez. ¡No es mi trabajo! ¡Si pasaras menos tiempo en la cama, podrías haberlo llevado tú!", respondió Louise.

La discusión continuó, pero era demasiado tarde para hacer algo al respecto. Teníamos programado salir en quince minutos. El resultado fue, que tuvimos que usar atuendos prestados de los trajes del segundo show, que ya no hacíamos, en lugar de nuestro atuendo habitual. Para agregar aún más combustible al fuego, Sharon nos informó que tampoco llevaríamos los tocados de plumas, ya que había perdido los enormes clips que usábamos para mantenerlos en su sitio.

Sentí que cualquier indicio de profesionalidad que aún poseyésemos se desvanecía lentamente, para ser reemplazado por la complacencia, junto con una gran falta de interés por parte de todos los miembros del grupo.

Hacer un espectáculo, ahora se equiparaba a una línea de producción de fábrica. Revolvimos las prendas con poca reflexión sobre el resultado final. De hecho, la única vez que hicimos un verdadero esfuerzo, fue cuando nos vimos obligadas a hacer las audiciones sin cobrar. Al menos entonces, teníamos que intentar ganar un contrato, pero la falta de respeto que recibimos diariamente de los agentes y gerentes, fue lo que nos convirtió en el trío descontento que actualmente éramos.

Después del trabajo, apareció Big Malc (probablemente buscando pruebas del otro GI) y Sharon le dijo que podía quedarse a pasar la noche. Habían pasado menos de doce horas desde que otro soldado había estado durmiendo en el mismo lugar. Sin embargo, al menos el de la noche anterior, no me había molestado. Desafortunadamente, con Big Malc, ¡no pude pegar ojo, por culpa de sus ronquidos! Al final, cansada y exasperada, lo desperté y cortésmente le pedí que se fuera.

El lunes 22 de mayo fue el cumpleaños de Louise. El novio de Sharon, Big Malc, regresó con una tarta de cumpleaños para Louise y una tarjeta para mí. Estaba un poco confundida en cuanto a por qué estaba recibiendo una tarjeta, pero cuando la abrí, me di cuenta de que era para disculparse por mi falta de sueño la noche anterior. Pensé que era un gesto amable, lo que hizo que aumentara mi estima por él.

Poco después, el novio de Louise, Jim, llegó y nos llevó a todos a la base militar de Yongsan para almorzar. La tarde pasó demasiado rápido y no tuvimos más remedio que regresar al Central Hotel, para prepararnos para los espectáculos.

Después del trabajo, todos nos dirigimos a Itaewon. No tenía ganas de volver y, para ser sincera, me sentía como una carabina, porque era la única que no tenía pareja. Hubo un momento, en que terminé llorando, ya que me sentía muy sola. Por esta razón, cuando un iraní llamado Mohammed se me acercó y me dijo que volvía a su casa al día siguiente, decidí que no sería perjudicial hablar con él. Me dijo que me había visto en el hotel, porque también se alojaba allí. Se me ocurrió que, en realidad, podría estar acechándome y me había seguido al club. Sin embargo, como no quería arruinar el cumpleaños de Louise más de lo que ya lo había hecho con mi estallido de lágrimas, le seguí el juego.

Desafortunadamente para mí, mi plan fracasó, ya que, al día siguiente, el iraní llamó a mi habitación (no le había dado mi número), para informarme que había cambiado sus planes y ¡se iba a quedar en Seúl, una semana más!

Ese mismo día, llamó a la puerta y dijo que quería hablar conmigo. Inmediatamente comencé a sentirme incómoda. Parecía un buen tipo, pero no quería animarlo. No tenía ninguna intención de tener nada más que una amistad con él, así que traté de hacer bastante obvio, que su visita era un inconveniente.

Continué lavando mi ropa en la bañera y limpiando mi parte de la habitación, asumiendo que recibiría el mensaje de que estaba perdiendo el tiempo. Su visita duró unos agonizantes cinco minutos y luego se fue. Esperaba que eso fuera el final, ¡pero estaba equivocada!

Dos días después, las tres nos dirigimos a la oficina del Sr. Lee en busca de nuestro salario y luego fuimos de compras. Nos habían pagado el salario íntegro, probablemente debido al hecho de que el quinteto, se había convertido en un dúo, por lo que me regalé un anillo de oro de amatista que costaba apenas 40 €. Esto hizo que la idea de trabajar esa noche, pareciera un poco más aceptable.

Esa noche, después de terminar el segundo show, subimos a la furgoneta pensando que nos íbamos de regreso al hotel. Sin embargo, nuestro conductor se desvió bruscamente de nuestra ruta habitual y comenzó a entrar y salir de algunas de las calles secundarias de Seúl.

"¿A dónde diablos nos está llevando?", preguntó Sharon.

"¡Quizás tenemos otra audición de la que no sabemos nada!", dije en tono de broma. Mi predicción resultó ser correcta. La Bongo Van se detuvo frente a la discoteca "Diamond", donde nuestro agente estaba afuera, esperando.

"Esto ser audición. Vosotras hacer buen show ¡Vosotras trabajar aquí un mes o dos!", nos informó el Sr. Lee con su habitual sonrisa falsa.

"Sí, sí, lo sabemos", le contesté; mi voz chorreaba sarcasmo. "¡Otro espectáculo gratis!"

Después de la audición, nos vimos obligadas a sentarnos en una mesa con el propietario y el Sr. Lee, mientras regateaban los precios y bebían whisky. Me sentí como una mercancía y que ya no era miembro de la raza humana, ya que el propietario del club, nos miró de arriba abajo a las tres, evaluando nuestra valía.

Finalmente regresamos al hotel a primeras horas de la madrugada, sintiéndonos cansadas e irritadas. Para empeorar las cosas, sólo llevábamos unos minutos en la habitación, cuando Mohammed apareció de nuevo. Esta vez llevaba regalos: ¡un poco de té inglés y un puñado de pistachos! Louise leyó correctamente mi expresión facial y supo que me sentía incómoda al aceptar esas cosas. Era un buen tipo, pero al traer regalos, sólo afirmaba lo que antes había temido. Él, obviamente, quería más que una amistad de mí.

"Lo siento, Mohammed, pero Michele y yo vamos a salir, así que no puedes quedarte mucho tiempo", le informó Louise, mientras le liberaba de los regalos.

"¿A dónde vais?", una pregunta justa, viendo que eran las dos y media de la madrugada.

"Hay un mercado cubierto durante toda la noche del que hemos oído hablar", explicó Louise. "Y queremos ir a verlo".

"¡Genial, yo también iré!", respondió.

Esto no era lo que esperábamos que dijera, pero después de quitarnos el maquillaje y cambiarnos a algo más adecuado, los tres nos pusimos en marcha para buscar el mercado.

Era un gran edificio interior, con techos altos y pequeños puestos con mercancía hasta el techo. Entramos y salimos de los múltiples pasillos, absorbiendo la atmósfera. El lugar estaba lleno de clientes, incluso a esa hora intempestiva. Los puestos vendían ropa o material de confección; lentejuelas, cuentas y accesorios para hacerla tú misma.

Mohammed se ofreció de inmediato a pagar por cualquier cosa en la que expresara interés, pero me negué cortésmente. No quería aceptar nada que pudiera malinterpretarse como un signo de que alentaba su afecto. Aproximadamente una hora después, de alguna manera, sin hacerlo a propósito, perdimos a Mohammed en el mercado y regresamos al hotel.

El jueves 25, Louise y yo fuimos a comprar comida a unos grandes almacenes llamados Printemps. Siempre estábamos limitadas a lo que podíamos comprar, debido a que no contábamos con instalaciones para cocinar en el hotel, pero nos abastecíamos de burritos, fideos ramen, galletas saladas, patatas fritas, chocolate, pasteles, agua y bebidas gaseosas. A los cinco minutos de nuestro regreso, alguien llamó a la puerta. Sharon oteó a través de la mirilla y luego me miró.

"Es Mohammed", susurró ella.

"¡No estoy!", le susurré, y salí disparada al baño, reprendiéndome en silencio por haberle hablado a él en primer lugar.

"Lo siento, pero no está, ¡ha ido a la tienda!"

"Ah, vale. Volveré más tarde", dijo. La situación se estaba volviendo sumamente desesperante a medida que pasaban los días.

Esa noche logré escaparme del hotel sin ver a Mohammed y fuimos a hacer nuestro último show en el Ambassador. Esto significaba, que pronto estaríamos en un show por noche, lo que significaba que nuestros salarios, disminuirían drásticamente y eso ya estaba empezando a preocuparnos a todas.

El lugar que quedaba, el New Seoul, era nuestro único paso para evitar el desempleo y, lamentablemente, no era el lugar más agradable para trabajar. Las bailarinas de la discoteca ya no nos hablaban mucho. El ambiente en el vestuario se había vuelto incómodo, casi hostil, algo que Sharon parecía ignorar, lo cual era sorprendente, considerando que ella era la causa de la discordancia.

La razón de esta hostilidad, era porque Sharon había empezado a flirtear con uno de los DJ, que era el novio de una de las bailarinas. En consecuencia, cada vez que ésta veía a Sharon revoloteando a su alrededor, causaba celos, inquietud y confusión. La situación se había vuelto tan intensa, que era casi un alivio salir de allí todas las noches.

Esa noche, después del trabajo, cuando el conductor nos dejó en el hotel, salió de la furgoneta y se dirigió hacia nosotras. Con una expresión solemne en su rostro, tendió la mano.

"¡Ya nos veremos!", dijo, sacudiendo nuestras manos sombríamente. Nos miramos nerviosas.

"¡Eso suena siniestro!", dije.

"¿Mañana, no trabajar?" Sharon le preguntó en idioma `tarzaniano´. Él como respuesta, sacudió la cabeza.

"Bueno,", suspiró Louise. "¡Parece que estamos sin trabajo otra vez!"

Regresamos a nuestra habitación en un estado de profundo desaliento.

Unos minutos después, sonó el teléfono.

"¡Apuesto a que es el Sr. Lee con las malas noticias!", dije.

"No", susurró Sharon. "Es Mohammed, para ti. ¿Estás o no?"

"¡No estoy!", susurré.

"Lo siento, se fue a Itaewon con Louise", le dijo.

Temprano, la mañana siguiente, Louise y yo nos sentamos en nuestras camas mirando a Sharon mientras llamaba al Sr. Lee para recibir las malas noticias.

"Anoche nuestro conductor dijo que no vendría mañana. ¿Significa esto que no estamos trabajando, Sr. Lee?", preguntó Sharon.

"No. Tu trabajar. Él no trabajar ¡No trabajar para mí!"

"¡Ah, está bien!" Sharon sonrió y todas soltamos un suspiro de alivio.

"El gerente de otro club estar ayer en New Seoul", dijo el Sr. Lee. "Él ver espectáculo. ¡Puede que vosotras tener otro contrato!"

¡Esa fue una noticia mucho mejor de la que esperábamos! Mientras estábamos sentadas en las camas, aliviadas, sonriendo y charlando sobre el inesperado giro de los acontecimientos, una enorme cucaracha, de unos diez centímetros de largo, salió corriendo del baño y se detuvo en medio de la habitación.

"¡Mierda!", Grité.

"¡Eso es una puta cucaracha gigantesca!", exclamó Sharon, haciéndome pensar de inmediato en Jeffrey "El gran jodido gordo" y su propensión al sexo.

"¿Qué vamos a hacer?", expresé en voz alta. La cucaracha había dejado de correr y ahora estaba inmóvil en medio del suelo, mirándonos a cada una de nosotras, mientras planeaba su siguiente movimiento. Sabíamos por experiencia, que las cucarachas de este tamaño eran prácticamente imposibles de matar cuando estaban sobre una alfombra. Por lo general, golpearlas en el suelo del baño acababa con ellas, pero luego teníamos que lavar las suelas de los zapatos, ya que los huevos se podían esparcir sobre la alfombra mientras caminábamos.

"¡Toma!", dijo Louise lanzándome un frasco de café vacío, "¡Atrápala ahí, luego podemos deslizar un pedazo de papel debajo y tirarla por la ventana!"

Después de un par de intentos fallidos, porque yo perdía los nervios cada vez que se movía, finalmente quedó atrapada dentro del tarro de café. Entonces comencé el proceso de deslizar un papel doblado debajo. Tenía la esperanza de que la cucaracha facilitaría el procedimiento y la obligaría a subirse al papel, pero ella, tenía otras ideas.

"¡Oh Dios mío! ¡Se está comiendo el papel!", grité.

La punta del papel se había doblado hacia arriba y ¡pudimos oírla masticar! ¡Esto hizo que la idea de recogerla del suelo fuese decididamente más desalentadora!

"¡Voto para que la dejemos donde está, por ahora!", dije. "Podemos pensar en moverla más tarde!"

Se acordó por unanimidad que la cucaracha no iba a ninguna parte, así que la guardamos en nuestra habitación, debajo del tarro de café y la llamamos Clive. Incluso los limpiadores parecían respetar su sitio sobre la alfombra y rondaban cuidadosamente a su alrededor. Tal vez pensaron que los europeos eran decididamente raros por querer tener una cucaracha como mascota, pero nos siguieron el juego.

Clive duró una semana completa antes de morir, finalmente, fue recogida en un pedazo de papel y arrojada sin ceremonias por la ventana.

El miércoles 31 de mayo, se realizó otro viaje a la oficina del Sr. Lee para exigir nuestro dinero. Debió de escucharnos subir las escaleras, ya que rápidamente, se escondió en su oficina. Las tres recepcionistas intentaron, sin éxito, convencernos de que había salido, pero no nos engañaron tan fácilmente.

"¡Esperaremos!", declaró Louise, adoptando una actitud autoritaria, con el tono de voz y el lenguaje corporal correspondiente.

En un intento por hacer que las secretarias se sintieran incómodas, caminé constantemente de un lado al otro de la oficina, mientras que Louise, decidió sentarse con las piernas cruzadas sobre uno de los escritorios. Casi instantáneamente se aburrió con sólo sentarse allí, recogió varios papeles, los sostuvo en alto y los examinó uno por uno. Más tarde, continuó con los cajones, y el Sr. Lee todavía no había aparecido. (Sharon se quedó fuera, en el pasillo).

Después de unos quince minutos de mi andar y del curiosear de Louise, una de las secretarias intentó (sin éxito) hacer una llamada telefónica discreta al Sr. Lee. El estridente sonido del teléfono dentro de su oficina cerrada, supuestamente vacía, parecía amplificado a proporciones elevadas en contraste con el silencio total dentro de la oficina principal. Cuando el timbre se detuvo abruptamente y la secretaria comenzó a murmurar en el teléfono, sólo reafirmó nuestra creencia original, de que nuestro agente estaba escondido allí, evitándonos a propósito.

Unos segundos más tarde, el Sr. Lee salió de su oficina. Fingió sorpresa y nos dijo que acababa de regresar. Como su oficina no tenía otra puerta, aparte de la que acababa de atravesar, sabíamos que estaba mintiendo, pero decidimos dejarlo pasar.

"¿Dónde está nuestro dinero?", exigió Louise, todavía sentada sobre el escritorio.

La mano de nuestro agente fue rápidamente al bolsillo interior de la chaqueta y sacó un fajo de billetes. Esta vez nos dio la mitad de nuestro salario y algo de correo.

"Esta noche haréis tres shows", dijo, sorprendiéndonos a todas. Aparte del New Seoul, estaríamos trabajando en un nuevo lugar; "Cheer-girl" y volveríamos al "Golden Star" donde hicimos una audición a principios de abril.

No nos impresionó demasiado el que nos pidieran volver al Golden Star, allí fue donde la clientela, mucho mayor que en los otros clubes, habían estado muy borrachos y mostraron su disgusto por el espectáculo, vertiendo leche en el escenario. Sin embargo, el dinero es dinero y no estábamos en condiciones de rechazar el trabajo.

Esa noche, mientras actuábamos en ese lugar, un grupo de hombres sentados en la parte delantera del escenario, comenzó a agitar sus cálidas y complementarias toallas blancas de mano en el aire, como una bandera para llamar nuestra atención, cosa que funcionó.

Mientras bailamos, un hombre comenzó a doblarla de tal manera que, mientras la retorcía y manipulaba, ¡lentamente se levantó de la mesa para parecerse a un pene erecto! Pensaron que era muy divertido, yo, por otra parte, ¡estaba más intrigada por cómo lo había hecho!

Después de ese show, nos dirigimos al Cheer-girl, que tenía un escenario grande y bonito, con un ambiente agradable dentro del club, lo que supuso un cambio. Sin embargo, después del primer show, nos dijeron que la gerencia preferiría que usáramos algo más que un bikini y plumas para el número de apertura. No especificaron qué es lo que realmente preferían que nos pusiéramos, y estábamos bastante limitadas en cuanto a lo que podíamos ofrecer, ya que sólo teníamos cuatro conjuntos completos. En consecuencia, reemplazamos los bikinis por tops de mariposa con lentejuelas. Esto (aparentemente), fue peor que los anteriores bikinis y nos dijeron que volviéramos a nuestro atuendo original para el siguiente show.

Al día siguiente, nuestro conductor llegó una hora tarde, esto significó que no hicimos el show en el Cheer-girl esa noche. El conductor dijo que se debía a un cambio de horario, pero tuve la sospecha de que tenía algo que ver con la debacle de los trajes. Mi intuición resultó ser correcta. Tampoco trabajamos en el Golden Star, pero no sabíamos por qué. Esto significó que sólo hicimos un show. Una vez más, nuestro sueño de tres espectáculos por noche, parecía haberse evaporado en el aire.

Como siempre, cada vez que nos reducíamos a un show, me sentía incómoda y constantemente preocupada por cuánto tiempo pasaría, antes de volver a estar sin trabajo. Parecíamos vivir en un círculo vicioso: primero la lucha constante por nuestro dinero, luego, cada vez que nos pagaban, enviábamos dinero a casa, escondido en papel carbón en cartas a nuestros padres, ¡al menos yo lo hice! O comprar algo frívolo en una juerga de compras loca. El resto de la semana nos limitaríamos a más fideos y burritos, hasta que la lucha por el dinero comenzara nuevamente.

Teníamos otra situación siempre constante, las deudas en el hotel, en forma de factura telefónica en aumento. Sharon o estaba llamando al Sr. Lee, o a uno de sus muchos novios, y en ocasiones, todas habíamos llamado a casa para hablar con nuestros padres cuando no teníamos fondos suficientes para comprar tarjetas telefónicas. A medida que pasaba el tiempo y aumentaba la cuenta, nos gritaban el montante de la deuda desde la recepción, cada vez que entramos o salimos del edificio.

"¡¡Pagar teléfono!!", gritaban a cada oportunidad disponible, agitando fajos de papeles en las manos mientras nos escabullíamos, haciendo una retirada apresurada hacia la salida o el ascensor.

"Naeil" (mañana): solíamos responder, pero en ocasiones, elegíamos ignorarlos por completo.

El teléfono también fue una fuente de contención en nuestra habitación. Sharon tenía preferencia en el teléfono por ser la chica alfa, y había que decir que la mayoría de las veces, cuando sonaba el teléfono, era para ella. Sin embargo, nueve de cada diez personas, en el otro extremo de la línea era un estadounidense y no nuestro agente. Las llamadas telefónicas a todas horas del día y de la noche, se estaban convirtiendo en algo exasperante.

Un día, cuando Big Malc telefoneó varias veces para hablar con Sharon, que estaba saliendo con otra persona, nuestra paciencia se estaba agotando. La siguiente vez que sonó, las dos suspiramos.

"¡Ya está bien! ¡Ya he tenido suficiente!", gruñó Louise. Entonces, ella cogió el teléfono. Por la mirada en sus ojos, supe que estaba tramando algo.

"¿Hola?"

"Hola, soy Malc, ¿puedo hablar con Sharon? ¿Ya ha vuelto?"

"¿Hola?", repitió Louise, fingiendo una mala conexión. "¿Hola, hay alguien ahí?"

Esto me pareció muy divertido, era algo que nunca se me hubiera ocurrido y estaba haciendo todo lo posible por reprimir la risa.

"¿Hola? ¡HOLA!", gritó al teléfono. "Michele, ¿puedes oír a alguien por teléfono?" Louise empujó rápidamente el auricular hacia mí.

Moví un dedo en su dirección y sacudí la cabeza, tratando de contener la risa detrás de mi mano ahuecada, pero Louise, deleitándose con mi situación, insistió en que agarrase el auricular.

"¿Hola...? Sr. Lee, ¿es usted...?", logré decir sin estallar. "No, Louise, ¡no puedo escuchar nada!", dije, empujando el auricular hacia ella.

"¿HOLA?", gritó Louise al teléfono. "¡Me gustaría que la gente dejara de hacernos llamadas tontas y nos dejara en PAZ!", dijo, luego colgó el teléfono.

Nos echamos a reír. No podía recordar la última vez que me había reído tanto desde mi llegada a Corea. Ayudó a liberar tanta frustración reprimida. Me comprometí a intentar ver más el lado divertido de la vida. ¡Pero eso era mucho más fácil de decir que de hacer!

Más tarde, fuimos al New Seoul para hacer nuestro único espectáculo de la noche. Sharon comenzó de inmediato a coquetear con el DJ otra vez, totalmente ajena al estado de ánimo que estaba provocando en la sala. Yo, por otro lado, era muy consciente del ambiente tenso y agresivo que se había creado.

Miré a Louise, quien hizo un gesto, afirmando que ella también percibía la tensión. Las chicas coreanas lanzaron miradas de ira a Sharon y luego se volvieron una hacia la otra. Sin previo aviso, la novia/bailarina del DJ, que había estado observando la escena entre Sharon y éste con los ojos entrecerrados, lanzó un ataque abruptamente. Se puso de pie y cargó hacia delante, gritando y empujando al DJ, que se quedó parado en silencio, con una expresión de complacencia en el rostro.

Sharon se retiró a una distancia prudencial, nos miró y se encogió de hombros.

"¡Es increíble que ella no sepa la tensión que ha estado causando!", susurré.

"¡Mantén la voz baja y no hagas contacto visual con nadie!", me dijo Louise susurrando.

Para ser honesta, en esta ocasión, no habría necesitado que me lo dijera. Estaba esperando a que la bailarina agarrara una silla y la arrojara a través de la sala, por lo que me alejé tanto de la acción como me fue humanamente posible. Sin embargo, esto no sucedió, así que tuve que asumir que era un acto, sólo practicado por hombres.

La chica continuó gritando, hasta que, literalmente, se derrumbó en el suelo y comenzó a llorar. En esa coyuntura, el DJ giró sobre sus talones y salió del vestidor con las manos en los bolsillos, como si no hubiera ocurrido nada fuera de lo habitual.

Todos los ojos estaban puestos en la angustiada bailarina, pero nadie se atrevió a acercarse a ella. Finalmente, se levantó apoyándose sobre los dos brazos y se arrastró teatralmente para salir, ¡para no volver a verla nunca más!

"¡Vaya! ¡¿Qué demonios ha sido eso?!", preguntó Sharon con incredulidad.

Louise y yo negamos con la cabeza.

"¡Deberías saber que era su novio!", respondió Louise.

"Bueno, ¡por supuesto que lo sabía!", respondió Sharon con impaciencia. "¡Pero, por el amor de Dios, sólo estábamos hablando!"

No pudimos establecer si la bailarina había dejado su trabajo o había sido despedida, pero a partir de ese momento, la relación entre nosotras y las demás bailarinas de la discoteca, fue casi nula.

Después del espectáculo, nuestro conductor nos dijo que nos llevaría a un encuentro con el Sr. Lee para tomar una cerveza, pero después de lo sucedido, ninguna de nosotras estaba particularmente de humor. De todos modos, Louise y Sharon habían hecho planes previos para la noche, y pasar el tiempo libre con el agente, no entraba en el itinerario.

La pareja de Louise, Jim, la estaba esperando en nuestra habitación, y Sharon se encontraría con Big Malc en Itaewon. En lo que a mí respecta, cuanto menos viera a nuestro agente, mejor.

"Dígale al Sr. Lee que no queremos cerveza", le dijo Louise al conductor. "Estoy harta de ser ninguneada. Todas estamos cansadas. Llévanos a casa."

El conductor nos hizo caso, pero en el momento en que entramos en el Central Hotel, el teléfono comenzó a sonar. Era un Sr. Lee extremadamente irritado:

"Vosotras volver a Bongo Van. ¡Vosotras tener que hacer lo que decir conductor! ¡Haber audición! ¡AHORA!", gritó por el teléfono.

Bajo mucha presión y con poco más que un suspiro, aceptamos y arrastramos la maleta hacia la furgoneta.

Nuestra audición debía realizarse en el club "Pan Corea", un gran local con mesas dispuestas como un restaurante, con manteles, cubiertos y vajilla de porcelana china. Los invitados cenaban a la luz de las velas, mientras veían el espectáculo.

"¡Guau! ¡Esto es una gran mejora en comparación con los otros clubs en los que hemos trabajado en los últimos meses!", comenté mientras nos guiaban por el club hasta el vestidor.

Las chicas asintieron en acuerdo.

El escenario era enorme y detrás de cada actuación, se desarrollaba una compleja exhibición de agua. Nuestro show sería el mismo.

¡Cuando pasamos por encima del plástico laminado hacia nuestros lugares designados, se produjo un zumbido de maquinaria y chorros de agua fueron lanzados por el aire, acompañados por una gran variedad de luces, crearon remolinos sincronizados y patrones de explosión que, con toda honestidad, eran más entretenidos que nuestro número!

Digo esto porque, para ser sincera, ¡nuestra actuación esa noche fue atroz! Había tanta agua goteando y escupiendo sobre el escenario donde estábamos bailando, que nos salpicaban constantemente. Estas gotas de agua helada que cayeron inesperadamente sobre nuestra carne desnuda nos hicieron saltar y gritar. Esto, y los crecientes charcos creados por tuberías poco fiables, hicieron que resbaláramos, perdiéramos el equilibrio y casi nos cayésemos en innumerables ocasiones.

No sólo eso, sino que probablemente debido a ello, ¡el número de apertura fue un auténtico desastre por mi culpa! Habíamos estado haciendo las mismas rutinas durante tanto tiempo que, por lo general, era posible bailar mientras pensábamos en otras cosas: qué íbamos a hacer después del espectáculo, dónde íbamos a comer, reflexionamos sobre el día, etc. Sin embargo, en esta ocasión, cuando mi mente volvió al presente, ¡me di cuenta de que había estado haciendo una parte completamente diferente del baile de las otras dos!

Para complicar aún más las cosas, Louise lloraba constantemente entre cada número. Había desarrollado un dolor terrible en el costado y apenas podía mantenerse erguida, olvidándose por completo de la coreografía.

"¡Upss! ¡Bueno, dudo que volvamos otra vez!", supuso Sharon cuando salimos del club: me disculpé y Louise lloró. ¡Afortunadamente, se había equivocado!

8

TORRES, ESTADIOS Y APARTAMENTOS

En la mañana del domingo 4 de junio, Jim nos invitó a Louise y a mí, a la base militar, Camp Essayons, en Uijeongbu, que nos obligó a viajar en metro durante casi una hora. Cuando llegamos, Louise me preguntó casualmente si había traído alguna identificación.

"¿Qué? ¡No! ¡No sabía que tendría que identificarme!", dije, estresándome inmediatamente, creyendo que tendría que pasar todo el día fuera de la base, o regresar por mi cuenta en el tren. Sabía que jamás encontraría el camino de vuelta desde allí.

"¡No lo pensé!". respondió Louise. "Pero, sí, los guardias no te dejarán entrar sin identificación"

Justo entonces, llegó Jim.

"¡Déjame esto a mí!", dijo y se acercó a los dos jóvenes soldados en la puerta. No pude escuchar la mayor parte de la conversación hasta que él se volvió y señaló en mi dirección.

"¡Bueno, sólo miradla, chicos! ¡Ella no es una amenaza para la seguridad estadounidense, ¿verdad?!"

Sonreí dulcemente en su dirección y un guardia me hizo una seña tímidamente y me dejó firmar.

Me alegré mucho de que lo hiciera, ya que tuve un hermoso día. A la hora del almuerzo, hicimos una barbacoa en el área comunal, una zona de patio pequeño con estructuras de ladrillo o parrillas abiertas para cocinar, o como lo llamó Jim, un `hazlo tú mismo'. Más tarde jugamos al billar y a los dardos, luego, Jim nos metió a Louise y a mí en su habitación. Me intrigó encontrar una habitación individual y no una compartida. Era compacta, pero completa, con una cama, un armario y un escritorio. Nos tomamos algunas fotos sentadas en su cama, vistiendo su chaqueta militar y sosteniendo un cojín con la bandera estadounidense estampada.

A primera hora de la tarde, nos escabullimos de las barracas y fuimos a la cantina a buscar algo de comida para llevar. Me detuve para tomarme una foto sosteniendo la bandeja de mi cena, entre dos tanques enormes: una foto que todavía hoy adoro.

El momento de volver a la realidad y al Central Hotel para prepararnos para trabajar, llegó demasiado pronto. Cuando nos apresuramos a entrar en el hotel a los ecos de "Pagar teléfono", no pude evitar desear vivir en Corea en circunstancias diferentes.

La noche siguiente, cuando llegamos al Diamond, encontramos un nuevo grupo que se apoderaba del vestidor. Eran un cantante masculino y su coro de seis bailarinas, que acababan de salir del escenario. Cuando saludamos y comenzamos a preparar nuestros trajes, el cantante no nos dejó ninguna duda en cuanto a su desprecio por tener que compartir un camerino con extranjeras. Sus ojos se estrecharon hasta tal punto que apenas eran visibles y murmuraba constantemente insultos en voz baja.

Sus bailarinas estaban nerviosas por la situación, se ponían la ropa de calle y recogían sus pertenencias a toda velocidad. Obviamente habían vivido esto antes y sabían qué esperar, nosotras, no.

Antes de darnos cuenta, agarró un tambor y lo arrojó a través de la habitación. Tan pronto como aterrizó, se dio la vuelta y abofeteó a una de las chicas con fuerza en la cara. Se quedó allí en señal de sumisión y bajó los ojos, mientras él continuaba mirándonos con disgusto. Sin previo aviso, se volvió hacia Louise.

"¡Tú, hija puta!", gritó.

"¡No me llames hija puta, estúpido bastardo!", replicó ella, poniéndose de puntillas y sacando pecho.

El tirano estaba tan sorprendido de que Louise le respondiese y no se hubiese inclinado de inmediato en sumisión, que momentáneamente no pudo responder. Durante unos segundos, hubo una tensión nerviosa en el aire, junto con un completo silencio en el camerino. Nadie se movió, nadie habló, el tintineo distante de la música en el club nocturno, era el único sonido audible. Todas esperaron con aire entrecortado, ansiosas por ver qué sucedería a continuación, mientras Louise y el cantante se miraban con odio mutuo, ambos esperando a que el otro retrocediera.

Afortunadamente para él, eligió darle la espalda bruscamente a su posible agresora, para comprobar su reflejo en el espejo. Sin embargo, yo estaba en medio y muy molesta, porque le había gritado a Louise sin ninguna razón.

"¡Muévete!", dije. "Has terminado. ¡Esto ahora es nuestro!"

Esto provocó otro berrinche. Esta vez, lanzó una silla (vaya una novedad) y entonces, una de las chicas que había olvidado su sombrero, se convirtió en la criatura inocente que recibiría la reacción de su furia reprimida.

Arrojó el sombrero en su cara de una forma ofensiva. Esto

fue seguido por una reprimenda, que requirió que el cantante pusiera su cara frente a la de ella, lo más cerca que le fue humanamente posible sin tocarla, mientras la acosaba con un bombardeo de improperios en coreano, mezclado con salpicaduras de saliva. Cuando había agotado su repertorio de insultos y comentarios condescendientes, dio media vuelta y salió corriendo. Un aluvión más, de dicterios en coreano se deslizaron por el pasillo, mientras sus seis secuaces corrían tras él en una sola fila.

"Bueno, ¡qué hombre tan encantador!" dijo Louise.

El 6 de junio fue el Día de los Caídos en Corea del Sur. Se celebra todos los años para conmemorar a los hombres y mujeres que murieron en el servicio militar durante la Guerra de Corea y otros conflictos. La bandera de Corea del Sur se vuela a media asta y el cementerio nacional de Seúl, tiene un servicio conmemorativo cada año. A las diez de la mañana, una sirena de ataque aéreo atraviesa la ciudad, para que la gente pueda decir oraciones silenciosas por aquellos seres queridos que se fueron.

Afortunadamente para mí, esta vez cuando sonó la sirena, aunque no tenía idea de por qué lo hacía, me quedé en la cama ¡y no sentí la necesidad de entrar en pánico!

Para nosotras, el Día de los Caídos significaba que teníamos un día libre (*¡no es que realmente necesitáramos uno!*) Así que las tres chicas y Jim, decidimos visitar la torre Namsam Seoul, un punto de referencia popular y un lugar turístico en Seúl. Tiene 236,7 metros de altura y se construyó originalmente en 1969 como una torre de transmisión, para enviar señales de radio y televisión.

Habíamos descubierto que la parte superior de la torre, tenía un restaurante giratorio, donde los comensales podían sentarse cómodamente y contemplar las vistas panorámicas de Seúl. Esto sonó como una buena idea para pasar la tarde, así que tomamos un autobús hacia la torre y comenzamos a subir un delgado tramo de escaleras cerradas de caracol, para llegar a la cima.

Desafortunadamente, tres cuartos del camino hacia arriba, nos encontramos con una cola de coreanos, que obviamente tuvieron la misma idea.

Establecimos que el restaurante estaba lleno y estas personas estaban esperando en fila para las siguientes mesas disponibles.

"¡Genial! ¿Y ahora qué hacemos?" gruñó Sharon, intentando sentarse en el escalón más cercano.

"Bueno, podríamos irnos, pero, seamos honestos, no tenemos nada mejor que hacer", le contesté.

"Michele tiene razón", dijo Louise. "Voto por quedarnos aquí".

Nos unimos a la cola y esperamos unos cuarenta minutos, a temperaturas cada vez más elevadas, en la construcción en espiral cerrada, antes de que el jefe de camareros nos indicara que entráramos.

"¡Genial!", sonreímos cuando finalmente nos liberamos de la escalera y nos subimos tentativamente al lento suelo del restaurante. Todavía estábamos sonriendo cuando finalmente nos llevaron a una mesa, ¡pero nuestras expresiones felices pronto se evaporaron cuando vimos los precios del menú!

"Bueno, gracias al Sr. Lee y nuestra falta de salario esta semana, ¡parece que estamos obligadas a pedir sólo un refresco y un burrito para cada una!", resopló Louise.

Nos decepcionamos aún más, porque era un día nublado,

por lo que las vistas panorámicas prometidas, tampoco fueron particularmente espectaculares. Sin embargo, habíamos recorrido un largo camino y estábamos decididas a obtener el valor de nuestro dinero, así que nos sentamos a mordisquear nuestros elegantes burritos, mientras el restaurante completaba una vuelta entera en cuarenta y cinco minutos. Al menos, nos dio a todos, la oportunidad de refrescarnos y estuvimos de acuerdo, en que había sido un cambio agradable, hacer algo diferente.

Al día siguiente, nos vimos haciendo otro viaje a la oficina del Sr. Lee para tratar de obtener algo de dinero. Esta vez, pagó la totalidad y nos dio las tarjetas de residencia, que eran de color rosa, con nuestras fotos plasmadas. Me pareció que sería un buen souvenir, pero aparte de eso, dudaba que tuviéramos que mostrar cualquier capacitación oficial durante nuestra estadía. Llevábamos en Corea tres meses y sólo había tenido motivos para mostrar algún tipo de identificación, en dos ocasiones: ¡una vez en la Embajada Británica y otra en la base del ejército de los Estados Unidos!

Sin embargo, estaba casi segura de que, después de nuestro viaje a la Embajada Inglesa, en caso de guerra, los coreanos harían un mayor esfuerzo por encontrarnos del que probablemente, harían nuestros propios compatriotas.

Esa noche después del show, Louise y Sharon fueron a Itaewon. Elegí quedarme en nuestra habitación, lo cual, en retrospectiva, resultó ser una decisión acertada. Cuando Louise llegó a casa, estaba herida y sangrando. El labio reventado y los indicios de un ojo negro empezaban a aparecer lentamente. Su ropa estaba cubierta de sangre. Estaba hecha un auténtico desastre.

"¡Oh, Dios mío! ¿Qué ha pasado?"

"Se peleó con un árabe en Kings", explicó Sharon, mientras Louise se acostaba con cautela en su cama.

"Él estuvo molestándola toda la noche. Simplemente, no la dejaba sola, ¡y ella finalmente perdió la paciencia!", me contó. "Le dijo que se largase, le dio la espalda y se fue. ¡El problema fue que él tomó represalias!"

La limpiamos y me senté con ella hasta que se quedó dormida a las 9:00 am y me pidió que llamara a Jim. Cuando finalmente logré hablar con él, no fueron buenas noticias.

"No podré ir durante una semana", me dijo.

"¿Por qué no?"

"Bueno, ya ves ... me han abierto un expediente", explicó.

"¿Por qué?"

"El sargento me acusó de tener chicas en mi habitación", dijo. "Lo negué, por supuesto, ¡pero él no me creyó!"

"¿Por qué no?", le pregunté.

"Bueno, ..." dijo tímidamente. "¡Creo que tuvo mucho que ver con el hecho de que puse fotos de ti y Louise con mi chaqueta y sentadas en mi cama en la pared!"

"Sí, Jim, supongo que podría haber tenido mucho que ver con eso", le contesté. "¡Idiota!"

¡Lo ocurrido con Louise, me desconcertó y detuvo mis visitas nocturnas a Itaewon durante el mes siguiente! De todos modos, la mayoría de las veces, había salido por obligación o porque no me gustaba la idea de sentarme sola en la habitación del hotel. En consecuencia, recurrí a mi habitual personalidad hogareña y me senté viendo la televisión americana, bordando, leyendo o escribiendo cartas.

La noche después de su ataque, Louise trató de cubrir sus cortes y moretones con maquillaje y nos pusimos a trabajar. Se sentía muy triste y no podía culparla. Su cuerpo estaba cubierto de cardenales y le dolía sonreír. Sin embargo, algo sucedió durante el show, que la hizo estallar en una dolorosa carcajada.

Mientras realizábamos la rutina de apertura, me di la vuelta para descubrir que un coreano obeso mórbido, había subido al escenario detrás de mí, corriendo. Cuando me di la vuelta y lo vi, saltó bruscamente haciendo que todo el escenario temblara, y en un movimiento sorprendentemente rápido, levantó la pierna y golpeó el suelo para asumir la posición inicial del Sumo. Me quedé inmóvil por el shock y no sabía qué hacer. No tenía a donde ir. Su volumen ocupaba un tercio del escenario, mientras mantenía su posición de sumo en cuclillas. Recuperé el equilibrio e intenté bailar provisionalmente a su alrededor, ¡pero era imposible! Ciertamente, no podía rechazarlo, como había hecho con otros intrusos en el pasado y las visiones de ser colgada sobre su hombro y llevada a la audiencia ¡estaban empezando a asustarme!

Afortunadamente, como mis dos compañeras no hicieron nada para ayudar y simplemente se rieron de mi desafortunada situación, se acercó un portero. Al hablar con calma al hombre, convenció al `sumo´ para que abandonara el escenario en silencio y finalmente se reanudara el espectáculo habitual.

El sábado 10 de junio, resultó ser probablemente, el día más estresante de los seis meses en Corea. Después de un breve viaje de compras a Itaewon, Louise y yo estábamos en el autobús de regreso a Chong-gye-chong, cuando la sentí tensarse de inmediato.

"¡Ooh!... ¡Dioos!... ¡Miío!", murmuró cada palabra alargándola para enfatizar.

Sus grandes ojos crecieron hasta el doble de su tamaño normal, cuando levantó un brazo en alto y lentamente señaló con la mano temblorosa. Miré por el parabrisas delantero del autobús hacia donde estaba mirando Louise, para ver a cientos de estudiantes manifestarse, armados con antorchas, pancartas y petardos, que se dirigían directamente hacia donde estábamos, corriendo y gritando. Se lanzaban furiosos hacia adelante, aparentemente imparables, en los seis carriles de tráfico que se habían detenido bruscamente.

Los manifestantes corrían en hordas, gritando y cantando, golpeando coches y autobuses con los puños, mientras cargaban. Alguien tiró un coctel molotov y luego otro. Arrancaron losas del pavimento, seguidas de cualquier otro objeto fácilmente disponible, que se usaría como un "misil" y podría ser lanzado a la multitud.

"¡Americanos ir a casa! ¡Americanos se van a casa!", gritaban, destrozando escaparates y parabrisas de los automóviles.

Mientras algunos de ellos corrían al lado del autobús, gritando, la adrenalina surcando sus cuerpos, totalmente eufóricos por la situación, nos vieron. Nuestra misma existencia los enojó aún más, ya que asumieron erróneamente que éramos estadounidenses, el objeto de su ira. Estábamos atrapadas. El autobús no se podía mover y nos sentamos como si estuviéramos esperando a ser detenidas en cualquier momento.

"¿Qué demonios vamos a hacer?", le dije, volviéndome hacia Louise, mientras la multitud avanzaba hacia el autobús.

"AMERICANOS IR A CASA! ¡AMERICANOS IR A CASA!"

"No tengo ni idea", gritó por encima de los golpes y el canto, "¡Pero si entran aquí, la llevamos clara!"

Nos miramos mutuamente, incapaces de movernos o pensar con claridad. Por tercera vez desde mi llegada, me pregunté si estaría destinada a morir en Corea. Los estudiantes estaban dos metros alrededor de nuestro vehículo, el ruido era ensordecedor, ya que continuaron golpeando el lateral del autobús y gritando lo más alto que podían.

El autobús comenzó a moverse de lado a lado mientras los manifestantes empujaban, ordenando al conductor del autobús que abriera las puertas. Afortunadamente para nosotras, no obedeció, pero siguieron intentando acceder al interior forzando las puertas.

Una pasajera coreana, se levantó bruscamente y caminó hacia nosotras. Me encogí y pensé fugazmente que quizás ella misma nos iba a atacar, o al menos insistir en que nos arrojaran del autobús a la furiosa multitud. Sin embargo, nos hizo un gesto para que nos sentáramos en cuclillas entre los asientos, algo que, una vez que llamó nuestra atención, era obviamente lo más inteligente que podíamos hacer.

Apenas habíamos asumido la posición de cuclillas, escuchamos silbatos.

"¡Gracias a Dios! ¡Es la policía antidisturbios!", Louise finalmente respiró. "Ahora deberíamos estar a salvo".

Esperaba que ella tuviera razón. Desafortunadamente, lo que no sabíamos, era que los manifestantes, superaban por mucho a la policía y éstos, no tenían intención de quedarse por más de unos pocos minutos.

De repente, un olor espantoso y fuerte, parecido a la lejía, impregnaba el aire. Nuestros ojos comenzaron a picar y las lágrimas corrían por nuestras mejillas. Todos en el autobús empezaron a toser y a frotarse los ojos al instante. Se revolvieron con visión borrosa para cerrar los techos solares y cualquier otra ventana que aún no estuviera cerrada.

"¡Es gas lacrimógeno!", dijo Louise, cubriéndose la boca y cerrando los ojos.

"¡Mierda!", dije, totalmente asustada, temblando debajo del asiento y rezando por un resultado favorable.

Arriesgándose con una rápida mirada por la ventana, Louise se agachó de nuevo.

"¡Los malditos policías están huyendo! ¡Lanzaron el gas lacrimógeno y los muy puñeteros se van"

"¡Genial!", respondí sarcásticamente desde debajo del asiento. ¡La esperanza de ser rescatadas por la policía, las únicas personas que podrían ayudarnos, se desvanece mientras los policías huyen!

La liberación del gas lacrimógeno, junto con no estar a la vista de los manifestantes y encogernos debajo de los asientos, definitivamente ha ayudado a mejorar un poco nuestra situación. La multitud rebelde comenzó a disiparse, perder interés y avanzar lentamente por la calle.

"¿Cuánto tiempo crees que tendremos que quedarnos aquí?", le pregunté.

"¡Todo el tiempo que haga falta!", respondió Louise. "No me apetece bajar del autobús en este momento, ¿no crees?", negué con la cabeza con vehemencia.

El conductor del autobús aceleró rápidamente el motor y, a través de una amalgama de intrincadas maniobras, logró milagrosamente girar el vehículo. Se desvió por los seis carriles sin tráfico y se dirigió en dirección opuesta, lejos de la batalla. Cómo pudo hacerlo, siempre seguirá siendo un misterio para mí, pero estoy bastante segura de que esa tarde, nos salvó de un destino peor que la muerte.

Nos quedamos en el autobús, y viajamos mucho más allá de nuestra parada. Nuestros ojos seguían lagrimeando dolorosamente por los efectos del gas. Todos, incluido el conductor, estornudaban y tosían. Nuestras gargantas estaban muy doloridas y la piel expuesta comenzaba a picar.

Finalmente, salimos de debajo de los asientos y nos sentamos, manteniendo la mirada baja para evitar el contacto visual con los pasajeros restantes, que nos miraban con desconfianza o con abierto desprecio.

Poco a poco, los ocupantes del autobús empezaron a bajar en cada parada designada, pero nos quedamos a bordo, en parte porque no teníamos idea de dónde estábamos, y en parte, la más importante, porque teníamos mucho miedo de bajar.

Finalmente, el autobús llegó a la terminal principal y todos nos vimos obligados a salir. Tuvimos la suerte de que el personal era muy servicial. Nos acompañaron hasta el autobús correcto y nos dieron permiso para entrar antes de su horario de salida. No estábamos seguras de si se trataba de un acto de bondad, ya que eran conscientes de nuestro problema, o si asumían que, dadas las circunstancias, probablemente era mejor mantenernos fuera de la vista, pero, de cualquier manera, estábamos extremadamente agradecidas.

Alrededor de diez minutos más tarde, el conductor del autobús entró y condujo hasta la primera parada. Cuando abrió las puertas para dejar entrar a los pasajeros, una coreana subió a bordo y luego se detuvo en seco cuando nos vio. Señalándonos y moviendo su dedo de lado a lado, comenzó a gritar, haciendo más que evidente, que se negaba a viajar en el autobús con estadounidenses.

"¡Somos inglesas, zorra estúpida!", me oí gritar. La frustración por toda la situación, me impulsó a liberar algo de mi ira y exacerbación reprimida. La mujer se dio la vuelta y se negó a subir al autobús. Otros entraron dubitativos e intentaron sentarse lo más lejos posible de nosotras.

Nos llevó dos horas regresar a Cheong-gye-cheon y la devastación que los estudiantes habían causado. Cuanto más nos acercábamos a nuestra parada, más enfadadas estábamos. No teníamos ni idea de si la manifestación aún estaba en curso y si estábamos regresando inconscientemente al campo de batalla.

Todo parecía tranquilo cuando dejamos la seguridad del autobús y nos dirigimos a pie al hotel. El olor a gas lacrimógeno aún impregnaba el aire, causando que tosiésemos y que nuestros ojos volvieran a llorar. Evitando el contacto visual, nos escabullimos a través de las consecuencias, nos encontramos con los rezagados de la manifestación y los heridos que deambulaban a lo largo de las aceras, tambaleándose. Algunos caminaban con pañuelos de papel sobre la boca, en un intento por no respirar los restos del gas lacrimógeno. Sus miradas ansiosas, cada vez que se encontraban con dos chicas extranjeras, eran lo suficientemente nefastas, para que estuviéramos muertas de miedo.

Previendo ser golpeadas, apuñaladas o incluso asesinadas, acordamos mantener los ojos bajos, y casi de inmediato comenzamos a trotar. Esto progresó rápidamente en una carrera de regreso al hotel.

Más tarde, esa noche, cuando salíamos en la Bongo Van para trabajar, podíamos ver, en un entorno un poco más seguro, todo el daño que se había hecho. Las ventanas rotas estaban en proceso de ser tapadas, los pavimentos habían desaparecido virtualmente; las losas de pavimento arrancadas se habían convertido en caminos. Incluso vimos a dos coreanos tumbados boca abajo sobre los restos de la acera. Parecían estar muertos, pero no íbamos a detener la furgoneta para averiguarlo.

Cuando la Bongo Van abandonó nuestro vecindario y finalmente comenzamos a calmarnos, nos dimos cuenta de que nuestro conductor, el Sr. Lee, parecía estar muy nervioso. Estaba sudando. Sus manos se aferraban al volante con fuerza y negaba con la cabeza, murmurando para sí mismo en voz baja.

"¿Qué pasa?", le pregunté.

"¡Nosotros llegar tarde!" Nos informó. Estaba programado

realizar nuestro último día de trabajo en el New Seoul. Suspiró con resignación, como si hubiera tomado una decisión necesaria pero desagradable, luego hizo girar la furgoneta, conduciendo por el lado contrario de la carretera hacia el tráfico que se aproximaba.

"¡Así ser más rápido!", nos informó, estirando el cuello para explicarlo, ¡mientras todas apuntábamos con horror a la gran cantidad de vehículos que se dirigían directamente hacia nosotros!

"¡MIRA A LA CARRETERA!"

Mientras contemplaba el meterme en el suelo debajo de los asientos por segunda vez ese día, todas nos agarramos de las manos y sentimos cómo nos golpeaba el horror, con una cacofonía de cláxones, muchos giros bruscos y golpes ocasionales en los costados de la Bongo Van, y por supuesto, un sinfín de insultos y brazos al aire de otros conductores, ¡los vehículos pasaban a milímetros de la Bongo Van!

"¡Maldita sea!", dije, cuando finalmente nos detuvimos. "Si nos han dado nueve vidas para este contrato, ¡debemos ir por la cuarta!"

Durante el resto del tiempo en Seúl, nuestro conductor, con frecuencia repitió su viaje alucinante entre el tráfico, cuando pensaba que no llegaríamos a tiempo al siguiente lugar. Siempre llegamos enteras y puntuales, afortunadamente, sin un solo rasguño en la Bongo Van o en nosotras.

Al día siguiente, me desperté y me encontré sola. Mis dos compañeras de baile estaban en sus respectivas bases militares, con sus respectivos novios. Acababa de resignarme a un día en soledad, cuando alguien llamó a la puerta. Era Amy.

"Hola Michele, estaba pensando en ir al estadio olímpico, ¿te apetece venir conmigo?"

"¡Ooh!, ¡sí!, ¡eso sería genial!", dije.

Los Juegos Olímpicos habían tenido lugar en Seúl el año anterior, en 1988, y llevaba mucho tiempo queriendo visitar el sitio. Tomamos un autobús a Songpa-gu para ver la construcción coreana, que costó la friolera de 491 billones de wons y podía albergar a casi 70,000 personas.

A la llegada, nos dieron un librito que servía de pasaporte. Tuvimos que presentar nuestra identificación mientras visitábamos cada lugar, donde era sellado para demostrar que realmente habíamos estado allí. Nos sacamos fotos con "Hodori", el tigre, símbolo oficial de los Juegos Olímpicos, y descubrimos que la cinta que sostenía sobre su cabeza creaba la letra "S" para indicar Seúl.

Amy y yo dimos vueltas por varios estadios, observando y tratando de imaginar lo emocionante que tenía que haber sido el ambiente durante los juegos. Después de un tiempo, sin embargo, todos los estadios se parecían mucho, así que nos dirigimos a la tienda de regalos, donde compré un libro y una insignia.

Justo afuera del estadio, había un pequeño puesto con un hombrecito vendiendo banderas de todas las naciones.

"Igŏsŏŭn ŏlmaimnikka?" (¿Cuánto cuesta esto?), le pregunté, señalando en general todas las banderas en el puesto (¡No sabía cómo pedir cosas en plural!).

"3,000 wons" respondió él. (3 €).

"Bueno. Dame la bandera de Gran Bretaña ", le dije.

Él se obligó a meterla en una bolsa y me la entregó.

"6.000 wons", dijo.

"¡¿Qué ?!", exclamé. "¡Dijiste 3.000 won!"

"Ah, sí. Tres mil, bandera coreana. ¡Seis mil, bandera inglesa!"

"¿Qué? ¡No puedes hacer eso!", me quejé. "¿Por qué la bandera inglesa es más cara?"

"¡Ahh! ¡Porque sí! Tener muchas banderas coreanas. ¡No haber muchas banderas inglesas!", explicó.

Tuve que admirar su cara dura, ¡pero decidí no comprar una!

En el viaje en autobús de regreso al Central Hotel, Amy y yo hablamos sobre las dificultades de vivir en Corea. Le dije que mi principal problema era la soledad. Me había mantenido fiel a mi novio en Inglaterra, pero era difícil ver a las otras chicas con sus parejas. ¡Me sentía como un espinoso cardo la mayor parte del tiempo! Me quejé de los clubes, los hombres que nos trataban como ciudadanos de segunda clase y confesé que siempre me sentía mal, que lloraba mucho y que creía que tenía un carácter débil. Amy, me sorprendió con su respuesta.

"¡Michele, eres una de las personas más fuertes que conozco! Es increíble que puedas permanecer fiel a un chico en el otro lado del mundo. ¡No conozco a nadie aquí, hombre o mujer que haya logrado hacer eso! ¡Yo no podría hacerlo! Eso demuestra una gran fuerza de voluntad ".

Sus palabras sirvieron para aumentar mi confianza de inmediato. Ella me había obligado a verme a mí misma en una perspectiva diferente y, al mismo tiempo, me sentía facultada para seguir adelante.

Dos días después, en las primeras horas del martes 13 de junio, a las 5:45 a.m. para ser precisa, nos despertó el sonido interminable de unos golpes. Mientras miraba por la ventana hacia las viviendas de abajo, vi a un grupo de albañiles coreanos que habían decidido construir un nuevo techo. A pesar de gritar y pedirles que se callaran, simplemente se echaron a reír, siguieron martilleando, y para enfurecernos aún más, encendieron la radio con el volumen tan alto como era posible, y de nuevo, se echaron a reír. '

"¡Estúpidos cerebros de Kimchi!", se quejó Louise.

A partir de entonces, bautizábamos a cualquiera que hacía algo estúpido con el nombre `Cerebro de kimchi´.

Otra expresión que adoptamos fue "Kimchi squat", esto se debía a que, en lugar de formar una cola ordenada de pie, los coreanos se agachaban. Sus pies, ligeramente separados y doblados, de manera que sus traseros se apoyaban sobre sus tobillos. (*O como Louise lo dijo "poéticamente", ¡parecían que querían ir al baño y no habían encontrado uno cerca!*)

Esa tarde, las dos chicas restantes del quinteto, Vicky y Amy vinieron a visitarnos. Nos dijeron que el Sr. Lee las había llevado a ver un apartamento.

"Quiere que nos mudemos del hotel", explicó Amy.

"Supongo que para él es más económico que vivir aquí", agregó Vicky.

"Pero, ¡fue horrible! ¡Todo el lugar estaba sucio! Había un viejo colchón en el suelo, sin televisión ni teléfono ...", Amy continuó. "¡Y hubiéramos tenido que compartir la cocina y el baño con una mujer coreana con dos quinceañeros!"

"Las escaleras hasta el apartamento estaban llenas de basura y había ratas por todas partes", dijo Vicky.

"Entonces, ¿qué dijisteis?", pregunté.

"¡Que no y punto!"

"¡Dios! ¡Espero que Park no esté pensando en que también nos traslademos!", respondió Louise.

Tuve que estar de acuerdo. El Central Hotel no era lujoso, estaba lleno de cucarachas y a menudo, oíamos ratas corriendo detrás de las paredes, ¡pero sonaba mucho mejor que el apartamento!

Dos días después, debido a que el Sr. Lee no había estado disponible en los últimos días, hicimos otro viaje a su oficina por dinero. Entregó a regañadientes el pago de dos días y luego, nos sorprendió a todas al pedirnos que camináramos con él. Nos miramos consternadas las unas a las otras. Él nunca había sugerido algo como esto antes. Ninguna de nosotras tenía un presentimiento particularmente bueno al respecto, pero lo seguimos a regañadientes, sin estar realmente seguras de qué esperar.

Era mediodía; demasiado calor para andar sin rumbo, pero lo hicimos. Después de unos diez minutos, finalmente se detuvo frente a una pequeña tienda.

"Yo comprar helado a vosotras", dijo, buscando algo en el bolsillo.

Cuando pidió los refrescos, no pude contener más la curiosidad.

"Entonces, ¿de qué quiere hablar con nosotras, Sr. Lee?"

"¡Nada! Ser lindo día. Buen día para pasear por ciudad ".

¿Por qué no le creí? Las tres hicimos contacto visual rápidamente y nos encogimos de hombros. ¡Estábamos más confusas que nunca!

Inesperadamente, su brazo se inclinó hacia el interior del codo hacia su cara, con su extraña manera de leer su reloj.

"¡Llego tarde! ¡Vamos ahora!"

Miré a las chicas. Ambas se encogieron de hombros. Estaban tan desconcertadas como yo. No había nada más que hacer, que seguirlo hasta su oficina.

Cuando llegamos al edificio de su oficina, se volvió hacia nosotras y nos dijo que no nos molestáramos en entrar.

"Esta noche vosotras hacer tres shows. Vosotras tener nuevos contratos en Pan Corea, New World y Diamond ".

Si eso era todo lo que quería decirnos, entonces por el momento, yo era feliz. Louise lo agarró por las solapas y fingió mendigar.

"Oh, por favor, Sr. Lee, necesito el dinero. ¿Podemos hacer cuatro shows?"

Nuestro agente fingió una carcajada, sacó a la fuerza las manos de las solapas de su chaqueta y, dejándonos en la acera, caminó hacia adentro.

9

FILMACIÓN, MODELAJE Y HOSTESSING

21 DE JUNIO DE 1989

Durante los siguientes días, trabajamos en los tres lugares; Pan Korea, New World y Diamond, y los shows se volvieron relativamente rutinarios. ¡Sin embargo, esto era Corea y estábamos acostumbradas a que algo inusual sucediera casi todos los días!

En el Pan Corea, nos dimos cuenta de que la banda había adquirido la costumbre de que, a la finalización de cada pase, como quien no quiere la cosa, salían del escenario tocando los últimos compases del tema.

El batería, que estaba sentado en una plataforma elevada, era empujado por dos pipas mientras seguía tocando. Por alguna razón, cada vez que lo veía arrastrado tras las cortinas, me imaginaba un gran cayado de pastor que le rodeaba el cuello y lo arrancaba rápidamente del escenario.

Una vez que la banda se fue, se desplegó el escenario doblando su tamaño, lo cubrieron con una lona impermeable, y comenzó el espectáculo de agua. Sobrevivimos a nuestras rutinas de baile ¡pasadas por agua!

En el club nocturno Diamond, Louise descubrió que tenía un ávido admirador. Cada vez que ella subía al escenario, él parecía ser atraído por una fuerza magnética al frente del escenario donde vigilaba cada uno de sus movimientos. Entonces, una noche, nos siguió fuera del escenario y le hizo una proposición, preguntándole cuánto cobraba.

"¡Fuera de aquí!", bramó Louise. Cuando ella le dio la vuelta y lo empujó fuera de la habitación, nos encontró a Sharon y a mí riéndonos por su apuro, para su consternación.

¡En el New World, habíamos terminado el espectáculo de la noche y estábamos caminando a través de la audiencia para salir del club, cuando un hombre me agarró con fuerza y procedió a darme un beso húmedo, baboso y con sabor a cerveza! Una vez más, sentí que esto era el karma por reírme de la situación previa de Louise.

El miércoles por la noche (21 de junio), cuando llegamos al Diamond, estábamos sólo medio vestidas para la rutina de apertura cuando comenzó la música.

"¡Maldita sea! ¿Por qué nos siguen pasando estas cosas?", me quejé, tirando frenéticamente de la mochila de plumas tan rápido como me fue humanamente posible.

"¡Solo Dios lo sabe!", respondió Louise, "¡pero me estoy hartando!"

Llegué al escenario primero y bailé alrededor de un tercio de la rutina por mi cuenta. El DJ comenzó a hablar sobre la banda sonora. No sé lo que dijo, ¡pero el público comenzó a aplaudir abruptamente! Fue agradable obtener algo de aprecio, ¡incluso si no tenía idea de para quién o qué era!

Más tarde, esa misma noche, en el New World, el Sr. Lee llegó, sonriendo de oreja a oreja y nos dijo que, a partir del jueves, estaríamos haciendo tres podios en el club nocturno Diamond. Tuvimos la sospecha de que el motivo de este trabajo adicional era que, el gerente se imaginaba sus posibilidades con

Sharon, pero nos agradó la idea de ganar dinero extra, sin importar cuán tedioso fuera el baile en el podio.

Desafortunadamente, nuestras aspiraciones de dinero extra fueron efímeras. Cuando llegamos al Diamond el jueves, se nos impidió entrar.

"Tú no hacer más shows aquí. No más. ¡Tú no hacer disco! Disco cancelado".

"¿Por qué?", preguntó Sharon.

"¡Ir! ¡Ve!", contestó el portero sin hacer contacto visual. Se negó a darnos una explicación de nuestro despido. En su lugar, simplemente nos apartó con sus manos como si fuéramos tres mosquitos molestos.

Confundidas, volvimos a la Bongo Van y nos llevaron a Pan Corea. Nos sentamos en la furgoneta, afuera del lugar, analizando lo que acababa de suceder. En el espacio de unos pocos minutos, habíamos pasado de esperar ganar dinero extra, ¡a hacer un solo espectáculo por menos!

"Televisión decir que gran problema con bailarinas extranjeras en Corea", nos informó nuestro conductor, el Sr. Lee. "¡Coreanos ir a clubes y disparar a bailarinas!"

"¡Por Dios!" Exclamé.

"Vosotras tener cuidado, ¿eh?", nos advirtió el Sr. Lee.

Entramos en el Pan Corea, donde nos encontramos inesperadamente con tres gorilas, que prácticamente nos acompañaron en todo el bar y en el vestuario, lo que, después de lo que acabamos de escuchar, fue bastante reconfortante y desconcertante al mismo tiempo.

"¡Huh! ¡Podría acostumbrarme a esto!", bromeó Louise, para disminuir el estrés que todas estábamos empezando a sentir.

La tensión aumentó cuando tomamos nuestros sitios para el primer número.

"¡Estoy buscando armas!", dijo Sharon, riendo nerviosamente durante la rutina de apertura.

"¡Yo también!", respondí, pensando que definitivamente estábamos viviendo un tiempo prestado.

"¡Estoy buscando a alguien con mala pinta!", dijo Louise, mirando al público con suspicacia.

Todas tratamos de centrarnos en lo que teníamos que hacer, pero nos tensábamos automáticamente, cada vez que un miembro de la audiencia se levantaba inesperadamente. Fue una situación profundamente desconcertante.

Después del espectáculo, nos acompañaron una vez más hasta que subimos a la furgoneta. Una vez dentro, el Sr. Lee nos informó que el programa en el New World también había sido cancelado. No estábamos seguras de si quiso decir que no trabajábamos allí esa noche, o si sería un acuerdo permanente, pero después de enterarme de las matanzas, me sentí aliviada a la vez que aprensiva. Saber que estábamos fuera de peligro por no tener que actuar, era obviamente la principal prioridad, pero al mismo tiempo, me preocupaba que este fuera el final de nuestra carrera laboral en Seúl.

No hace falta decir que todas nos sentimos bastante abatidas de regreso al hotel. Y más abatidas aún, porque esperábamos que el Sr. Lee nos diese algo de dinero, cosa que no hizo. Louise y yo continuamos lamentándonos por la falta de shows y la escasez de dinero, esperando que Sharon captara la indirecta y llamara a nuestro agente, pero cayó en oídos sordos. De hecho, ella no mostró ninguna intención de hacer nada, excepto comer patatas fritas, así que Louise hizo los honores, algo que ofendió al Sr. Lee. Nuestro agente perdió rápidamente la paciencia y la conversación se convirtió en una pelea a gritos, cuando ambos intentaron dominar al otro. Cuando Louise presionó y presionó, el Sr. Lee se volvió extremadamente condescendiente hasta que, al final, le dijo que no tenía intención de hacer nada y le ordenó que fuera a su oficina al día siguiente. Entonces él colgó con fuerza el teléfono. Esta confrontación, junto con los acontecimientos de la noche, fueron la gota que colmó el vaso para Louise; empezó a llorar.

"¡Ya he tenido suficiente! ¡Quiero irme a casa!"

Sabía cómo se sentía. Miré a mi alrededor, a mis raciones de unos pocos paquetes de patatas fritas, algunas galletas y un bol de fideos. Sentí como si estuviéramos siendo torturadas mentalmente por este hombre que nos mantenía al borde de la pobreza. Nunca parecíamos tener suficiente dinero para comprar algo más que comida. Odiaba confiar en el Sr. Lee. Odiaba no tener el control de mi propio dinero y estaba harta de vivir así.

"Sé a lo que te refieres", le respondí, "¡Estoy harta de que me degraden y me traten como a una mierda! Para ser honesta, estoy convencida de que cuando Dios creó Corea, ¡estaba deprimido! "

¡Este arrebato inesperadamente aclaró la atmósfera y todas nos encontramos riéndonos de nuestra situación ridículamente desesperanzada y precariamente peligrosa!

A la mañana siguiente nos vimos en la oficina del Sr. Lee, donde nos pagó unos míseros cincuenta dólares a cada una. Nuestra primera parada fue en el Popeye, para comer algo más que patatas fritas, galletas y burritos de pan con huevo. Sin embargo, sabíamos que tan pronto como hubiéramos terminado de comer, nos sentiríamos culpables al instante, ya que no sabíamos cuándo nos iban a pagar de nuevo.

Habíamos acordado encontrarnos con Amy, que estaba hablando con dos tipos coreanos cuando llegamos.

Mientras digería la comida, uno de los hombres, el Sr. Woo,

miraba constantemente en mi dirección. Yo ignoraba su mirada y pensaba que probablemente, tendría que defenderme de su acoso, cuando él apuntó impetuosamente con su dedo hacia mí.

"¡Tú eres la chica que necesito!", dijo. "Estoy buscando a alguien para publicitar algunas máquinas de fitness".

"¿Qué?"

"¿Puedes desfilar un poco para mí?"

"Eh ... no estoy segura ..." vacilé.

"Está bien, Michele", me tranquilizó Amy. "Lo conozco. Vicky ha trabajado para él en el pasado ... ¡y el sueldo es realmente bueno! "

"Te puedo ofrecer setecientos dólares americanos".

"¡De acuerdo!", respondí inmediatamente.

"Te llamaré mañana", prometió.

Mi cabeza se tambaleaba. ¡No podía creer mi suerte! ¡Setecientos dólares! ¡Genial! ¡Probablemente no tendría que comer otro tazón de fideos y galletas en mi vida!

Louise sonrió y me dio un codazo juguetonamente en el costado. "¡Vamos niña!", dijo ella. Sharon apuñaló maliciosamente su chuleta de cerdo y se abstuvo de hacer comentarios.

Esa noche estábamos condenadas a trabajar sólo un show, ¡de nuevo! Era verdad lo que el Sr. Lee nos había dicho el día anterior. Literalmente, se llevaron a cabo miles de controles policiales en Seúl, en busca de bailarinas extranjeras.

Según el gobierno coreano, todas las bailarinas extranjeras, eran la razón del aumento en las tasas de delincuencia. Parece ser, que el número de violaciones denunciadas había aumentado significativamente y que la cantidad de secuestros había aumentado. Convenientemente, no se mencionó si estos crímenes involucraron a extranjeros o se cometieron entre los propios coreanos. Sin embargo, los residentes de Seúl estaban pidiendo que se estableciera una nueva ley, lo que haría ilegal que las bailarinas extranjeras trabajasen en Corea. Las cosas se veían decididamente sombrías.

(*Lo que me parece extraño hoy en día, al ser más mayor y un poco más sabia, es que nunca me detuve a pensar cuáles serían las consecuencias si la policía nos hubiera encontrado bailando en un club sin licencia. No creo que ninguna de nosotras lo hiciera. Asumí automáticamente que los clubes serían multados y eso sería todo. Teníamos nuestra tarjeta de residencia, pero si eso nos permitía bailar, o si estábamos trabajando ilegalmente, no lo sabíamos y supongo que ¡nunca pensamos en preguntarlo!*)

Esa noche, de vuelta en el hotel, cuando estábamos durmiendo, se abrió la puerta y entraron dos hombres de recepción. ¡Se arrastraron hasta cada cama, esparciendo migas de pan en el suelo!

"¡Aquí mousey-mousey! ¡Aquí mousey-mousey!"

"¿Qué demonios ...?", dijo Sharon aturdida.

"¿Es una especie de broma?", preguntó Louise enfadada.

"¡En este lugar, no creo!", dije. "¡Haced lo que tengáis que hacer y marcharos!", me di vuelta, los ignoré y volví a dormir.

El sábado por la mañana (día 24), después de sólo tres horas de sueño, estaba esperando en recepción al Sr. Woo, mi contacto en el lucrativo mundo del modelaje coreano. Llegó a tiempo e intercambiamos algunas bromas antes de que me acompañara afuera.

Estaba nerviosa, por decir lo menos, cuando entré en su coche y comenzó a alejarse. Decidí ir sola porque sentí que era lo correcto, pero me encontré recordando el incidente en Kyongju con la motocicleta y lo último que deseaba, era encontrarme en una situación similar. Sin embargo, no tenía de qué preocuparme. Finalmente, se detuvo frente a un impresionante edificio de oficinas en el corazón de Seúl.

"Este contrato de modelo es para un importante periódico coreano", explicó el Sr. Woo. "Esta mañana te encuentras con el dueño del periódico. Si le gustas, consigues el contrato."

"Oh ... ¡bien!", dije, tratando de sonar alegre, pero empezando a sentir un poco de ira. Supuse erróneamente que la decisión era del Sr. Woo y que ya tenía el contrato. Parecía que él era el fotógrafo, pero la decisión final recaía en el editor del periódico.

El Sr. Woo llamó a la puerta de una oficina y entramos en una habitación con un tamaño decente para encontrar a un hombre corpulento, bastante joven, sentado detrás de un escritorio espacioso, escondido dentro de una nube de humo de puro. El Sr. Woo y el propietario, hicieron sus presentaciones en coreano, luego el Sr. Woo señaló en mi dirección y me miraron de arriba abajo como a una vaca premiada en un mercado de ganado. El propietario carraspeó un poco de flema, pero no la escupió (*¡obviamente tenía un poco de educación!*)

"Este es el Sr. Kyong", dijo el Sr. Woo, presentándome al propietario.

"Hola", le dije, tendiéndole mi mano. Él la estrechó.

"Entonces, ¿eres modelo?"

"Sí, Sr., lo soy", mentí.

"¿Dónde has trabajado antes?"

"Oh, en muchos lugares en mi país. ¡Muchas veces, muchos sitios!"

"¿Cuál es tu país?"

"Soy de Inglaterra."

"¿Dónde en Inglaterra? Una vez estuve allí ".

"Soy del norte", le expliqué. "Vengo de Leeds, en el condado de Yorkshire".

"¡Ah! ¡Sí! ¡Yorkshire de Inglaterra es muy famoso por sus cerdos!", dijo enfáticamente.

"No creo..." respondí.

"Oh sí. ¡Lo sé! ¡Insisto!", dijo.

Nunca había visto un cerdo en todos mis años en Leeds, pero decidí quedarme callada. Me encogí de hombros ligeramente, con una expresión pensativa en la cara, en forma de `tal vez podrías tener razón´.

¡Lo que sea!, pensé. Si quieres pagarme setecientos dólares para montar una bicicleta de fitness, entonces sí, ¡Yorkshire es MUY famosa por sus cerdos!

"¡Creo que eres la chica idónea para este contrato!", dijo. Luego se volvió hacia el Sr. Woo y conversaron un poco más en coreano, mientras yo estaba allí tratando de ser discreta.

"El contrato de modelo es para el 14 de julio, ¿de acuerdo?", preguntó el Sr. Woo, mirando en mi dirección.

"Sí. ¡Perfecto!"

"¡Bien!", dijo el editor. "Ahora, te ofrezco un segundo contrato para modelar un abrigo de visón, ¿de acuerdo?"

"¡Sí, eso me parece muy bien!"

"Haces las fotos el mismo día. Te pago mil dólares americanos en total. ¿De acuerdo?"

"¡Está bien!", dije, sonriendo incontrolablemente de oreja a oreja. "Ahora que lo pienso", dije. "¿Sabe qué? ¡Tiene razón! Hay cerdos en Yorkshire. ¡Están absolutamente por todas partes!", él sonrió.

"¡Ya ves!", dijo, extremadamente complacido consigo mismo, "¡Tengo razón!"

¡Estaba extasiada! ¡No podía creer que ganaría mil dólares por unas pocas horas de trabajo! Creo que estoy en el negocio equivocado, me dije a mí misma cuando salí de la oficina.

El Sr. Woo estaba feliz de que el editor estuviera contento, así que me invitó a almorzar. Cenamos en un restaurante japonés de primera clase y luego me llevó a un bar a tomar un café. Por una vez, me sentí humana de nuevo. No podía recordar la última vez que me habían tratado con tanto respeto durante mi estadía en Corea. El Sr. Woo me dejó en el hotel, me entregó una flor amarilla y me dijo que estaría en contacto.

** Hay una raza de cerdo de Yorkshire, originaria en York, Inglaterra. Su nombre se cambió más tarde a "Gran Inglés Blanco", pero se conoce como "El Yorkshire" en el resto del mundo.*

Dos días después, estaba de regreso en Itaewon con Louise, porque la cremallera se había roto la noche anterior, así que regresábamos a la modista. Mientras se reparaba, deambulamos por las tiendas y, tratando de pensar de manera optimista, compramos un par de atuendos más para cualquier actuación de tarima futura que tuviésemos que hacer.

Más tarde, ese mismo día, cuando regresamos al hotel, Sharon nos informó desde su posición prona sobre su cama, que, si todo iba bien, esa noche trabajaríamos en dos locales; el Diamond para un espectáculo y un podio, luego el Pan Corea para realizar un espectáculo. Después, regresaríamos al Diamond nuevamente para pisar las tablas por segunda vez, con un segundo show y terminar con dos tarimas.

"¡Genial! Esto significa que podemos usar algunas de nuestras nuevas prendas de discoteca y nuestro viaje de compras no habrá sido una completa pérdida de tiempo ", dijo Louise alegremente.

Cuando nos probamos los nuevos atuendos y nos preparamos para el show, Louise decidió ponerse su traje con la cremallera recién ajustada, pero por más que lo intentaba, la cremallera no se cerraba. El vestido ya no le encajaba, la costurera lo había recogido demasiado. Louise suspiró, una mezcla de exasperación y opresión, y luego prometió volver a la modista al día siguiente. En consecuencia, tuvimos que rebuscar entre los trajes guardados, para el segundo show.

Sharon estaba montando una escena, pero lo que más me sorprendió, fue por qué no le estaba pasando lo mismo al atuendo de Sharon. Su estómago ahora colgaba sobre su bikini y estaba constantemente comiendo basura.

Mientras cruzábamos la recepción y nos dirigíamos a la furgoneta, ignorando convenientemente los gritos de "¡Pagar teléfono!", otra recepcionista vino corriendo hacia mí. Con una sonrisa de oreja a oreja, puso una carta en mi mano, luego hizo una reverencia cuando agarré el sobre y salió corriendo. Confundida, me senté en la Bongo Van y la abrí cuando comenzamos a alejarnos:

Para Miss Michl, mi nombre es Han Su Mon.
Hablar inglés es sólo un principiante.
Me gustaría amar la amistad contigo.
Te querré. Buenas noches. Gracias.
Desde Han Su Mon.

"¡Oh! ¡Parece que Michele tiene otro admirador!", bromeó Louise, mientras leía la carta sobre mi hombro.

Puse los ojos en blanco, ¡pero parecía ser cierto!

"¡Oh! ¡Está enamorado de ella!", canturreó Sharon, arrebatando la carta y leyéndolo ella misma.

"¡Pero no creo que alguna vez haya hablado con él!", dije. "¡Ahora tengo una razón adicional para evitar la recepción!"

"¡¡Está en raaaacha!!", dijo Sharon arrastrando las palabras.

Después del trabajo, cuando regresamos al hotel y evité deliberadamente la recepción, las tres nos dirigimos a un pequeño restaurante detrás del hotel, que nunca habíamos visitado. Cuando examinamos el menú, nos encontramos riendo a carcajadas ante la abundancia de divertidos errores de ortografía.

"¡Aha! ¡Mira esto! ¡Podemos pedir un burrito de nuevo con cola-pequeña!", me reí.

"¡Gracias a Dios que eres vegetariana!" Sharon se rio.

Me ceñí a lo que conocía y pedí arroz Om.

Al día siguiente, el jueves 29 de junio, me desperté con terribles dolores en el estómago y culpé al arroz Om de la noche anterior. Me sentía mareada y mis manos se habían secado tanto, que empezaban a agrietarse. Me sentía fatal, pero no podía permitirme enfermar. Parecía que había más y más grupos de baile sin trabajo y me preocupaba constantemente que nos encontráramos en la misma situación, así que me arrastré a la recepción para esperar a la Bongo Van.

Me encontraba mareada, completamente desorientada, me había olvidado momentáneamente de mi admirador de la recepción. Obviamente, no me moví lo suficientemente rápido del ascensor a las puertas delanteras, ya que, a mitad del recorrido, escuché el sonido distintivo de alguien corriendo detrás de mí.

"¡Michele! ¡Michele!", me detuve y me di la vuelta ¡Allí estaba!, ¡Han Su Mon, esperando para darme una segunda carta de amor! Una vez más, la acepté y la abrí dentro de los confines de la Bongo Van. Sin embargo, esta vez, cuando comencé a leerla, tuve una sospecha de que mi admirador había tenido un cómplice para que la escribiera. Alguien con sentido del humor:

Querida Mitchelle,

Desde la primera vez que te vi, he tenido sentimientos extraños que son difíciles de explicar. Cada vez que te veo, tiende a aumentar esas sensaciones sinceras. ¿Podría ser amor? Me he estado haciendo esta pregunta repetidamente. Finalmente, he llegado a la conclusión de que, si no es amor, entonces no hay otro diagnóstico como tal. A veces, realmente deseo abrir mi corazón para mostrarte todo lo que siento por ti; y mi deseo de estar lo más cerca posible de ti por el resto de mi vida y más. Mitchelle, ¿qué diablos podría hacer para acercarte a mí? Discapacitado con la inexperiencia, todo lo que puedo hacer, es escribir para rogarte comprensión. Por favor, Mitchelle, muestra un poco de piedad a este esclavo tuyo, para que podamos abrir un nuevo capítulo sobre la historia de amor más grande que haya ocurrido en este universo. En realidad, fui hecho sólo para ti. Mi existencia no tiene ningún significado sin ti a mi lado. Mitchelle, soy una casa sin paredes sin ti. Me temo que me derrumbaré un día si no vienes a mi rescate. Desde que llegaste a mi vida, aunque siempre ha sido una historia de amor unilateral, he encontrado un significado para esta. Mitchelle, por favor, en nombre del amor verdadero, nunca me dejes; porque no puedo vivir sin ti ni un segundo. Nuestro amor resistirá todas las tentaciones. ¡Mitchelle! ¡Por favor! ¡Por favor! ¡Por favor! ¡Oooh! ¡Te necesito! ¡Ooooh! te quiero. ¡Oooh! Estoy acabado ... con amor infinito,

Han Su Mon.

"¡Maldición!", dijo Louise, riendo, cuando terminé de leer la carta en voz alta en la furgoneta. "¡Lo lleva fatal!"

"¡Sólo le he pedido la llave de nuestra habitación!", argumenté.

"¡Es él quien quiere la llave! ¡La llave de tu corazón!"

"¡Cállate, Louise!", me reí, abofeteándola juguetonamente. Puse la carta en el bolso y me sonreí a mí misma.

Tenía muchas ganas de trabajar en el club Diamond ese día, ya que mi madre me había enviado un leotardo negro y estaba decidida a usarlo esa noche. Ella había pasado horas decorándolo con lentejuelas, cuentas y gotitas, y quería usar algo diferente, algo a lo que le dedicó mucho tiempo pensando en mí.

Esa noche, el traje hizo su debut, pero a pesar de que Louise, Sharon y el resto de las bailarinas de la discoteca recibieron una valoración positiva, cuando salimos del podio y entramos en el camerino, el gerente me estaba esperando.

"Te ves mejor ayer. ¡Hoy no me gusta el traje!"

"¡Oh, vamos!", argumenté. "¡Esto es elegante!" (¡El día anterior, me había puesto un par de pantalones cortos de ciclista de lycra, con un top a juego!) "¡No es posible compararlos!"

"¡Este traje negro no me gusta!", repitió.

"Bueno, a mí sí, ¡pero está bien!", respondí: "Obviamente, ¡en gustos, no hay nada escrito!"

Resopló y gruñó, aparentemente satisfecho con el resultado, luego se agarró la barbilla con una mano y entrecerró los ojos.

"Creo que quizás mañana, ustedes también hagan aquí consumación", agregó casi casualmente.

"¿QUÉ?", dijimos al unísono. Consumación, era la palabra coreana para hostessing, lo que significaba que los miembros de la audiencia podían pagar si querían que bailarinas de discoteca, fueran a sentarse con ellos para hablar y beber. No era algo que hubiésemos hecho antes y no me gustaba especialmente la idea de empezar ahora. Habíamos visto cómo algunos de esos hombres, traspasaban constantemente los límites y trataban de acariciar a las chicas coreanas.

"¡Yo dar más dinero para ti!", dijo el gerente.

"¡Sí, y más problemas también!", le contesté.

El gerente sonrió y se alejó, dejándonos a todas en diferentes grados de contemplación y dilema, ¡el mío era probablemente el peor de los tres!

"Ya es bastante malo hacer los podios", me quejé. "No quiero empezar a hacer hostessing también".

"Si tuviera que resumir el baile de disco en una frase", dijo Louise, casi distraídamente, "diría que es como cuando tu mejor amiga te pide que bailes con ella en la discoteca; ¡Lo haces, pero realmente no quieres! Pero hacer consumación ...", dijo ella, su voz disminuyendo mientras reflexionaba sobre la idea. "Bueno, podría ser un poco más interesante que bailar en esos estúpidos podios noche tras noche ".

"Hice algo de hostessing en mi último contrato en Japón", dijo Sharon. "No fue tan malo, y pagaron realmente bien".

`No fue tan malo´ no era un buen augurio para mí. La revelación de Sharon de que ya había hecho consumación, realmente no me sorprendió. Si ella quería hacerlo, entonces está bien, pero yo no quería involucrarme. Me sentí sórdida. Parecía que estábamos bajando el listón al mínimo y creía que, al hacerlo, estaría perdiendo el poco auto respeto que aún me quedaba.

El viernes 30, nos llevó a otro viaje a la oficina del Sr. Lee, en la batalla semanal por nuestro salario. Esta vez, él pagó la cantidad completa, así que decidí comprarme un anillo de rubí como regalo de cumpleaños. Tendría veintiún años en tres días y sentí que me lo había ganado.

Después de las compras, las tres nos fuimos a comer al Popeye sólo para encontrar al Sr. Kyong, el editor del periódico, sentado en la mesa de al lado.

"Annyŏnghashimnikka" (Hola, ¿cómo estás?), dijo sorprendido.

"Annyŏnghaseyo" (Hola), respondí. "Ne, chossŭmnida, komapsŭmnida". (Estoy bien, gracias). Charlamos en inglés y le presenté a mis compañeras de baile. Insistió en pagar nuestra comida, que fue una agradable sorpresa y todas aceptamos con gratitud.

Más tarde admiró mi anillo de rubí recién comprado.

"Decidí comprarme un regalo", expliqué, "Ya que es mi cumpleaños el 2 de julio".

"¡Entonces mañana las llevaré a todas a almorzar como un regalo para su cumpleaños!", dijo.

"¡Genial!", respondí, sonriendo ampliamente. ¡Pensando por segunda vez, que definitivamente, estaba en la profesión equivocada!

Como prometió, al día siguiente, el dueño del periódico, el Sr. Kyong, llegó a nuestro hotel para llevarnos a las tres a comer. Louise cambió de opinión en el último momento, ya que Jim había llamado y decidió que prefería reunirse con él.

Sharon y yo subimos a una larga limusina blanca y sonreímos de oreja a oreja, mientras nos conducían con estilo por las calles de Seúl al hotel Hyatt de cinco estrellas.

El interior del Hyatt era impresionante, muy espacioso y elegante, lo que marcó un profundo contraste con nuestras sucias excavaciones del Central Hotel. Recibidas por tanta opulencia y glamour, pronto comenzamos a sentirnos especialmente mal vestidas, cuando caminábamos hacia el restaurante del hotel y serpenteábamos entre las mesas con nuestra ropa de verano barata del mercado de Itaewon. Inmediatamente, nos clasificaron y evaluaron las clases superiores con sus trajes a medida, joyas de oro y aire de superioridad. Fue un alivio para las dos que, finalmente nos sentáramos y escondiéramos parte de nuestra ropa debajo de los pesados manteles.

Cuando llegó el menú y vimos los precios, intercambiamos miradas en secreto, agradeciendo en silencio a nuestra suerte, el que no esperábamos pagar la factura. Pedí una sopa de marisco con picatostes y ajo de entrante (4.000 Wons) seguido de un suculento lenguado a la plancha con una rica salsa de champiñones, tomates y más ajo para el plato principal (12.800). ¡Fue un fabuloso sustituto a los fideos y las galletas!

Después de la comida, para mi sorpresa, un pastel de cumpleaños con trufas de chocolate llegó con velas (Sharon descubrió más tarde que había costado 20,000) y el dueño del periódico me regaló un libro de frases en coreano.

"¡Feliz cumpleaños! Esto te ayudará.", dijo, entregándome el libro.

"Kamsahamnida" (Gracias), le respondí.

Levantó su copa para proponer un brindis.

"¡Que tengamos una buena y larga relación de trabajo! ¡Geon-bae!" (Salud).

"¡Geon-bae!", respondimos, brindando por mi cumpleaños con copas de champán.

Al final de la comida, cuando Sharon y yo asumimos que la diversión se había terminado, el Sr. Kyong nos acompañó al bar del hotel para el primero de tres cócteles. Más tarde, nos llevó a otros dos lugares, ambos, bares de clase alta en Seúl.

Una vez más, no pude evitar notar que había un lado completamente diferente de Corea del cual, hasta ese momento, no había sido consciente. Sharon, obviamente, estaba pensando lo mismo.

"¡Maldición, desearía que trabajáramos en lugares como estos!", susurró ella, mientras tomábamos un sorbo de nuestras bebidas y observábamos el entorno palaciego.

"¡Qué me vas a contar!", le contesté. "¡Esto hace que la mayoría de los lugares en los que hemos trabajado se vean como pocilgas!"

Con reminiscencias del picnic en Kyongju, una vez más me di cuenta de cómo la visión de un turista sobre Corea y mi visión, eran versiones totalmente diferentes. Alojarse en hoteles de cinco estrellas y visitar localidades de primera clase, como los bares y clubes nocturnos que habíamos frecuentado ese día, pintaría una imagen completamente diferente del país.

Sin embargo, también tuve que admitir que a pesar de todo lo que había sucedido durante mi estadía en Corea, teniendo en cuenta las dificultades, me alegraba haber estado expuesta a todo lo que había experimentado. En mi opinión, definitivamente tenía una visión más realista del país. Estaba viendo el verdadero Seúl, el verdadero ser de la ciudad y sentí que vivir las experiencias negativas, estaba realmente configurando mi personalidad y cambiándome como persona. Creía categóricamente que estaba madurando, volviéndome más fuerte y desde luego, más astuta.

Esa noche, sin embargo, después del trabajo, me vi obligada a cambiar de opinión una vez más. Las tres fuimos a Itaewon con Jim, supuestamente para celebrar mi 21 cumpleaños. Tan pronto como llegamos, recordé por qué hacía un mes que no había salido a beber por la noche en Itaewon. Me recordaba a un mercado de ganado y la mayor parte del tiempo, me sentía incómoda y extremadamente vulnerable. ¡Tratar de defenderse de borrachos, siempre fue un asunto muy engorroso para mí!

Fuimos a beber al East and West, donde Sharon recogió a un tipo llamado Foster, luego fuimos al Kings, donde un afroamericano intentó charlar conmigo y no me dejaba sola. Acababa de deshacerme de él, cuando otro soldado le tomó el relevo mientras caminábamos hacia Twilight zone para el arroz Om.

"¡Por el amor de Dios!", me quejé a las chicas. "¡Empiezo a sentirme como una perra en celo!", parecía que había hombres por todas partes, esperando la más mínima oportunidad para saltar. Este último tipo se quedó, a pesar de que lo rechacé, hasta que nos marchábamos y nos dirigíamos a un taxi. Mientras todos subíamos adentro, él también trató de introducirse.

Me recordó a un perro callejero que se uniría a cualquiera, con la esperanza de encontrar consuelo.

"¡Lo siento amigo!", le dijo Jim. "¡No hay suficiente espacio para ti!"

En un último intento desesperado, el chico asomó la cabeza por la ventanilla.

"¿Puedo verte de nuevo?", dijo, mostrando ojos de cachorrito.

"No, lo siento", dije, y suspiré de alivio cuando el taxi finalmente se alejó.

A fin de cuentas, mi cumpleaños número 21 pasó desapercibido. Después de salir la noche anterior, ¡no me desperté hasta las tres de la tarde! Miré a Sharon, a Foster, a Louise y a Jim, que todavía seguían estrellados en las dos camas individuales. De hecho, me sentí un poco culpable al verlos apretujados mientras yo tenía una cama doble para mí sola. Me moví haciendo ruido a propósito, esperando despertarlos, pero, aparte de un gruñido ocasional no pude, y tuve que admitir la derrota. Sintiéndome un poco triste, decidí salir y llamar a casa.

Cuando salí del hotel, fue el olor lo que me golpeó más que el calor. Durante la semana anterior, habíamos estado experimentando los resultados de una huelga de basureros en Chong-y-chong. La cantidad de basura que se había estado acumulando arriba y abajo de las calles, era abominable. Se elevaba sobre nosotros; una abundancia de masas en descomposición tan altas como pequeñas colinas. Un conglomerado de bolsas de plástico negro, todas colocadas precariamente, amenazando con derrumbarse sobre algún inocente transeúnte de un momento a otro. ¡El olor era a la vez opresivo, rancio y abrumadoramente sofocante!

Las ratas eran tan grandes como felinos y corrían desordenadamente a arriba y abajo entre la basura buscando comida, aparentemente, desconcertadas por los frecuentes transeúntes. Me cubrí la boca con la mano en un vano intento de evitar respirar el desperdicio, y pasé por delante de los roedores casi corriendo en busca de una cabina telefónica, preferiblemente, una que estuviese tan lejos, que no sintiese la necesidad de vomitar mientras hablaba con mi familia

Mamá estaba decepcionada porque su tarjeta de felicitación no me había llegado a tiempo, pero en ese momento, también había una huelga postal en Corea, por lo que no fue culpa suya. Charlamos sobre varios problemas con los que me había encontrado, adornando cuidadosamente las historias que consideraba demasiado desconcertantes para que las escuchara una madre, y luego volví a la habitación del hotel.

Mis compañeras de cuarto todavía estaban en los mundos de Yupi, pero logré hacer el suficiente ruido (accidentalmente a propósito) como para que esta vez se despertaran. Dándoles un indulto de cinco minutos, intenté por segunda vez convencerlas de que abandonaran sus camas. Finalmente lo logré a las cinco y media de la tarde.

"¡Venga! ¡Levantaos! ¡Quiero salir! ¡Es mi cumpleaños!", dije lloriqueando como una niña.

"Está bien, está bien", murmuraron.

"¿A dónde quieres ir en este día tan especial?", preguntó Jim.

Sólo necesité un segundo para pensarlo.

"¡Al zoo!"

"¿AL ZOO?", respondieron arrugando la cara.

Hubo varios gruñidos y finalmente, se estableció que, a pesar de ser mi cumpleaños, el zoológico era un enorme NO rotundo.

"¡Vamos a Pizza Hut!", sugirió alguien, así que eso fue lo

que hicimos. Después de comer, volvimos al hotel y abrí las pocas tarjetas que habían llegado antes de que comenzara la huelga postal. Louise y Sharon me habían comprado tres adorables muñecas coreanas vestidas con un traje nacional dentro de una vitrina. Estaba realmente complacida con eso, ¡pero no tenía idea de cómo lo iba a llevar a casa!

Cumpleaños o no, todavía tenía que trabajar, así que unas horas más tarde, nos fuimos a hacer nuestros dos números y discotecas. Desde nuestra conversación con el gerente del Diamond, no se había dicho nada más sobre el trabajo de consumación y esperaba que lo hubiese olvidado. Sin embargo, él había empezado a permanecer en el vestuario todas las noches, mirándonos desvestirnos y comenzaba a sentirme incómoda.

Esa noche, cuando me estaba cambiando, se acercó a mí y su mano, salió disparada para tratar de tocar mi pecho. Afortunadamente, vi lo que estaba tratando de hacer y reaccioné rápidamente, apartando ferozmente su mano del camino.

"¡No hagas eso!", le advertí, mirándolo.

Él sonrió como un malhechor y tuve una urgencia desesperada por golpearlo, pero recordando que él era el llamado manager, me contuve. No sabía si era porque era mi cumpleaños, pero sus acciones realmente me molestaron. No me pude sacar el incidente de la mente.

Después del trabajo, pasada una hora desde que habíamos regresado al hotel, apareció Jim.

"Toma", dijo, dándome una gran caja.

"Gracias, ¿qué es?"

"¡Ábrelo y verás!", dijo.

Dentro había una tarta helada de cumpleaños con un aspecto un poco descalabrado, cubierto de glaseado rosa, con la forma de una llave adornando la parte superior.

"¡Lo siento!", dijo, mientras miraba cómo se derretía. "¡Lo he traído todo el camino de regreso desde la base, en el tren!"

"¡Es hermoso, gracias!", dije, pensando que en realidad era toda una hazaña transportarlo en los trenes subterráneos llenos de gente durante una hora y ¡traerlo aquí en una sola pieza!

"Louise me dijo que le pusiera una llave", dijo. "Me informó de que es una costumbre inglesa o ¿algo así ...?"

"¡Sí, eso es correcto!", dije. "Cuando tienes veintiún años, tienes derecho a la llave de la puerta principal, por lo que la gente suele recibir regalos y pasteles en forma de llaves".

"¡Qué raro!", respondió, con una expresión de asombro en su rostro. "¡Lo que te haga feliz!"

Esa noche, cuando todas nos acomodamos para dormir, pensé en los acontecimientos del día. Apenas había sido un día memorable y me di cuenta de que nadie me había cantado `el cumpleaños feliz´.

La mañana después de mi cumpleaños, sonó el teléfono. Sharon respondió y luego me lo pasó. Era el dueño del periódico, el Sr. Kyong otra vez.

"Michele, te invito a ti y a las chicas, a pasar el día conmigo en el hotel Hyatt. ¿Te gustaría?"

Inmediatamente se lo dije a las chicas, que asintieron frenéticamente.

"¡Oh, sí, eso sería fantástico, Sr. Kyong, Kamsahamnida!", le respondí, esperando que esto pudiera compensar mi cumpleaños `inexistente´ del día anterior.

"¡Traed los trajes de baño y podréis nadar en la piscina!", dijo.

Una hora más tarde, volvíamos a viajar con estilo, en su elegante automóvil, rumbo al hotel Hyatt. Me sentí eufórica por salir de nuevo lejos de nuestro entorno monótono y mezclarme con un grupo de personas más ricas e interesantes.

"¡Guau! Esto es vida, ¿eh, chicas?", dije, y comencé a cantar.

"¡Alguien está contenta!" Louise sonrió mientras todas nos balanceamos de lado a lado, ¡chasqueando los dedos al ritmo de mi canción!

Al llegar al Hyatt, el Sr. Kyong nos condujo a través de la recepción hacia los ascensores.

"Tengo una habitación arriba para vosotras", nos dijo. "Os cambiáis y vamos a la piscina".

Las tres nos miramos con aprensión, preguntándonos si la 'habitación de arriba' tenía connotaciones diferentes de lo que esperábamos. Lo seguimos en el ascensor en silencio. La reticencia continuó cuando el ascensor comenzó a subir; las tres elucubrábamos sobre nuestros propios escenarios privados en nuestra mente. El ambiente era electrizante, aumentando de intensidad tan rápido como el ascensor se elevaba. Cuando el enorme artilugio finalmente abrió las puertas arrojándonos al séptimo piso, seguimos a nuestro guía, caminando por el pasillo detrás de él, esperando nerviosamente nuestro destino.

"Está bien", dijo mientras abría la puerta de la habitación y se giraba para mirarnos. "¡Estoy en la piscina!", se dirigió hacia el ascensor, dejándonos a nuestro aire.

Después de descubrir que nada ni nadie siniestro nos estaba esperando en los confines de los espaciosos cuartos, logramos respirar de nuevo y nos sentimos libres de explorar la habitación y sus instalaciones. Mirando por la ventana, pudimos ver la piscina de abajo, resplandeciente, con sombrillas de rayas amarillas y blancas salpicadas a su alrededor. Disfrutamos de las vistas panorámicas de la mayor parte de Seúl, dándonos cuenta de cuán alto estaba el hotel Hyatt.

"¡Echemos un vistazo al mini bar!", sugirió Louise.

Una vez más, comentamos cómo vivía la clase alta y fue genial ser parte de ella, aunque sólo sea por un tiempo limitado. Más tarde, nos pusimos los trajes de baño y los grandes albornoces blancos y esponjosos, cortesía del hotel, y nos dirigimos a la zona de recepción. Sentimos que llamábamos la atención en nuestros prístinos albornoces y las viejas y sucias chanclas, mientras caminábamos entre la clientela bien vestida, en el suelo `super´ pulido del vestíbulo, pero no parecía haber otra manera de llegar discretamente a la zona de la piscina.

La piscina en sí parecía realmente atractiva, pero, de hecho, ¡el agua estaba helada! A Sharon y a mí nos llevó mucho tiempo reunir el coraje para bajar gradualmente a las profundidades acuosas. (Louise hundió su dedo gordo en el agua, luego se negó de lleno y se sentó a tomar el sol).

Afortunadamente, la única otra persona lo suficientemente valiente como para haberse metido delante nuestra, fue un coreano.

Al menos, no escucharíamos la típica expresión inglesa cuando el agua está muy fría, pensé. *¡Una vez que estás dentro, es fantástico!* El coreano nadó estoicamente por la piscina, como si estuviera entrenando para los próximos Juegos Olímpicos, mientras nos sumergíamos lenta y dolorosamente, centímetro a centímetro en la extensión de agua helada.

"Vamos Louise", gritó Sharon cuando finalmente nos sumergimos. "¡Venga! ¡Realmente no es tan malo, una vez que estás dentro!", ¡gemí por dentro!

Después de diez minutos, cuando todos los cabellos de mi cuerpo se pusieron rígidos para llamar mi atención y los dientes me castañeteaban incontrolablemente, comencé a pensar que podría morir a causa de la hipotermia, salí de la piscina y corrí para envolverme en la bata de baño suave y esponjosa. Sharon siguió unos minutos más y luego, las tres nos pusimos en camino para explorar los terrenos del hotel.

Alrededor de la propiedad, había un bajo muro de piedra que daba a la ciudad de Seúl. Diseminados alrededor, jardines perfectamente cuidados. Uno de ellos con una cascada, que desembocaba en una pequeña piscina natural. Realmente, era un escenario muy hermoso.

A lo largo del día, el Sr. Kyong fue tan complaciente como siempre y el dinero no parecía ser un problema, ya que nos ofreció bebidas más que suficientes, platos de salmón ahumado y helado. Sharon obviamente, se sentía atraída por su dinero y se movía a su alrededor, como un niño en torno a un tarro de chuches, haciendo todo lo posible por coquetear con él. Cada vez que nos sentábamos, ella se apresuraba para sentarse a su lado. Louise llamó mi atención y expresamos discretamente nuestra `no´ sorpresa por su forma de actuar.

Desafortunadamente, el momento de dejar el lujo y al Sr. Kyong llegó demasiado pronto, para regresar a nuestra realidad de clubes de mala muerte, hombres borrachos y problemas. Era hora de volver al Central Hotel y prepararnos para el trabajo.

En retrospectiva, podríamos habernos quedado un poco más en el Hyatt, ya que nos encontrábamos en la habitación del hotel, esperando con impaciencia a nuestro conductor, el Sr. Lee, que llegó una hora tarde.

"¡Bongo van no arrancar!", explicó.

"¡Genial!", respondió Sharon. "Eso significa que de nuevo perdemos dinero ¡Nos hemos perdido los dos primeros pases de discoteca en el Diamond!"

No me molestó en lo más mínimo. Cada vez encontraba más tedioso tener que volver allí.

Cuando finalmente llegamos al lugar y nos estábamos cambiando para el show, el gerente se coló detrás de mí y esta vez logró agarrarme el pecho. ¡Estaba tan sorprendida, que me di la vuelta y le di una bofetada en la cara!

Después de escupirle una gran cantidad de insultos, improperios y llamarle "cerebro de kimchi", simplemente se paró ante mí, se rio, se metió las manos en los bolsillos y salió del vestidor con la cabeza bien alta. Agaché la cabeza avergonzada y me eché a llorar. El marcado contraste de los últimos días, en comparación con las temidas noches, había debilitado el falso muro que había estado levantando alrededor de mi carácter. Odiaba mi trabajo y quería irme a casa.

Después del trabajo, las chicas y sus novios me convencieron para que fuera a Itaewon en un esfuerzo por animarme, pero hubiese sido mejor no haber ido. Parecía que no podía dejar de llorar, pero no sólo por el incidente en el club. Toda una gama de turbulencias reprimidas pareció superarme, ya que reproduje en mi mente de manera incontrolable, todas las situaciones incómodas que había vivido en los últimos meses.

Casi inmediatamente después de llegar a Itaewon, un afroamericano se puso al lado de nosotros y me siguió desde el East to West hasta Kings y Twilight Zone. Esto no ayudó en nada a mi estado de ánimo. Sentí que me perseguía una pantera grande y negra, ¡y yo era la presa! Jim cortésmente, le pidió que se fuera, pero cuando eso no tuvo el efecto deseado, hubo una breve pelea y Jim se vio obligado a llevar al GI fuera del club.

Decidí que odiaba Itaewon, pero si no salía, estaría obligada a quedarme sola en el hotel, noche tras noche, y eso podría destruir mi alma. Tuve mucho tiempo para pensar, y no me gustó.

A la mañana siguiente, sintiéndonos en un mejor estado de ánimo, las tres salimos a caminar por nuestro vecindario, para casi de inmediato, desear no habernos molestado. A los pocos minutos de nuestra partida, un joven coreano subió a la acera con su motocicleta y pasó a pocos milímetros de nuestros pies.

"¡Americanos iros a casa!", escupió entre dientes, antes de acelerar y derrapar entre la multitud.

"¡Consíguete una vida!", gritó Louise al personajillo que se alejaba.

"¡Vaya manera de empezar el día!", comentó Sharon, limpiando las partículas de polvo de su ropa, mientras yo movía los brazos para dispersar los gases del tubo de escape.

Continuamos caminando, pero allá donde fuéramos parecía una persecución. Varias veces en esa mañana, los más mayores, en particular las ancianas, chocaban con sus carritos de la compra contra nuestros tobillos, con una fuerza bruta que desmentía su estatura. Cuando gritábamos de dolor, fingían indiferencia o fingían que no se habían dado cuenta de lo que habían hecho. Dos o tres de ellas, sin embargo, no tenían la intención de sentirse responsables por sus acciones.

"¡Yongu! ¡Arg!" (¡Inglesas! ¡Arg!), dijeron, mirándonos directamente a los ojos y luego escupiendo a nuestros pies, como un gesto final de aborrecimiento.

"¿Qué le pasa a esta gente?", pregunté a nadie en particular.

"Tal vez es la luna llena", respondió Louise.

"¡No, simplemente, esto es Corea!", dijo Sharon.

La noche siguiente, después de mi encuentro con el gerente de Diamond, no tenía ganas de ir a trabajar, pero esa noche se quedó fuera del vestidor. Me felicité secretamente de que tal vez él, por fin, había recibido el mensaje, en lugar de creer que había conseguido su objetivo, cuando apareció el Sr. Lee. Su expresión facial era de ira e indiferencia. No se mordió la lengua.

"¡Mañana vosotras terminar show aquí!"

Estaba bastante convencida de que mi bofetada al gerente,

había tenido mucho que ver con esta repentina revelación, pero realmente no me importaba. Sin embargo, mi felicidad ante la idea de irme, iba a durar poco.

"Vosotras bailar aquí, en podio, hasta el 26 de julio", agregó.

"¡Qué alegría!", murmuró Louise.

"¡Mierda!", dije.

"¿No puede encontrarnos más clubes, Sr. Lee?", le preguntó Louise.

"¡Muy difícil, muy difícil!", respondió. "Tu trabajar aquí. No haber problema."

"Estoy tan harta, ¡no es justo!", dije con desaliento.

Sharon simultáneamente, suspiró y se encogió de hombros.

"Oh, bueno, ¡así es la vida!", dijo.

Esa noche, cuando regresamos al hotel, mi admirador de la recepción, Han Su Mon, llamó a nuestra habitación y me pidió que fuera a la recepción. Bajé en el ascensor, sintiéndome nerviosa por lo desconocido, sin saber qué esperar y temiendo lo que iba a encontrarme. A mi llegada, me entregaron una tercera carta de amor, acompañada por un regalo. La carta continuaba en la misma línea que la anterior:

Mi Querida Mitchelle,

Una cosa que nunca entenderás, es que cuando hay dos corazones involucrados, no hay barrera del idioma. Las palabras saldrían de los mudos y los sordos oirían las palabras de amor. Con respecto a su reclamo de que tiene un novio, debo agregar que mi humilde solicitud es que usted sólo dé una pequeña consideración. Con que me des sólo un 0.01% de probabilidad, estoy seguro de que puedo ganar tu corazón tan fácilmente como uno saca un pelo de la mantequilla. Dentro de tres meses, iré a mi servicio militar nacional. La cosa que más extrañaré serás tú.

Para su información, todo lo que escribo es original y no lo extraigo de Romeo y Julieta ni de ninguna otra novela. Precaución: no recite las palabras anteriores o parte de ellas en lugares públicos sin el consentimiento escrito previo del escritor, de lo contrario, puede ser procesada de conformidad con la Ley del Amor de Corea, Ley 69. Con el mayor afecto y vigor en todo momento. Han Su Mon.

¡Estaba más convencida que nunca, de que el `amigo´ que había escrito la carta, se estaba divirtiendo a expensas del pobre Han Su Mon! Luché para sofocar mi risa, mientras mi admirador me miraba con una expectativa tan inocente, que sentí mucha pena por él. El regalo, que insistió en que abriera delante de él, era un gran reloj con una pantalla de flores con luces ópticas. El reloj funcionaba con electricidad, las flores giraban y tintineaban brillando en diferentes colores.

"¡Kamsahamnida!", dije inclinándome ligeramente. Para ser sincera, no me gustó nada, pero sabía que a mi madre le encantaría, así que ahora tenía un doble dilema. ¿Cómo demonios, iba a llevar eso y las muñecas coreanas a casa?

10

¡EMPASTES, PELEAS, HOGUERAS Y EXHIBITIONISTAS!

El miércoles 5 de julio, después de un viaje a la oficina del Sr. Lee a por dinero, acabábamos de regresar al hotel cuando el fotógrafo, el Sr. Woo, llamó por teléfono. Quería invitarnos a todas a almorzar. Sharon estaba saliendo a una cita, pero Louise y yo, aceptamos cordialmente.

Esperaba que me trataran con otra experiencia gourmet de primera clase similar a la primera, pero esta vez, nos llevó a un restaurante tradicional coreano con mesas muy bajas y cojines en lugar de sillas. Esto era 'normal' en los restaurantes coreanos, pero no solían tener una Geisha a la vista.

Como no podíamos entender el menú, el Sr. Woo dijo que pediría por nosotras, lo cual, en retrospectiva, ¡fue un gran error! Nos encontramos comiendo fideos fríos que parecían gusanos y sabían a pegamento, todo ello acompañado de té de Ginseng marrón acuoso. Louise y yo intercambiamos miradas e hicimos una mueca, pero logramos sonreír dulcemente al Sr. Woo, mientras jugábamos con los fideos, bebíamos el té, le agradecíamos su hospitalidad y regresábamos al hotel.

"¡Habría preferido ir al Popeye!", gruñí, mientras buscaba en el costado de mi cama algo más sabroso para comer.

"Oh, bueno, ¡la vida es sólo un tazón de cerezas!", bromeó Louise. "Mira el lado positivo, ¡al menos era gratis y mejor que las galletas!"

Esa noche, en el club nocturno Diamond, estábamos sentadas con las bailarinas de la discoteca en el camerino, después de terminar uno de nuestros pases de podio, cuando entró un grupo de cinco chicas australianas tranquilamente. Asumimos que estaban aquí para reemplazarnos.

"Hola", dijimos, sonriendo e intentando que se sintieran bienvenidas.

"Annyŏnghashiminikka", dijeron las coreanas en bienvenida.

Nos encontramos con un muro de silencio. Cada chica mostró una mirada de disgusto en nuestra dirección y nos ignoraron por completo. La jefa comenzó a ladrar órdenes a las otras, y luego hablaron entre ellas e intentaron apoderarse de todo el camerino. Comenzaron empujando entre las chicas coreanas que estaban sentadas en sillas frente a los espejos y trataron por la fuerza de que se apartaran del camino.

¡Las tres nos miramos con incredulidad! Teníamos que asumir que no llevaban mucho en el país, ya que era evidente, que no eran conscientes de la jerarquía que existía dentro del camerino. Cada bailarina de discoteca tenía su propio lugar asignado, con la jefa generalmente en un extremo. Las otras se posicionaban más abajo en fila, dependiendo de su estatus; en otras palabras, según el tiempo que llevasen trabajando allí. Por ejemplo, nosotras, tres extranjeras, ni siquiera merecíamos un lugar en la fila. Estábamos colocadas en un banco detrás de ellas junto a la pared trasera.

Cada una de las chicas coreanas había trabajado duro para obtener su posición actual y no se tomaron a la ligera el hecho de ser rebasadas en su lugar. Después de todo, pasaron horas allí todas las noches esperando a que terminara un grupo de bailarinas de discoteca, para poder reemplazarlas cada quince minutos. Cuando una chica salía del escenario, su equivalente, tomaba su lugar en el vestidor.

El grupo australiano parecía no darse cuenta de que estaban irrumpiendo en territorio coreano. Las coreanas consideraron el comportamiento de las chicas como un acto flagrante de invasión y eso no era algo que estuvieran dispuestas a aceptar sin represalias.

Si las australianas hubieran sido un poco más abiertas y agradables, podríamos haber sido más cercanas con ellas. Les habríamos dicho que, si iban a trabajar allí, estaban cometiendo un pecado capital, al tratar de hacerse con el vestidor y enfurecer a las coreanas. Sin embargo, bajo esas circunstancias, decidimos permanecer con la boca cerrada.

Las bailarinas de disco continuaron murmurando entre sí, lanzando miradas mortales a las invasoras y se negaron a moverse. Hubo muchos empujones y codazos en las costillas de ambas nacionalidades, pero al final, las coreanas encontraron sus voces. Siguió un aluvión de insultos y gesticulaciones, que, aunque no supieses una palabra de coreano, ¡podrías deducir de inmediato que no estaban nada contentas!

En consecuencia, las coreanas ganaron. Las australianas colocaron sus trajes donde pudieron, básicamente a lo largo de nuestro banco, junto a la pared posterior, y tuvieron que recurrir a maquillarse colocándose detrás de las coreanas en cuclillas y mirando hacia los espejos.

Entre baile y baile, nos pusimos los kimonos y nos colamos

entre la audiencia para ver el espectáculo del grupo australiano. ¡Nada más lejos de que nos impresionaran!

"¡Qué sorpresa!", dijo Louise, cuando las chicas recogieron y se fueron sin decir adiós. "Con la forma en la que llegaron, pensé que su show iba a ser algo espectacular, ¡cuando en realidad era un montón de mierda!"

"Lo sé, pensé que nuestro programa era malo, ¡pero el suyo era una basura total! Bailaron como si todas fueran solistas, no estaban sincronizadas en absoluto ", dije. "De hecho, ¡lo único que me gustó de todo, fueron sus plumas!"

Las coreanas se dieron cuenta de que estábamos discutiendo sobre el grupo, así que se unieron. Pensaron que las chicas eran ruidosas, arrogantes y parecían estúpidas, con sus pestañas falsas extraordinariamente largas, que hacían que sus ojos se parecieran a los de las vacas.

¡Nuestros días de falsas pestañas habían desaparecido! Era inviable sujetarlas con la cantidad de sudor que generábamos durante cada show. Además, era imposible comprar el pegamento necesario para mantenerlas en su lugar. También habíamos recurrido a rociar el pelo con botellas de agua en lugar de laca, principalmente porque la laca era extremadamente difícil de encontrar en las tiendas. En segundo lugar, no teníamos suficiente dinero para comprarla y, en tercer lugar, porque el agua era gratis, ¡incluso si provenía del baño del Central Hotel y estaba generosamente salpicada de partículas de óxido de color naranja!

Al día siguiente nos vimos (Louise y yo) saliendo con el Sr. Lee para un viaje al dentista. Louise se había roto un diente y yo había perdido un empaste, así que decidimos ir juntas.

Los dentistas parecían no existir, pero obviamente, no

poder leer coreano no ayudaba a la situación. Por lo tanto, decidimos que tener un acompañante que hablase coreano, sería una ventaja definitiva, cuando se trataba de explicar lo que estaba mal con nuestros dientes, incluso si el inglés del Sr. Lee estaba lejos de ser perfecto, sin duda, era mucho mejor que nuestro coreano.

Seguimos a nuestro agente mientras él entraba y salía de un laberinto de callejuelas estrechas, hasta que nos detuvimos frente a un gran edificio que parecía un almacén.

"¡Vosotras venir aquí!", dijo el Sr. Lee, saludándonos a través de las enormes puertas delanteras.

Al entrar, Louise y yo nos miramos con incredulidad.

"¡¿Dónde diablos estamos?!", exclamó Louise.

Ambas habíamos estado esperando una configuración similar a la del Reino Unido: una recepción, una sala de espera a un lado y una o dos salas de cirugía en las que nos llamarían de una en una. En contraste, esta era una sala enorme, del tamaño de un gimnasio de escuela primaria, con una fila de bancos a su alrededor. Estos estaban completamente ocupados por personas, sentadas hombro con hombro, esperando su turno.

En el centro de la sala, había dos sillas de dentista, ocupadas por dos pacientes, mientras que dos dentistas trabajaban simultáneamente en los dientes de sus clientes.

"¡Maldita sea!, parece más una bancada de circo que un dentista", comenté.

En ese momento, uno de los pacientes gritó de dolor y la mitad de la "audiencia" improvisada, se puso de pie y avanzó un poco para ver mejor.

"¡Esto no puede ser muy higiénico, con todas esas personas respirando sobre el paciente!", dije. Ya había encontrado una excusa para no hacerme ningún tratamiento allí.

"¡Llegado este punto, todo me da igual!", respondió Louise. "Tengo tanto dolor que tengo que hacer que me lo vean".

El Sr. Lee se apresuró a hablar con alguien y supongo que nos saltamos la cola, porque unos minutos más tarde, llamaron a Louise a la silla. Después de un rápido examen, el dentista le dijo que tendría que sacarle el diente y le inyectó rápidamente.

Una vez más, ambas asumimos erróneamente, que la siguiente etapa del procedimiento seguiría el protocolo inglés. Esperábamos que le dijera que se fuera a sentar mientras la anestesia hacía efecto. ¡Pero, estamos en Corea! ¡El dentista se lanzó directamente con sus instrumentos y Louise dejó escapar su grito más tétrico! Sus pies giraron hacia arriba y comenzaron a curvarse, recordándome a la malvada bruja del 'Mago de Oz', cuyos pies se curvaron debajo de la casa caída. Sus manos agarraron los reposabrazos, hasta que pensé que iba a rasgarlos con las uñas.

¡Los coreanos estaban exultantes! Toda la sala avanzaba hacia delante en orden aleatorio para obtener una mejor vista. Sin darme cuenta, fui consciente de que Louise había conseguido que le hicieran una fantástica ovación (¡más de lo que habíamos conseguido al hacer cualquiera de nuestros shows!).

"¡Oh, tienes dientes muy fuertes!", proclamó el dentista, cuando Louise dejó de gritar. Intentó no mostrar pánico, mientras inyectaba una segunda jeringa con anestesia.

La `actuación´ se repitió otra vez ... y otra ... y otra ... ¡y otra vez! Después de cinco inyecciones, entré en pánico. ¡Estaba convencida de que Louise probablemente, nunca volvería a hablar con normalidad o que nunca volvería a sentir la boca!

Afortunadamente, la primera inyección debió hacer efecto, ya que Louise dejó de agarrar el reposabrazos y finalmente le extrajeron el diente. Mientras caminaba con cautela hacia nosotros, ahuecando el rostro en sus manos, el Sr. Lee se volvió hacia mí.

"¡Tocar a ti ahora!" Me empujó suavemente hacia el centro de la habitación, pero me di la vuelta y me dirigí hacia la puerta.

"¡No, de eso nada! ¡He cambiado de opinión!", dije.

"Sr. Lee, creo que será mejor que saquemos a Michele de aquí", se quejó Louise goteando sangre por la camiseta. "¡Creo que se va a desmayar!"

¡Tenía razón! Estaba aferrada a la conciencia por un hilo. A pesar de que Louise era la que se había sometido al procedimiento, ¡yo era la que tenía que ser escoltada fuera de las instalaciones!

El Sr. Lee y Louise me sostuvieron por debajo de los dos codos y me llevaron al café más cercano. ¡Me sentí como un fraude! ¡Louise estaba convaleciente y estaba completamente lúcida y a mí me sujetaban como a una hoja de papel mojado!

Unos veinte minutos después, cuando regresé a mi estado normal, el Sr. Lee dijo casualmente:

"Oh, Louise, pasaporte caducar octubre. Tú tener que renovar".

"No, Sr. Lee, eso no será necesario. Nuestro contrato finaliza en septiembre. Puedo renovarlo cuando llegue a casa".

"¡Ah! ¡Eso no! Necesitar vosotras quedar dos meses más. Tener planes para vosotras".

"No puedo quedarme", le dije, manteniéndome en pie y centrándome. "Me voy de vacaciones en octubre y ya está todo pagado".

"Sí, ¡y yo tengo un trabajo en un crucero!", se inventó Louise.

Si Lee supo que estábamos mintiendo, ¡no lo dejó ver!

"Vosotras vacaciones en Corea. Ser país bonito".

"No creo que mi familia quiera venir hasta aquí para pasar las vacaciones", le dije. No tenía intención de quedarme más de seis meses. ¡Estaba harta de luchar por mi dinero y mi dignidad!

Estaba aburrida de hacer el mismo show noche tras noche. Nunca me sentí particularmente segura en ningún lugar y, además de eso, mi salud estaba empezando a deteriorarse. Mi sistema digestivo ansiaba cualquier cosa que no se pareciera a los fideos, a los burritos de pan de huevo o al arroz Om. Con frecuencia sufría de calambres estomacales y tenía diarrea o estreñimiento, al igual que las otras dos. Me sentía mareada todo el tiempo, mis manos estaban agrietadas por el agua horrible del hotel y constantemente me sentía como si estuviera al borde de la cistitis.

"Eh ... no creo, Sr. Lee", respondió Louise.

"Yo tampoco. ¡Para ser honesta, hemos tenido suficiente!".

Murmurando por lo bajo, nuestro amargado agente se levantó bruscamente.

"¡Vosotras ahora ir hotel!", dijo indignado.

Esa noche, en el trabajo, el Sr. Lee se presentó nuevamente en el Diamond para repetir la misma conversación. Probablemente esperaba que Sharon, en su calidad de jefa, tomara la decisión final, o al menos intentara convencernos de que nos quedáramos. Sin embargo, como Louise había dicho una vez, Sharon era tan útil como un condón en un convento, por lo que Lee estaba perdiendo el tiempo.

"Vosotras quedar en Corea más tiempo. Vosotras tener trabajo, yo encontrar más trabajo. Mejor vosotras quedar aquí".

"Sr. Lee, todas queremos volver a casa", repetí.

Louise asintió, Sharon sonrió y el Sr. Lee inhaló. Luego dejó caer la bomba.

"Buenas noticias, vosotras tener contrato un mes más. Vosotras ganar mucho dinero, ahora vosotras hacer consumación".

"¿QUÉ? ¡No!", exclamé.

"Yo hablar a Sharon. ¡Ella decir, no problema!", respondió el Sr. Lee. "Ahora, tarde, muy tarde. Yo firmar contrato. Vosotras tener que trabajar. Discoteca pagar todos los días. ¿OK?", sin esperar una respuesta, giró sobre sus talones y se marchó resueltamente.

Me giré y miré a Sharon, que de repente había encontrado algo extremadamente importante que buscar en su bolso.

"Sharon, ¿cómo diablos puedes tomar esa decisión sin consultárnoslo primero?"

"Bueno, lo discutimos. Lo hablamos en el camerino".

"Sí, y claramente recuerdo haber dicho que no quería hacerlo".

"Mira, eres tú la que siempre dice que está preocupada por lo que nos sucederá cuando estos dos contratos terminen", argumentó Sharon. "Pensé que estaba haciendo lo mejor para nosotras. Soy la jefa y he tomado la decisión".

Me giré para mirar a Louise en busca de apoyo, pero ella ya se había resignado a lo inevitable.

"¡Así es la vida!", dijo encogiéndose de hombros.

El viernes 7 de julio, a las 5:30 am, nos despertó una explosión extremadamente fuerte en el exterior. Nos arrastramos adormiladas hasta la ventana más cercana.

Al mirar hacia abajo, a la maraña de las estrechas calles sinuosas, pudimos ver un gran incendio proveniente de uno de los callejones, peligrosamente cerca del hotel. Las llamas estaban lamiendo los costados de un inmueble y en el techo de ese mismo edificio, había un par de ancianos que, en vano, lanzaban frenéticamente cubos de agua al origen del fuego. El aire reverberaba con el sonido de las sirenas de los camiones de bomberos, que se acercaban desde todas las direcciones. Inmediatamente se hizo evidente que el laberinto de las calles estrechas hacía imposible la entrada al camión de bomberos, debido a sus dimensiones.

"¡El callejón no es lo suficientemente ancho para un camión de bomberos!", dije.

"¡Ese es un gran ejemplo de mentalidad coreana! ¡Estúpidos cerebros de kimchi!", exclamó Louise.

Vimos la escena mientras los bomberos blandían hachas, corrían por el Central Hotel, salían al otro lado y abrían camino a través de puertas y portales. Arrastrando mangueras detrás de ellos y soplando silbatos hasta que llegaron a la fuente del incendio y consiguieron extinguir el fuego. Cuando los bomberos comenzaron a dispersarse, abandonamos la ventana.

"Está bien, se acabó el show. ¡Volvamos a dormir!", dijo Sharon. "¡Ahora sabemos que no nos quemarán vivas en nuestras camas!"

"En realidad, te hace pensar", le dije. "Si hubiera un incendio aquí, ¿cómo diablos podríamos salir?"

"Bueno, hay una cuerda allí, en la pared", dijo Sharon. "Podríamos usarla".

"Sí, ¡pero estamos en la séptima planta!", protesté. "¡Mira la longitud de la cuerda! Después de atarla a algo aquí y de bajar, según mis cálculos, ¡estaríamos colgando en el aire alrededor de cinco pisos!"

"¡No me jodas!", dijo Louise

"¡No, gracias!", le contesté.

"¡Entonces tendremos que rezar para que no haya un incendio mientras estemos aquí!", comentó Sharon.

"¡Genial!", dije, y empecé mentalmente a compilar; *Lista de las nueve maneras de morir en Corea:*

1. *Ser secuestrada en una motocicleta,*

2. *Ataque de Corea del Norte,*

3. *Levantamientos de estudiantes,*

4. *Recibir un disparo en el escenario,*

5 *Conducir en dirección contraria,*

6. *Fuego ...*

Esa noche en el Diamond, había llegado la hora temida para nuestra primera noche de consumación. Estaba de mal humor, en parte por los nervios, pero, sobre todo, debido a la frustración de no tener el control de la situación. Louise también parecía nerviosa. Ninguna de los das sabía qué esperar. Sharon, por otro lado, no parecía molesta en lo más mínimo.

El Sr. Lee había aparecido, supuestamente para guiarnos.

"Bueno. Pagar a vosotras 20,000 wons (aproximadamente 20 €) cada cinco minutos que vosotras sentar con clientes. ¡Vosotras poder ser chicas ricas!", dijo riendo. Lo fulminé con la mirada. Nunca había sentido tantas ganas de golpear en la cara a alguien como en ese momento.

"¡No quiero ser rica y no quiero hacer esto!", dije. "Quiero el dinero que se me debe por bailar y nada más".

Nuestro agente me ignoró convenientemente.

"Sí, ahora que lo menciona", dijo Louise. "¿Ha traído nuestro salario?"

"No. Hoy no poder. ¡Traer mañana!"

"¡NO! ¡Hoy Sr. Lee!", grité, golpeando mi pie en el suelo con frustración.

"Déjalo, Michele, estás gastando saliva para nada. ¡Algunas personas simplemente, no tienen consideración!", Louise miró en dirección al Sr. Lee y entrecerró los ojos con desprecio.

Después de la discoteca, nos llamaron de la primera mesa. Sintiéndome medio avergonzada y medio aterrada por lo que iba a suceder, caminé con resignación detrás de las otras dos, sintiéndome más baja que nunca desde mi llegada a Corea.

Nos sentamos y nos presentaron a tres hombres. No sé si los caballeros fueron elegidos específicamente para tratarnos gentilmente o no, pero para una primera vez, fueron una buena elección. Los hombres en cuestión, estaban más o menos sobrios y nos pagaron una bebida a cada una. Se hizo evidente de inmediato que, a diferencia de las chicas coreanas, no podíamos conversar realmente con ellos, así que todos recurrieron a una amalgama de gestos y risas. El tiempo pasó rápidamente y antes de darnos cuenta, estábamos de vuelta en el camerino.

"Ya ves, te dije que no pasaba nada por eso", dijo Sharon sonriendo.

Elegí ignorarla. Aunque tuve que admitir, que la experiencia no había sido tan dramática como originalmente había esperado, sólo la palabra `consumación´ me hacía temblar. Como no estaba familiarizada con la palabra, la había buscado en el diccionario. Dependiendo de cómo se utilice, hacía referencia a: perfección, realización y logro: palabras positivas que, en circunstancias normales, harían que una persona se sintiera bastante segura de sí misma. Por el contrario, las referencias al clímax, el orgasmo, la cópula y el sexo, tendrían un efecto opuesto.

Desafortunadamente, era propensa a creer que, en nuestra situación actual, las últimas cuatro palabras eran probablemente las más adecuadas y NO estaba contenta. Sabía que había ocasiones en las que nos llamarían a sentarnos con tontos borrachos, que no serían tan caballerosos como lo habían sido los de nuestra primera mesa de clientes.

Afortunadamente para mí, no me llevó mucho tiempo darme cuenta de que, si bailaba en el podio y me veía tan miserable como el pecado, había muchas menos posibilidades de ser llamada a una mesa. Por primera vez en un escenario, bailé sin una sonrisa en la cara.

En la mañana del miércoles 12 de julio, sonó el teléfono. Pensé que sería el Sr. Lee, pero deduje que no lo era, ya que Sharon no estaba haciendo su habitual repertorio de frases y respuestas cortas que solía dedicarle: `Sí, Sr. Lee´, `No Sr. Lee´. Por lo tanto, intuí que tenía que ser uno de sus incontables novios, pues susurraba en el teléfono, mientras miraba tímidamente en mi dirección para ver si estaba escuchando.

"No, no puedo ... ¡Porque no puedo!", decía ella. "Oh, está bien entonces. Sí, a las dos en punto. Sí, está bien, a las dos en punto".

Su comportamiento me pareció un tanto extraño. Sharon solía ser muy sociable con cualquier novio al teléfono, independientemente de quienquiera que estuviese escuchando. Sin embargo, no volví a pensar en ello.

Cuando dejó el teléfono, volvió a sonar. Esta vez era nuestro agente. Estaba llamando para informarnos que nos habían ampliado el contrato en el Pan Corea por un mes más. Esto significaba que, durante un tiempo, podríamos dejar de preocuparnos por estar sin trabajo.

Esa noche, en el Diamond, bailé con una expresión malhumorada una vez más y no me pidieron que fuera a ninguna mesa. ¡Pensé que ya tenía controlado lo de la consumación! Aunque me parecía extraño bailar sin una sonrisa en la cara, si eso significaba que no tendría que ir a sentarme a las mesas, estaba preparada para hacerlo.

Durante el segundo pase en la discoteca, se desató una pelea inesperadamente entre dos clientes que obviamente estaban borrachos. Por lo general, ignorábamos este tipo de comportamiento, pero, desafortunadamente para nosotras, estaban situados en la parte frontal del escenario y demasiado cerca para sentirnos cómodas.

La gresca, empezó con una mirada maliciosa, que derivó en gritar y discutir, y se calentó hasta el punto de pinchar y empujar con los dedos y como última fase, golpearse entre sí en una pelea mortal. De pronto, uno de ellos, agarró una botella de cerveza, la rompió en el borde del escenario y apuñaló ferozmente a su oponente.

A medida que la sangre fluía, más botellas se rompían, atrayendo a más hombres borrachos para unirse a la lucha. Las tres mantuvimos la posición en el escenario y seguimos bailando, mirando cautelosamente a los hombres y a las bailarinas de la discoteca, temiendo que estuviéramos a punto de involucrarnos involuntariamente en la situación.

De una de las botellas que se rompían contra las mesas, saltó un pedazo de vidrio que se incrustó en el brazo de una de las chicas coreanas. En ese momento, todas decidimos, tanto coreanas como inglesas, que ya era suficiente. Nos volvimos al unísono y salimos del área del bar, abandonando a los hombres en su escaramuza de borrachos.

El viernes catorce de julio, era el día de modelaje tan esperado. Después de sólo tres horas de sueño, me preparé y bajé a la recepción a las diez, para reunirme con el Sr. Woo. Después de esperar veinte largos minutos, todavía no había llegado y estaba bastante preocupada. No parecía propio del Sr. Woo.

Unos minutos más tarde, cuando estaba a punto de olvidarme de todo, una de las recepcionistas, gritó mi nombre y me tendió un auricular.

"¡Tienes llamada telefónica!"

Era el Sr. Woo.

"Michele. Te veo en el hotel Hyatt a las dos en punto. ¿De acuerdo?"

Le dije que estaba bien, pero me sorprendió un poco que no viniera a recogerme. Sin embargo, suponiendo que una tarifa de taxi difícilmente supondría un gran esfuerzo en mis mil dólares, estuve de acuerdo.

A las dos en punto, llegué al Hyatt y encontré al Sr. Woo y al Sr. Kyong sentados en la cafetería. El Sr. Woo me dirigió una débil sonrisa y me hizo un gesto para que me acercara. El Sr. Kyong se abstuvo incluso de mirar en mi dirección.

"Hola", dije alegremente, sintiendo inmediatamente la tensión entre los dos hombres. El Sr. Woo estaba decididamente nervioso, mientras que el Sr. Kyong estaba sumamente agitado y en un estado de ánimo muy desagradable. Se negó a mirarme y procedió a golpear los utensilios sobre la mesa una y otra vez. Empecé a sentirme muy incómoda. No tenía ni idea de lo que le había molestado, pero desde luego no quería mirarme a la cara.

Después de cinco minutos haciendo berrinches, se levantó bruscamente y se alejó de la mesa sin siquiera hablar conmigo.

"¿Qué pasa con el Sr. Kyong?", le pregunté.

"¿Por qué?"

"Eh, lo siento, pero el periódico ya no quiere tu foto", dijo. Parecía bastante avergonzado.

"Pero, ¿por qué?", le pregunté, completamente confundida. "¿Qué he hecho?"

"¡Oh, no, nada! ¡No es tu culpa!", el Sr. Woo me dio unas palmaditas en la mano. "El Sr. Kyong está muy enojado porque hizo arreglos para encontrarse con Sharon hace dos días. Ella prometió encontrarse con él a las dos en punto, pero no apareció".

Las imágenes de su llamada secreta hacía dos días se sucedieron en mi memoria. ¡Estaba que echaba humo!

"Ahora, el Sr. Kyong está muy ofendido y también se avergüenza de estar en tu compañía".

"Bueno, ¡eso es genial!", dije sarcásticamente.

"¡Lo siento por ti!"

"¡No lo siente tanto como yo!", dije, pensando en mis mil

dólares que acababan de seguir al Sr. Kyong fuera de la cafetería.

"¡No te preocupes! ¡Salimos a almorzar!", dijo el Sr. Woo, tratando de consolarme, aunque la idea de almorzar en el hotel Hyatt no me valía de consuelo.

El almuerzo se convirtió en una actividad de toda la tarde a modo de compensación, no es que realmente tuviese ganas de hacer nada. Después de comer, me llevó a los bolos. Más tarde, fui a dos edificios de oficinas donde trabajaban los primos del Sr. Woo, pero para ser sincera, me sentía tan desgraciada, que sólo quería volver al Central Hotel. Estaba totalmente desanimada y no podía dejar de pensar en el dinero que había perdido, sin ninguna culpa.

Además de eso, ¡el Sr. Woo estaba empezando a irritarme! Mientras me pasaba de un bloque de oficinas a otro y me presentaba a varios primos y amigos, me di cuenta de que en realidad no había ningún motivo real para visitar las oficinas. Comencé a sentirme como si estuviera en un desfile. Me estaba mostrando, y estaba haciendo maravillas por su credibilidad el ser visto con una chica extranjera.

Los primos del Sr. Woo me presentaron a dos admiradores vestidos de Hodori, la mascota olímpica. Hice una reverencia y les di las gracias, luego me dirigí al Sr. Woo y le pregunté si podía volver al hotel. Todavía estaba furiosa con Sharon y no quería verla, pero necesitaba volver a un entorno familiar y meditar por un tiempo. Aunque sabía que mi anfitrión estaba haciendo todo lo posible por ayudarme a tener un día agradable, la pérdida de mil dólares fue una píldora amarga de tragar.

Finalmente, cuando me llevó de vuelta al Central Hotel, regresé a mi realidad, me acompañó hasta la entrada y me tendió la mano.

"Toma, esto es para ti", dijo, dándome un fajo de dinero. "¡Lamento lo que ha pasado!"

"No tanto como yo, créame, Sr. Woo", le contesté.

Él me había dado 50,000 ₩ (50 €) por los inconvenientes. Era mejor que nada, pero mucho menos, que el dinero que Sharon me había hecho perder.

Fue una suerte para ella el estar fuera cuando volví, ya que estoy bastante segura de que habríamos tenido una discusión o incluso una pelea. Louise se enfureció cuando se lo conté. Estaba muy molesta por mí y llamó a nuestra capitana todo el abecedario de adjetivos despectivos, habidos y por haber.

Cuando "la tentadora" finalmente regresó, fue Louise quien la confrontó y le contó cómo me había hecho perder el trabajo de modelo.

Sharon ni siquiera tuvo la decencia de disculparse. Miró en mi dirección, se encogió de hombros y siguió preparándose para el trabajo.

"¡No me lo puedo creer!", gritó Louise. "¡Al menos deberías decir que lo sientes! ¡Ha perdido mil dólares y la posibilidad de más trabajo gracias a ti!"

"Lo siento.", murmuró Sharon a media voz, girando la cabeza en mi dirección, pero evitando hacer contacto visual.

"¿Eso es todo?", dijo Louise con incredulidad. "¡Increíble!"

Me abracé con los puños apretados a los costados de la cama. Toda mi vida había evitado las confrontaciones, optando por el diálogo antes que pelear, pero en ese momento, quería arrancarle los ojos desesperadamente. Necesitaba con urgencia encontrar una salida a mi frustración reprimida, tras meses trabajando en Corea. Afortunadamente, el sentido común me dijo que aún teníamos que trabajar juntas y que debía mantener la paz. Además, a pesar de que ella era más pequeña que una estatuilla, estimé que tenía mucho más volumen y músculo que yo. Dudé que hubiera salido del altercado como vencedora, así que decidí quedarme callada y tragarme mi efervescente rabia.

El sábado por la noche, estábamos sentadas en el camerino del Pan Corea después de terminar un pase de discoteca, cuando, sin previo aviso, una de las chicas, a quien llamábamos `Pies grandes´, salió del escenario y entró en el vestuario pisando fuerte. Inmediatamente se enfrentó a una de las otras chicas, a quien llamamos Kama, (¡abreviando Kama-Sutra!) Se inició una pelea de gritos y gesticulaciones entre las dos, mientras las demás nos quedamos mirando.

Los gritos se convirtieron en un altercado físico que terminó en un enfrentamiento en el suelo. Al igual que los luchadores aficionados, se arañaban y tiraban del pelo. `Pies grandes´, agarró una botella de zumo de uva de una caja que siempre estaba disponible para las bailarinas coreanas en el camerino, la estrelló en un lado del tocador y cortó a `Kama´ en la cabeza.

Kama, como represalia, le lanzó a `Pies grandes´ el cubo del hielo, haciendo contacto en su cabeza. Mientras `Pies grandes´ se tambaleaba vertiginosamente tratando de permanecer consciente, `Kama´ la tomó por sorpresa y atacó con un puñetazo, partiendo el labio de su oponente. En segundos, había sangre por todas partes. Ambas parecían estar cubiertas en ella, pero siguieron luchando a pesar de todo. (Este altercado me hizo sentir más que justificada por haber decidido contener mis emociones y abstenerme de meterme en una riña con Sharon el día anterior).

Sharon corrió a buscar ayuda y regresó en varias ocasiones con hombres diferentes, que parecían muy felices de observar el curso de la pelea, pero no tenían intención de separar a las chicas. Las observaban con expresiones divertidas por unos minutos, antes de perder el interés y marcharse tan fácilmente como habían entrado.

Algunas de las otras bailarinas, al darse cuenta de que ningún hombre iba a intervenir, lograron separar a las luchadoras. Decidí intentar ayudar, así que agarré un paño, lo mojé bajo el grifo y fui a limpiar la sangre de `Kama´. Cuando ella se echó el pelo hacia atrás, me sobresalté. Su cuello estaba cubierto de sangre espesa y coagulada, que brotaba de forma masiva de una herida en la frente, causada por la botella rota.

"¡Dios mío, hay mucha sangre!", dije. ¡Entonces se desató el infierno!

`Pies grandes´ se desplomó en el suelo y comenzó a convulsionar y retorcerse como si fuera a vomitar.

"¡Oh!, ¡Dios mío, me voy a desmayar!", gimió Louise, y se dejó caer en una silla. "¡No puedo sentir las manos!"

Agarré el brazo de otra bailarina y tiré de ella hacia mí, empujé el paño ensangrentado en sus manos, mostrándole cómo mantener la presión sobre la herida. Luego corrí hacia Louise y la acompañé afuera para tomar un poco de aire fresco.

Varios minutos después, cuando regresamos a la escena, encontramos a dos bailarinas que intentaban limpiar el camerino recogiendo el cubo de hielo, los cubitos y los cristales rotos. `Kama´ estaba siendo escoltada fuera del vestuario por dos gorilas. Supuse que la llevarían al hospital, pero nunca pudimos descubrir qué le sucedió, porque nunca regresó al Pan Corea. `Pies grandes´ volvió más tarde, con una gran herida y largos arañazos en la cara que aún estaban exudando pus. Dudé que la llamaran para ser hacer consumación en cualquier mesa esa noche con ese aspecto tan rudo y desaliñado.

Louise no pudo realizar el espectáculo ni la siguiente disco programada. Estaba mortalmente pálida y todavía no tenía sensación en las manos. Sharon y yo volvimos a reorganizar el número para hacer un dueto.

De vuelta en el hotel, mientras pensaba en los acontecimientos del día, estaba muy orgullosa de mí misma. En circunstancias normales, habría estado a punto de desmayarme al ver la sangre. ¡Sentí que había reaccionado bastante bien en una crisis y quizás me había redimido un poco después de la debacle que supuso la visita al dentista!

El domingo por la mañana, me desperté y encontré a Sharon durmiendo con Foster en su cama individual y, Louise y Jim, se aplastaban juntos en la otra. Saqué las piernas de mi enorme cama doble y me dirigí a la ventana. Cuando abrí la cortina para dejar entrar algo de luz, oí:

"¡Cuidado con mis retinas! ¡Cierra eso!". Era Foster.

¿Cuidado con mis retinas?, pensé. *¿De dónde sacó esa expresión?*

"¿Qué dices?", respondí en mi mejor imitación del acento americano.

"¡Es demasiada luz para mis ojos! ¡Cierra las cortinas!"

"Eh, espera un minuto", repliqué. Ya había tenido suficiente con hombres coreanos que me mandaban qué hacer, y no estaba dispuesta a permitir que un GI, empezara también a hacerlo; ¡no aquí! "Esta es mi habitación. ¡Quiero levantarme y no voy a sentarme en la oscuridad por ti! "

Él se conformó, permaneció en silencio y se pasó la sábana sobre la cabeza en un débil intento de bloquear la luz del sol de Corea. Una vez más sentí que había ganado, otra pequeña victoria en un mundo orientado a los hombres.

Esa noche, cuando llegamos al trabajo en el club Diamond, antes de subir al escenario, el gerente nos hizo una visita. Desde que habíamos dejado de hacer nuestro número, nos habían dicho que bailáramos juntas en la discoteca y que ocupáramos el stand central. Sin embargo, ahora, había decidido que ya no quería que las tres bailásemos en el escenario principal, sino que nos esparciéramos.

"Una en el centro y dos a los lados", dijo, refiriéndose a los dos podios más pequeños, uno detrás de un cristal y el otro abierto, que estaban situados a ambos lados del escenario principal, casi en las esquinas del lugar.

"Correcto", dijo Sharon. "Michele, entras en la pecera, (*la que está detrás del vidrio, obviamente*) y Louise te vas al otro lado".

Por supuesto, esto significaba que Sharon se había colocado en el centro de la escena lo que, a estas alturas del partido, ya no era una sorpresa.

Salí volando, me instalé detrás de la pantalla e inmediatamente comencé a bailar con la música. Para ser honesta, otra vez estaba en mi propio mundo. No había clientes en mi lado del club, así que estaba pensando en mis cosas. Finalmente, me di cuenta de que había un camarero frente a mí, sonriendo. Había otros camareros merodeando en el fondo, riéndose y me llevó un momento establecer el motivo de las risitas.

El camarero puso las manos en las caderas y miró hacia mí y luego a su entrepierna, para luego mirarme de nuevo. Entonces, todo quedó claro. Había sacado el pene de los pantalones e intentaba que yo lo mirase. No estaba segura de si esperaba que mostrara asombro o estupefacción, pero ya no había nada que me sorprendiera en las travesuras de los hombres de este país. Entonces, decidí seguirle el juego. Miré su apéndice colgado y volví a mirar. Levanté las manos, con cara de confusión, me encogí de hombros en un gesto de `¿dónde está?´

Incluso desde el interior de la pecera, podía escuchar las carcajadas de los otros camareros. Contando los segundos, con la expectativa de que la risa disminuyera un poco, miré hacia abajo otra vez, entrecerré los ojos, imité una mirada de reconocimiento, cuando fingí verla por primera vez y luego di un paso hacia atrás con una falsa sorpresa. Levantando el dedo índice y pulgar para indicar unos tres centímetros, negando con la cabeza.

Los camareros se estaban riendo tanto, que el gerente escuchó las carcajadas desde el otro lado del club y se dirigió hacia nosotros. El camarero recibió una colleja brutal y rápidamente, intentó guardar su preciada posesión, mientras los otros camareros de repente se dispersaron en todas las direcciones.

En lugar de avergonzarme, lo encontraba divertido. Sin embargo, si no hubiera sido vegetariana, ¡tal vez, hubiera dejado de comer salchichas de cóctel de por vida!

Cuando terminamos el primer pase de discoteca, el gerente volvió a entrar al vestidor. Parecía enloquecido. Pensé que tal vez iba a reñirme por confraternizar con los camareros en vez de bailar, pero se dirigió a Sharon.

"Cambiar posición". ¡Ladró!, luego se fue.

Sharon nos miró y se encogió de hombros.

"Está bien, Louise, vas al centro del escenario, Michele, vas al otro podio y yo iré al tuyo", dijo. "¡A saber cuál es su problema!"

Después del segundo pase, el gerente volvió de nuevo. Su expresión facial mostraba claramente lo indignado que estaba con la situación.

"¡No, no, no! ¡Tú cambiar!", gruñó. Me dijo que fuera al centro del escenario y que las demás trabajaran en los podios. La expresión agria de Sharon, demostró que eso no le había hecho ninguna gracia.

El lunes 17 de julio es el día de la Constitución coreana. La primera República de Corea se instituyó formalmente ese día. Entró en vigencia tres años después de que terminara la

Segunda Guerra Mundial en 1948, durante la cual, las fuerzas aliadas derrotaron a Japón y pusieron fin al gobierno japonés. Un dominio que existía desde que Japón invadió Corea en el siglo XVI.

El día de la Constitución también es un recordatorio para los coreanos de la división entre Norte y Sur, por lo que, para muchas personas, este no es un día de celebración, ya que les recuerda a los seres queridos que no están con ellos, separados por la demarcación.

Independientemente de si cada individuo lo celebra o no, para los coreanos, el día de la Constitución significa un día sin trabajo. Sin embargo, para el trío Collier, esto significaba trabajar, como siempre.

Habíamos escuchado que por la mañana habría una maratón en las calles de Seúl, pero debió ser cancelada debido al clima. Esto no fue sorprendente, ya que habíamos salido a caminar y nos quedamos atrapadas en un monzón. Volvimos empapadas hasta los huesos, pero sintiendo mucho calor. Fue una sensación extraña.

Esa noche, en el trabajo en el Diamond, Sharon se molestó de nuevo y comenzó a tirar cosas por todo el camerino. No con el gran estilo de los hombres coreanos, pero sí, no se alejaba mucho. Estaba furibunda, arrojando trajes y accesorios en la bolsa. Toda esa rabia se debía a que ella, había cambiado las posiciones en los podios una vez más, poniéndose en el centro del escenario. Después del primer pase, la bailarina principal de la discoteca, le dijo que tenía que volver a su posición original. En otras palabras, ella tenía que quedarse en un podio lateral.

Louise y yo consideramos que la situación era cuanto menos, hilarante. Poco nos importaba qué posición nos asignaran, pero para Sharon, el centro del escenario era la posición principal y no estaba dispuesta a abandonarla a la ligera, de ahí su mal humor.

Después del trabajo, para intentar animarla, decidimos llevarla a Itaewon. Las tres y sus dos novios, estábamos sentados en el Twilight Zone tomando una copa y charlando, cuando una de las camareras pasó, tropezó y derramó una bandeja llena de bebidas sobre mí.

"Oh, sentir, sentir mucho", dijo haciendo una reverencia y recogiendo los cristales al mismo tiempo.

"¡Mírame! ¡Estoy empapada!" dije, mientras mis compañeros soltaban unas tremendas carcajadas.

Me puse en pie y un chorro de alcohol goteaba por mi ropa, encharcándome los pies como la lluvia monzónica de esa mañana.

"¡Ven, ven!", dijo la camarera llamándome. La seguí. A mi paso, mojaba la alfombra, dejando un rastro de alcohol hasta los baños de señoras. Una vez dentro, me condujo a un cubículo.

"¡Dar camiseta, yo lavar!"

¡Entregué la camiseta y me quedé en el cubículo completamente desnuda de la cintura para arriba! Escuché el grifo corriendo en la pileta y luego me di cuenta de una quietud siniestra que me hizo entrar en pánico. Podía escuchar la música en la otra habitación, pero era obvio que los baños estaban desiertos.

"¿Hola?", vociferé en el vacío aseo de señoras. "¿Hola?"

Nada. Me quedé allí, con las manos entrelazadas sobre el pecho, pensando: *¿Y ahora qué hago? No puedo volver al club en topless, ¡estoy atrapada en el cubículo!*

Unos minutos más tarde, un par de chicas coreanas entraron para usar las instalaciones, así que asomé un poco la cabeza por la puerta y traté de explicar mi situación, pero no tuve éxito. O bien habían decidido no ayudarme, o realmente no me habían entendido, pero me enfurecía, y no hacía nada para ayudar a mi frustrante situación, verlas reír sarcásticamente detrás de las manos, mientras me miraban minuciosamente.

"*Me pregunto cuánto tiempo tendré que quedarme aquí hasta que Sharon y Louise me extrañen*", me pregunté. ¡Ese fue un pensamiento aleccionador que me volvió a la realidad de golpe, considerando que ambas estaban muy ocupadas coqueteando con sus novios!

Después de diez minutos, decidí sentarme en el inodoro, todavía con las manos sobre los pechos, esperando desesperadamente ser rescatada. Vi a alguien asomándose al cubículo con curiosidad. ¡Seguramente se preguntaría qué demonios estaba haciendo y qué extraño fetiche debía tener, para sentarme medio desnuda en un sitio público!

Después de unos veinte minutos, escuché, un vacilante, "¿Michele?"

"Louise, estoy aquí!", grité. "¡La maldita camarera se ha marchado con mi camiseta y no tengo nada debajo!", la oí reír.

"Está bien", dijo ella. "Voy a averiguar qué ha pasado con tu ropa. ¡Espera ahí!"

"¡Bueno, no tengo otra maldita elección! ¡No puedo ir a ninguna parte!"

Unos minutos más tarde, regresó y balanceó mi camiseta mojada sobre la parte superior de la puerta del cubículo.

"¿Qué diablos es esto?", exclamé. "¡No puedo ponerme esa maldita camiseta!"

"La camarera dijo que no tiene nada con lo que secarla", explicó Louise.

"¡Ve y dile a esa perra estúpida, que no puedo usar una camiseta mojada que apesta a alcohol! ¡Tendrá que darme una camiseta del Twilight Zone!"

"Está bien". Louise se fue y me resigné a sentarme en el inodoro de nuevo hasta que regresó.

"¿Michele? Dijo que puede darte una camiseta ... eh, cuestan cuatro mil wons".

"¡QUÉ! ¡¿Esa estúpida cerebro de Kimchi de verdad espera que pague por una puñetera camiseta cuando fue ella la que estropeó la mía?!"

"Eh ... ¡Sip!"

La gerencia sabía que me tenían contra la pared. Tenía dos opciones: usar una camiseta empapada en alcohol toda la noche, o comprar una del Twilight Zone y anunciar el club, al que, en ese momento, no tenía intención de volver. ¡No me quedó más remedio que pagar!

Durante los días siguientes, lo único divertido para mí, fue ver a Sharon cada vez más furiosa con el gerente de la discoteca Diamond, que le pedía que cambiara de lugar en los podios. En otras palabras, que se retirase del centro del escenario.

La gota que colmó el vaso llegó el jueves 20, cuando Sharon se colocó una vez más en el centro de la discoteca en el primer pase, mientras Louise y yo, nos resignábamos a los dos podios laterales. Al regresar al camerino, el gerente estaba murmurando y suspirando, mientras sacudía el dedo índice en dirección a Sharon.

"¡No, no, no! ¡Tú cambiar! ¡Tú podio! "

"¡Eso es RIDÍCULO!", dijo Sharon de mal humor y le dio la espalda al coreano.

Él, furioso por ser ignorado, salió en un suspiro y regresó un minuto después con el dueño, que se acercó a Sharon y la empujó en el hombro.

"Tú, no hay centro. Tú podio derecha", insistió, dejándolo claro.

Se volvió y miró a Louise. "Tú, podio izquierda. Y tú ... "terminó, mirando en mi dirección," ¡Tú centro! "

"Pero, ¿por qué?", preguntó Sharon. "¡No lo entiendo! ¿Por qué tengo que ir al podio?", se quejó. "¿Por qué Michele siempre está en el centro y nosotras en los podios?"

"Porque, ¡ella es tamaño pequeño, tú tamaño grande!", respondió.

El domingo 23, Jim nos invitó de nuevo a las tres a la base del ejército en Uijeonbu. Esta vez me acordé de llevar identificación y pasamos el día tomando el sol alrededor de la piscina y nadando.

A media tarde tenían lo que se llama el saludo a las cinco en punto. Esto era algo que nosotras, como civiles, no sabíamos que existía, ni lo que significaba. Básicamente, al comienzo del día, se toca una melodía llamada "Reveille" a las 7:00 am mientras se iza la bandera estadounidense. Por el contrario, a las cinco en punto, un corneta, toca `The Taps´, una canción también conocida como` Butterfield´s Lullaby´. También se le llama `Day is Done´, que proviene de la primera línea de la letra de `The Taps¨. Durante esta melodía, la bandera estadounidense se arriaba y se doblaba.

En ambos momentos del día, los militares uniformados deben detenerse, colocarse mirando a la base y saludar. Si están en la ciudad, ponerse firmes.

Se esperaba que los civiles en la base, incluido el Trío Collier, se detuvieran, permanecieran respetuosamente quietos y colocaran su mano derecha sobre el corazón. Cuando empezaron los ruidos, todos salieron de la piscina y asumieron sus posiciones correspondientes. ¡Al no estar al tanto de la situación, simplemente nos encogimos de hombros y seguimos nadando! Al hacerlo, atrajimos el desprecio de un soldado, que estaba atento a la situación. Giró la cabeza en nuestra dirección y gritó.

"¡Salid de la piscina, idiotas! ¡Mostrad algo de respeto!"

"¡No somos idiotas, somos británicas!", respondió Sharon, ¡mientras me encogía!

Un civil nos explicó en voz baja lo que debíamos hacer y abandonamos la piscina a regañadientes, avergonzadas por lo impropio de nuestro comportamiento.

Al día siguiente fui a la oficina de correos para enviar el primero de dos paquetes a casa. Decidí enviar el reloj de fibra óptica y otras cosas en un paquete grande que estaba disponible para comprar en la oficina de correos. El personal empaquetó todo y selló el paquete por una tarifa fija de 3.000 (aproximadamente 3 €) y me cobró 9.200 ₩ (menos de 10 €) por gastos de envío y embalaje. Había elegido la opción más barata, lo que significaba que mi paquete iría por barco y tardaría hasta tres meses en llegar a Inglaterra. Sin embargo, pensé que me iría a casa casi al mismo tiempo, por lo que tenía sentido económico.

Una vez que aprendí el proceso y lo sencillo que era, decidí volver después de unos días, con las muñecas coreanas en la vitrina, tan pronto como Lee pudo pagarnos nuevamente.

Esa noche, cuando llegamos al Pan Corea, encontramos a varias de las bailarinas de discoteca, de pie, fuera del camerino. Parecía que la puerta estaba cerrada por dentro y no podían entrar. Como la pared no alcanzaba el techo y no estaba demasiado alta, me volví hacia Louise.

"Puedo abrir eso", le dije. "Aúpame".

Ella ahuecó las manos y yo escalé la pared, caí al otro lado y abrí la puerta. Las bailarinas de la discoteca parecían bastante sorprendidas, pero a la vez impresionadas, lo que llamó mi atención. Tal vez en su cultura no era algo que una mujer debería hacer, pero para mí era la solución más obvia y lógica para un problema menor.

Durante el show, al final de una rutina, Sharon estaba saliendo del escenario, ¡tropezó en la pasarela y cayó de cabeza en medio de una mesa llena de coreanos! Estoy segura de que se lastimó, ¡pero Louise y yo lo encontramos extremadamente divertido! En un segundo, estaba y al siguiente, desapareció. Se cayó de lado, recordándome a un león marino, por la forma en que pareció ondular desde el borde de la pasarela hasta la mesa.

Más tarde, esa noche, nos informaron que sería nuestro último día. No sé si la caída de Sharon tuvo algo que ver con la decisión, pero nos dijeron que ya no necesitaban el espectáculo ni los podios de la discoteca. Como de costumbre, empezamos a preocuparnos. Ahora estábamos reducidas a trabajar en el podio del Diamond. El hecho de pensar en quedarnos sin trabajo de nuevo, no era muy gratificante.

Dos días después, el Sr. Lee nos informó que teníamos otra audición en un club llamado "The Academy". En esta etapa del contrato, no tuvimos que preguntar si nos pagarían por el desempeño y, para ser honestas, nos sentimos aliviadas con la posibilidad de trabajar un mes más, así que, agradecidas, guardamos los trajes en sus fundas y salimos. También pedimos dinero, pero nuevamente, no nos sorprendimos cuando la respuesta fue negativa.

"¡Vosotras no preocupar!", nos tranquilizó el Sr. Lee. "Lunes, (en cuatro días) pagar dos semanas y trescientos dólares de discotecas".

"¡Sí, claro!", me burlé.

"¡Lo creeré cuando lo vea!", dijo Louise.

"Sí, está bien, Sr. Lee", sonrió Sharon.

"Oh, por cierto," dijo el Sr. Lee señalándome. "Tu hermana llegar día cinco".

"¡Que Dios la ayude!", contesté.

Al final, trabajamos en el Academy un total de tres días ((incluyendo la audición). Durante este tiempo, Louise me llamó la atención sobre el hecho de que, durante el número de apertura, Sharon había empezado a mover los brazos de manera diferente, de modo que su boa de plumas, estaba en una posición diferente a la nuestra, y en otras partes, había decidido no mover el brazo con la boa. Tal vez esta era su manera de compensarse por no ocupar un lugar central en las discotecas, pero cualquiera que fuese la razón, Louise lo encontró extremadamente molesto.

"¿Qué está pasando con las boas?", preguntó, enfrentando a nuestra jefa cuando terminamos el espectáculo.

"¿Qué quieres decir?", respondió Sharon.

"Bueno, has empezado a hacer movimientos diferentes a los de Michele y los míos".

"No importa, porque estoy en el medio".

"Se supone que debemos ser un trío", comenté. "Entonces, ¡todas debemos hacer lo mismo!"

"Eso no es estrictamente cierto, porque si estás en el centro, ¡no importa!"

"¡Por Dios bendito!", le contesté. "¡Claro que importa!"

"Déjalo", me dijo Louise. "¡Con una mentalidad como esa, estás malgastando saliva, Michele!"

Después de más de tres meses en compañía de Sharon, la idea de tener que aguantarla por otros tres, era una perspectiva desalentadora. Lentamente me estaba volviendo loca con sus interminables novios, la incapacidad de hacer su trabajo correctamente y su incesante necesidad de ser el centro de atención todo el tiempo.

Nuestro último show en el Academy fue el 28. ¡De hecho, vimos cómo le finiquitaban al Sr. Lee el contrato! Esto significaba que una vez más, nos quedábamos con los spots del Diamond solamente. Y con la actitud de Sharon por haber sido relegada al podio lateral, predije, que nuestros días allí, también estaban contados.

El domingo 30 nos encontró a Louise y a mí, como invitadas en la base del ejército de Uijeonbu. Fue un respiro bienvenido a nuestro monótono y aburrido estilo de vida. ¡Esta vez, sabiendo lo que se esperaba, respetamos el saludo de las cinco!

Pasamos el día en el comedor, paseando y viendo videos. Estaba en mi elemento cuando apareció una de mis películas favoritas, "Charlie y la fábrica de chocolate", protagonizada por Gene Wilder. Jim nunca la había visto e insistí en llamar su atención, cada vez que alguien iba a cantar. Dos tipos en la mesa de al lado, que obviamente eran grandes fans como yo, comenzaron a tararear la música. Más tarde, otro soldado afroamericano de un metro ochenta, empezó a pulular de un lado a otro de la sala, cantando con la de los Umpa Lumpas. ¡Fue surrealista!

Como de costumbre, cuando salimos de la base, mi espíritu se desplomó ante la idea de volver a la realidad.

Los siguientes días fueron bastante monótonos: trabajar, comer, llamar al Sr. Lee por dinero, no recibirlo y dormir. Pero como siempre, en el fondo de nuestras mentes, estaba la inevitable amenaza del desempleo si el contrato en el Diamond terminaba en unos días.

Durante este tiempo, frecuentábamos regularmente 'Wendy 's', un restaurante de franquicia estadounidense, que tenía recipientes de plástico vacíos y un buffet de ensaladas. La idea era que los clientes llenaran un táper con la mayor cantidad de comida posible y, mientras se pudiese cerrar la tapa, pagabas un precio fijo en la caja. Nos volvimos bastante hábiles encajando comida en esos recipientes, comer algo para el almuerzo y llevar el resto al hotel, para comer más tarde como tentempié y picoteo. ¡Ya estábamos empezando a economizar inconscientemente previendo el caso de la inanición forzada que se vaticinaba!

A la tarde siguiente, Jim se dio una vuelta para ver a Louise. Yo estaba en mi lado de la habitación, pensando en mis propios asuntos, cuando me percaté de que deseaban que desapareciese, ya que, obviamente, querían un poco de intimidad.

"Escuchen, ustedes dos", dije con decisión. "Voy al tejado del hotel, estaré allí una hora, ¿de acuerdo?" No esperé una respuesta. Reuniendo un libro, una bebida y mis materiales de escritura, los dejé solos y me dirigí a la azotea.

Realmente disfruté mi hora de soledad en la azotea y me quedé más tiempo de lo que había planeado. Fue un sentimiento fantástico estar aislada de todos. Tener un poco de privacidad por una vez, después de más de tres meses de estar constantemente acompañada, fue una experiencia emocionante. Sin embargo, cuando decidí regresar a la habitación, me vi obligada a volver arriba en contra de mis deseos.

Mientras serpenteaba lentamente por las escaleras del hotel, molesté inadvertidamente a una rata bastante grande, que estaba husmeando, atendiendo a sus propios asuntos. Inmediatamente se tensó, adoptó una postura defensiva y luego, se adentró en la oscuridad de la escalera. Una vez allí, siseando para constatar su existencia, corrió hacia atrás y hacia delante en las sombras y se preparó para lanzarse.

¡Me quedé helada! Si corría hacia abajo, asumí que, pensaría que la estaba atacando y tomaría represalias, pero si me iba hacia arriba, ¿me seguiría? Me di la vuelta con movimientos dolorosamente lentos. No lo hice a la ligera, ya que me sentí mal al darle la espalda a mi adversaria, un roedor atrapado, que podría saltar sobre mí atacándome desde atrás. Luego, con la adrenalina disparada por las venas como un tren fuera de control, subí corriendo las escaleras tan rápido como pude, de vuelta al tejado, rezando en silencio para que no me siguiese.

Media hora más tarde, me animé a reiniciar el descenso; oídos atentos al menor ruido y los ojos moviéndose de izquierda a derecha, para detectar el menor movimiento. Afortunadamente, la rata se había ido, pero no pude respirar aliviada hasta que entré en la habitación. Sabía que había bichos detrás de las paredes ¡pero había asumido estúpidamente que se quedarían allí!

El cinco de agosto, un sábado, fecha en la que se suponía que llegaba mi hermana, apareció el Sr. Lee en el hotel. Esperábamos ingenuamente, los 1.500 dólares prometidos, que nos debía.

"Vosotras tomar. ¡Yo no poder pagar todo!", dijo y tuvo el valor de entregarnos cien dólares a cada una.

"¿Esto es una puta broma?", dijo Louise con vehemencia, arrugando el único billete en su puño, que luego sacudió amenazadoramente ante la cara de nuestro agente.

"¿Dónde está el resto?", grité.

"Necesitamos nuestro dinero, Sr. Lee", dijo Sharon en voz baja.

"¡Esta semana, es imposible!", respondió y caminó por la habitación como un animal de circo enjaulado. "¡Imposible!"

"¡Déjelo, está desgastando la moqueta!", dije. Al verlo caminar hacia arriba y hacia abajo, podía sentir mi ira aumentando.

"Dar vuestro dinero semana próxima", dijo.

"¡Eso es lo que dijo la semana pasada!", grité. "¡No es más que un mentiroso! No sé cómo tiene el valor de pedirnos que prorroguemos el contrato dos meses más. ¿Qué incentivos nos está dando para quedarnos aquí? ¡Una mierda! Ha pasado de pagarnos un lunes a pagarnos un viernes. ¡Por algún sitio, hemos perdido el salario de una semana!". Todas las semanas es la misma rutina; ¡Tenemos que suplicarle nuestro salario y estoy harta de eso!

Cuando finalmente liberé mi ira reprimida y compartí con Lee parte de lo que pensaba, me sentí bastante liviana. Para mí, era bueno llevar los pantalones, en lugar de mantenerme bajo el ala de Louise, dejar que ella hablara y yo respaldarla.

Louise, por otro lado, me miró con asombro y luego se echó a reír. Por alguna razón, vio el lado divertido de mi arrebato.

"¡Oh! ¡Venga, dale, sin miedo, Michele!", dijo ella, apenas dominándose.

"¡No me parece gracioso!", le espeté. Estaba muy furiosa con el estúpido Sr. Lee. "¡No volveré a trabajar hasta que consiga mi dinero!"

"¡Oh, tú hacer lo que querer!", respondió el Sr. Lee.

"Está bien, entonces, danos nuestros billetes a casa".

Él me ignoró y se volvió hacia Sharon.

"Vosotras terminar mañana en Diamond. Lunes, vosotras viajar a Taejon. Contrato dos semanas".

"Oh, está bien, Sr. Lee", respondió Sharon sonriendo.

La cara de Louise cambió e inmediatamente dejó de reír.

"Bueno, espere un minuto, Sr. Lee. No me voy a mudar a otra provincia con menos de cien dólares en el bolsillo", dijo.

"¡Yo tampoco!", confirmé.

"¡Iremos SIEMPRE y CUANDO, nos pague TODO el dinero que nos debe!", declaró Louise.

El Sr. Lee caminó hacia la puerta con un resoplido, apretando los puños y sacudiendo la cabeza. Cuando se iba, se dio la vuelta y me señaló.

"¡Tu hermana no venir hoy!"

"¡Bueno! ¡¡Sería mejor para ella si no viniera en absoluto!", respondí.

11

DOS SEMANAS EN TAEJON

El lunes siete de agosto por la mañana, estábamos sentadas en la habitación del hotel listas para ir a Taejon, pero en vilo, nos preguntamos si el Sr. Lee pagaría o no. Estábamos decididas y por una vez, todas de acuerdo, en defender nuestra postura y nos negaríamos a irnos, a menos que obtuviésemos nuestro dinero. Afortunadamente para nosotras, el Sr. Lee no sólo pagó todo lo que nos debía, sino que también pagó la factura de teléfono pendiente en la recepción, lo que fue un gran alivio.

Pasamos el día viajando hacia la provincia de Taejon y nos detuvimos en un pequeño pueblo llamado Young Song. En lugar de en un hotel, la furgoneta se detuvo frente a un edificio de dos pisos, que parecía un pequeño albergue juvenil, en medio del campo. Mientras contemplábamos nuestro destino desde el interior de la Bongo Van, el Sr. Lee entró para negociar una tarifa.

"Vosotras esperar aquí!", ordenó.

Diez minutos más tarde nos hizo señas para que entráramos. Arrastramos nuestras pertenencias por el corredor, los recuerdos de nuestra llegada a Corea pasaron inadvertidamente por mi mente, mientras seguíamos a una anciana coreana que caminaba por el pasillo sombrío y finalmente abría dos puertas. Las habitaciones eran tan minúsculas, que nos vimos obligadas a separarnos. Louise y yo tomamos una y Sharon tiró sus bolsas en la otra.

"Bueno, ¡esto es genial!", dijo Louise, mirando a su alrededor con una expresión de disgusto, "¡No hay suficiente espacio ni para tirarse un pedo!", me eché a reír, pero su afirmación era completamente precisa.

Las habitaciones eran extremadamente básicas. Había una cama doble, una silla y una pequeña mesa desvencijada, sin armario o cómoda y, nuestra habitación tenía un agujero en el techo, de aproximadamente un metro y medio cuadrado, ¡que parecía sospechosamente como si un inodoro, hubiese caído del piso superior y el techo nunca hubiese sido reparado!

"¡Espero que nadie pueda atravesar ese agujero en medio de la noche!", dije.

"¡Podrían espiarnos desde arriba!", contestó Louise mientras se ocultaba en la polvorienta oscuridad. Ambas oteamos alrededor y suspiramos al unísono. "¡Genial! ¡Parece que viviremos con las maletas por armario!", se quejó Louise.

"Lo sé, es un poco extraño, ¿no es así? Quiero decir, ¿qué tipo de hotel no tiene armarios?", le contesté.

"Humm, muy extraño", respondió Louise pensativa.

Mientras continuábamos mirando alrededor de nuestro escaso entorno, el Sr. Lee nos reunió a todas en el pasillo.

"Ok, vosotras trabajar esta noche. Aquí no como Seúl. Aquí, vosotras hacer dos shows diferentes. Vosotras hacer tres spots de discoteca. Spots pagar a vosotras con dinero de espectáculo".

"Está bien, Sr. Lee", respondió Sharon.

"¡No!", atestiguó Louise. "¡De ninguna manera! ¡Conseguimos dinero extra por las discotecas! Nos dijo que las discotecas siempre eran dinero extra".

"¡Sí, lo hizo!", confirmé.

"Sí ... aquí ser diferente. Diferente a Seúl" Nuestro agente suspiró.

"¡Qué sorpresa!", respondí.

"¡Eso no va a pasar!", se quejó Louise.

"¡Vosotras no preocupar, vosotras no preocupar! Yo hablar gerente discoteca", dijo. (Si alguna vez lo hizo, nunca obtuvimos dinero extra). "Nosotros ir, ¡nosotros caminar!"

Cuando salimos serpenteando, aparentemente sin rumbo, a través de tranquilos caminos rurales, pasando por un bosque y un pueblo pequeño, asumimos que era simplemente una repetición del extraño comportamiento de nuestro agente aquel día en Seúl, cuando nos había llevado a todas a dar un paseo y a tomar un helado. Lo atribuimos a otra de las peculiaridades del Sr. Lee, creyendo que en realidad no había ninguna razón para ello.

Sin embargo, al final, nos detuvimos frente a un club nocturno llamado "Casanova".

"¡Aquí vosotras trabajar!", Nos informó el Sr. Lee. "Y..."

"¿Y qué?", le requerí.

"Aquí, vosotras no tener conductor ".

"Entonces, ¿quién nos va a llevar al trabajo, Sr. Lee?", preguntó Sharon.

"¡Vosotras caminar! ¡Nosotros caminar ahora, vosotras caminar después!"

"¡Fantástico!", expresó sarcásticamente Louise.

¡Entré en pánico, ya que no había prestado atención a la ruta! ¡No tenía ni idea de cómo habíamos llegado allí y estaba segura de que nunca encontraría el camino de regreso!

"¡Sólo caminar diez minutos!", continuó el Sr. Lee. "¡No haber problema!"

"¡Sí, claro, más bien, veinte!", respondí. "¡Y volver en la oscuridad a las dos de la mañana, será una historia totalmente diferente!", era una perspectiva aterradora para nosotras.

"Tendremos que volver caminando juntas", declaró Louise. "¡No me apetece ir más allá de ese bosque en medio de la noche! ¡Estará completamente oscuro!"

Esas horas anteriores a nuestra primera actuación en Taejon, ensayamos el segundo show, que no habíamos realizado durante meses. Debido a la falta de espacio, nos vimos obligadas a practicar en el pasillo del pequeño y extraño 'albergue'. Habíamos olvidado partes diferentes de las rutinas, pero afortunadamente, lo que una había dejado en el olvido, otra lo recordaba.

No me acordaba de toda la rutina 007 y tuve que coreografiar de nuevo algunas partes. Tenía muchas ganas de trabajar, principalmente, hacer el segundo show, fue un cambio en nuestra aburrida rutina.

Mientras practicábamos, un flujo constante de parejas que entraban o salían del pasillo, nos interrumpieron regularmente. Todos parecían un poco sorprendidos cuando nos veían. Cada pareja se detuvo bruscamente y parecía no saber a dónde ir, o qué hacer, como novatos bajo un foco en un escenario por primera vez.

Obviamente, mostraron estupor al encontrar a tres extranjeras vestidas con pantalones cortos y tops, que ensayaban rutinas de baile en el pasillo. Después de la sorpresa inicial al descubrir que no estaban solos, los que llegaban, de inmediato se sentían avergonzados y nerviosos, y luego, buscando a tientas las llaves, se apresuraban en entrar en los pequeños dormitorios.

"Humm! Interesante ...", dijo Louise, sumida en sus pensamientos después de que eso pasase varias veces.

La miré y me encogí de hombros. Me preocupaba más la idea de hacer el segundo show, recordar las rutinas y guardar los trajes y accesorios adecuados.

A pesar de que el Sr. Lee nos dijo que tendríamos que caminar hasta el lugar, esa primera noche, tuvimos el "privilegio" de ser conducidas al club nocturno en una van Bongo.

La entrada al club era pequeña, con un letrero de neón rojo y un tramo de peldaños tapizados con una alfombra, también roja, que conducían al club. Más luces rojas parpadeando en el techo, que se encendían y apagaban incesantemente, de inmediato me hicieron preguntarme en qué sala de iniquidad estábamos condenadas a trabajar en este tiempo.

Una vez dentro, fuimos escoltadas a través del lugar hasta el incorrectamente llamado vestidor, que parecía ser más un almacén que cualquier otra cosa. Las pilas de sillas y los viejos podios de madera, ocupaban la mayor parte del espacio del suelo, mientras que el resto, parecía albergar pedazos de basura dispersos: viejos paquetes crujientes, ollas de fideos y palillos chinos. Todo estaba lleno de polvo y olía a humo, como si los bichos se hubieran acurrucado y murieran allí. Barrimos las nubes de polvo de tres de las sillas y, sintiéndonos completamente desilusionadas, organizamos nuestros trajes lo mejor que pudimos.

Parece ser, que el Sr. Lee nos había dicho, que acabaríamos haciendo un spot antes del primer show y más tarde, uno o dos seguidos del siguiente espectáculo.

"¡No se olvide de decirle al gerente que nos pagan extra por la disco!", le advirtió Louise.

"¡Sí, sí!" Nuestro agente la alejo espantándola con las manos. "¡Sharon, yo ver vosotras después de primer show!", dándose la vuelta, rápidamente salió de la habitación.

Unos minutos más tarde, apareció el gerente y le pidió a Sharon que lo acompañara al escenario un momento. Cuando regresó, llegó con el `chip´ de trabajar puesto

"Está bien, aquí, sólo hay dos podios", nos informó. "Así que vosotras podéis hacer el primer spot de discoteca".

"Sorpresa-sorpresa", murmuró Louise mientras buscaba a tientas sus trajes.

Cuando terminé de prepararme, mi nivel de molestia estaba aumentando lentamente pensando que, probablemente, iba a estar trabajando gratis, mientras que Sharon se sentaría sobre sus posaderas sin hacer nada. La fulminé con la mirada y sentí ganas de gritar. Estaba sentada con su kimono, abanicándose y comiendo chocolate. Su estómago, literalmente, colgaba fuera del bikini en las rutinas de apertura y me molestaba mucho cada vez que engullía por su boca más basura.

Louise y yo salimos al lugar para ver por primera vez dónde pasaríamos los próximos quince minutos. Las mesas estaban cubiertas con manteles naranjas que chocaban severamente con la alfombra roja y la iluminación. Ubicamos los dos podios de madera negra, que también parecían ser un poco extraños. En primer lugar, estaban colocados en unas zonas extrañas del club, en el centro de la clientela, en lugar de colocarse a un lado del escenario como era la costumbre en Seúl. Además, eran extremadamente bajos, lo que era una perspectiva desalentadora. Esto infería que seríamos objetivos más vulnerables y fáciles para hombres borrachos con manos errantes.

Afortunadamente para nosotras, la primera noche fue relativamente tranquila. El club sólo estaba medio lleno y la clientela se comportaba bastante bien.

El Sr. Lee desapareció rápidamente después del primer show, evitando deliberadamente tener que hablar con nosotras o con el gerente. Nos dejó para enfrentar esa situación solas. Encontrar al jefe del club nocturno y exponer nuestro caso sobre la discrepancia del dinero con respecto a los spots, sabíamos que le entraría por una oreja y le saldría por la otra, como era de imaginar.

"¡No entiendo!", repetía continuamente.

"Vamos, vamos", dijo Louise, resignándose a la inevitable verdad de que no obtendríamos el dinero, "¡Estamos perdiendo el tiempo!"

Al terminar el trabajo a las 2:00 am, estábamos muertas de hambre, así que, hicimos nuestro segundo paseo del día; esta vez, en busca de comida. Desde el comienzo de nuestro viaje a Taejon, sólo había comido dos galletas secas y cuatro trozos de Kimbap, el equivalente coreano del sushi japonés (rollo de alga con arroz).

"Tengo mucha hambre, ¡me podría comer un caballo con sarna!", dijo Louise mientras caminábamos por la calle. Sus ojos se iluminaron de inmediato cuando señaló un pequeño café. "¡Mira, tienen chuletas de cerdo! ¡He soñado con chuletas de cerdo recientemente!"

"... ¡Me parece bien!", respondió Sharon, así que nos agrupamos dentro.

Como de costumbre, estaba muy limitada en cuanto a lo que podía pedir que no contuviera carne, así que pedí una "ensalada mexicana", sin saber realmente qué esperar. Supuse que sería una base de lechuga y tomate, con algunos extras incluidos. Esperamos con impaciencia nuestra comida, pero cuando llegó, nos sorprendió desagradablemente.

"¿Qué demonios es esto?", se quejó Louise, mirando en estado de shock su plato de "chuletas de cerdo".

Sharon levantó un trozo de carne con la punta de su cuchillo y arrugó la nariz con disgusto.

"¡Esto no se parece a ninguna chuleta que haya comido antes!", dijo. La carne era totalmente plana y, en apariencia, se parecía a pescado en pan rallado.

La ensalada no era mejor. ¡No se parecía en nada a ninguna ensalada que hubiera comido en mi vida! Alrededor de los bordes del plato, había varias piezas de papel de arroz, superpuestas entre sí y sobresaliendo por los lados. ¡En el medio había un amasijo de algo, que no parecía en absoluto apetecible!

"¡Mira esto! ¡Básicamente parece que alguien ha vomitado en mi plato!", me quejé. Entonces lo probé. "¡Urgh! ¡Sabe igual que se ve! ¡Creo que estaré sobreviviendo a base de kimchi y arroz la próxima quincena!", suspiré.

"Créeme, esto no es mucho mejor", respondió Sharon, mientras Louise estaba de acuerdo asintiendo y haciendo una mueca.

"¿Para qué demonios son estos?", dije sacudiendo el papel de arroz.

"Eso es para darle un toque continental", bromeó Louise.

"¡Y estos no son los precios de Seúl!", comentó Sharon, "¡Nos va a costar una fortuna quedarnos aquí!"

Después de nuestra desastrosa comida, emprendimos la caminata de veinte minutos en total oscuridad a nuestro albergue. Cuando finalmente nos acercamos al establecimiento, nos sorprendió verlo completamente iluminado como un árbol de Navidad.

"Ahora, todo tiene sentido", dijo Louise, señalando el cartel. "¿Ves esa palabra allí, Yeogwan?" (Estaba escrito en inglés).

"¿...Si...?"

"Bueno, estaba hablando con Amy y ella me dijo, que estos son como moteles, y son utilizados por parejas jóvenes. ¡Las habitaciones se alquilan por hora!"

"¿De qué estás hablando?"

"¡Maldita sea, Michele! ¿Tengo que explicártelo?", dijo Louise con exasperación. "¡Es un hotel del amor! Las habitaciones se alquilan por una hora para que las personas puedan venir y tener relaciones sexuales".

"¡Oh!", dije mientras caía en la cuenta. "Eso explica el por qué no hay armarios ni cajones!"

"¡Precisamente!", contestó Louise, haciéndome equiparar sus habilidades de deducción a las de Sherlock Holmes.

"¡Ahora sabemos por qué todos se sorprendieron al vernos ensayar en el pasillo!", dije, y me puse a reír. "Probablemente han estado planeando una cita secreta, tratando de ser discretos y sin ser descubiertos, ¡y estábamos bailando en el pasillo, arruinándolo todo!" Todas nos reímos.

"Bueno, ¡eso pone nuestro último alojamiento en un mínimo histórico!", gimió Sharon.

"¡Urgh!", dije. "¿Te imaginas cuántos fluidos corporales diferentes habrá en los colchones ...?"

"¡Oh, Michele, cállate!", respondió Sharon. "¡Que desagradable! ¡Eso es asqueroso!"

"... ¡Y vamos a dormir encima de ellos esta noche!", agregué ¡Un pensamiento inquietante!

Tras cinco minutos de dormir sobre el mugriento colchón. Nos despertaron con un constante golpeteo en la puerta.

"¡Michele! ¡Louise! Vamos, abrid. ¡Abrid! ¡Levantaros, rápido!"

"¿Es Sharon ...?", preguntó con un bostezo. "¿Qué quiere?"

Cuando Louise abrió la puerta, nos sorprendió ver a nuestra jefa vestida para el trabajo. Con maquillaje de escenario completo, sus medias de red sobre el brazo y sujetando el estuche de maquillaje, parecía extremadamente agitada y estresada.

"¿Qué demonios estás haciendo?", preguntó Louise, frotándose los ojos.

"¡Venga! ¡Levantaros! ¡Vestiros, vamos a llegar tarde al trabajo!", dijo Sharon instándonos a movernos.

Louise y yo observamos nuestros relojes, luego nos miramos y nos encogimos de hombros. Louise se echó a reír.

"Sharon, son las nueve de la mañana!"

"No, son las nueve de la noche. ¡Nos hemos quedado dormidas!"

"Sharon. ¡Mira el cielo, hay mucha claridad!", respondió Louise.

"¡No, ese es el cielo antes de que empiece a oscurecer!", argumentó Sharon. "¡Venga!"

"Creo que ella quiere decir el atardecer", dije de lado. "Detente un momento, Sharon, y sólo escucha ..." Continué levantando mi dedo para darle efecto. "¡Puedes oír los pájaros! ¡Son las nueve de la mañana!"

Finalmente, amaneció. Ella nos creyó.

"¡Vuelve a dormir, Sharon! ¡Y no nos despiertes de nuevo!", dijo Louise mientras giraba a Sharon por los hombros y la empujaba ligeramente en dirección a su propia habitación.

"¡Vaca mema!", murmuró Louise mientras volvía a la cama.

En la tarde, mientras Sharon seguía durmiendo, Louise y yo dimos un paseo por la ciudad. No nos llevó mucho tiempo, ya que parecía ser una zona muy tranquila con muy poco que hacer o ver. Pasamos por unos campos de arroz y un vivero de ginseng, bosques y luego llegamos al centro de la ciudad.

Deambulamos por las calles y nos apartamos de los caminos trillados, donde, para nuestra consternación, encontramos seis perros hacinados en una pequeña jaula. Cuando nos dimos cuenta de que estaban situados detrás de un restaurante, pronto sumamos dos y dos, y supimos que estaban destinados a ser la cena de alguien. Mientras estábamos dando vueltas tratando de diseñar un plan con la intención de liberar a los perros, varios coreanos salieron del restaurante, uno blandiendo un cuchillo de carnicero, que nos dijeron que nos largásemos. Detestando la idea de no poder hacer nada para cambiar el destino de aquellos perros, fuimos obligadas a marcharnos. La imagen de aquellas caritas, que a día de hoy aún puedo ver claramente, nos rompieron el corazón. Ambas prometimos no comer en ese establecimiento ¡jamás!

Esa noche, después del primer show, uno de los miembros del personal vino al "camerino" para informarnos de que un caballero de la audiencia, deseaba hablar con nosotras y que debíamos sentarnos en su mesa.

"¡NO hago más consumación!", me enfurruñé. Cruzando los brazos, me arrojé sobre la silla más cercana. "¡Me niego a hacerlo! ¡No me voy a sentar a la mesa de nadie!"

"Sí, ¡este será otro regalo de promoción!", respondió Louise. "Como los malditos spots de discoteca. Yo tampoco lo haré".

Suspirando, Sharon miró al cielo, se puso un kimono y siguió al camarero. Sólo se había ido unos minutos cuando regresó sonriendo.

"¡Hey! ¡Nunca adivinaríais quién es! ¡Es el Sr. Sun de Kyongju!", dijo.

"Ah, bueno, ¡esa es otra historia!", dijo Louise. Asentí en acuerdo.

Nos alegramos de que se hubiera tomado el tiempo y el esfuerzo para tratar de vernos. Louise y yo nos pusimos nuestros kimonos y salimos a su encuentro. Parecía realmente complacido de vernos de nuevo. Nos invitó a una fuente de frutas tropicales y un par de bebidas, antes de que tuviéramos que ir a prepararnos para el segundo espectáculo. Fue agradable verlo y me hizo sentir mejor que finalmente, tuviésemos la oportunidad de despedirnos adecuadamente.

Después del trabajo volvimos a buscar comida. Esta vez

probamos un establecimiento diferente llamado `NOB Café´. Pedí un burrito de queso que costó 2 €. Comparado con los precios de Seúl, era caro, sobre todo porque, cuando llegó, consistía en dos pequeños triángulos de pan, con las rebanadas de queso más finas que había visto y un par de trozos de papel de arroz en medio.

"¿Qué pasa con esta gente y la imperiosa necesidad que tienen de poner papel de arroz con todo?", me quejé.

Sharon se encogió de hombros y mordió su burrito, que tenía el mismo tamaño que el mío: una rebanada de pan cortada por la mitad. Las tres seguíamos con hambre al terminar, pero éramos reacias a gastar otros 2 € en porciones tan pequeñas.

"¡Este lugar cuesta una fortuna!", protesté.

"Tendremos que comprar algunos aperitivos y comer en el yeogwan", respondió Louise. "No tenemos idea de cuánto tiempo estaremos aquí, es decir, el contrato podría extenderse. Tampoco sabemos cuándo podremos ver a Park de nuevo, por lo que necesitamos economizar".

Sharon y yo inspiramos y asentimos con la cabeza, sin sentirnos satisfechas por el hecho de que, nos habían dejado aquí a nuestra suerte, tiradas en Taejon, convenientemente olvidadas.

El miércoles 9 de agosto, fuimos a dar un paseo por la ciudad y decidimos probar un restaurante de hotel para el almuerzo, en lugar de los cafés y bares que habíamos frecuentado sin mucho éxito. Nuestra ubicación elegida fue el hotel Yu-Soung. Nos sentamos y esperamos a que algún miembro del personal se acercara a la mesa, pero todos los camareros parecían incómodos con nuestra llegada. En lugar de intentar servirnos, se agruparon como un rebaño de ovejas asustadas, murmurando entre sí y lanzando miradas de miedo en nuestra dirección. Según pasaban los minutos, perdí la paciencia.

"¡Adashee!" (Joven), grité haciendo señas a uno de ellos, a cualquiera de ellos, para que se acercara a la mesa. Tenía hambre y no estaba preparada para soportar su comportamiento recalcitrante por más tiempo.

Las chicas encontraron esto muy divertido, pero resolvió el problema, ya que uno de ellos se acercó de inmediato.

Una vez más, la comida era una cantidad minúscula en un plato redondo enorme. Mi ensalada se parecía a una ensalada y costaba un mundo.

"Es posible que finalmente nos haya pagado todo lo que nos debía, ¡pero dos semanas aquí nos dejarán peladas!", dije.

En la tercera noche, mientras me dirigía al camerino, pasé junto a un grupo de hombres, uno de los cuales decidió darme un azote.

"Oye, ¡¿qué crees que estás haciendo?!", grité, girándome y confrontándolo.

Cuando no obtuve respuesta alguna y él se quedó riendo con sus amigos como un adolescente pubescente, me vengué, dándole una fuerte palmada en el trasero. Al menos eso lo obligó a reconocer mi existencia. Hizo contacto visual y se mostró molesto por mis acciones.

Sintiéndome complacida conmigo misma, lo fulminé con la mirada y comencé a alejarme, pero bruscamente extendió la mano y me azotó de nuevo, mucho más fuerte esta vez. Inmediatamente girándose para juzgar las reacciones de sus amigos, volvió a reír. Contrataqué una vez más, golpeándolo de vuelta, más fuerte que la primera vez.

"¡DEJA de hacer eso!", grité.

En ese punto, él estaba frustrado. Me fulminó con la mirada, obviamente molesto porque las cosas no habían salido como le hubiesen gustado y sabiendo que ahora se veía bastante estúpido frente a sus amigos. Levantó la mano como si estuviera contemplando abofetearme en la cara, pero pareció pensárselo mejor y lentamente bajó el brazo.

Cuando me di la vuelta para alejarme por última vez, creyendo que la confrontación había terminado, me golpeó tan fuerte en el culo, que caí en una de las mesas, tirando botellas de cerveza por todas partes.

"¡Ja!", dijo, mientras yo, yacía boca abajo sobre la mesa. Me escupió a los pies, volvió a reír con más arrogancia y luego se alejó, sonriendo y bromeando con sus amigos que aplaudían.

Esa misma noche, cuando nos dirigíamos de regreso al camerino para cambiarnos, un hombre se acercó.

"Hola. ¿De dónde sois?", preguntó, de pie con las manos en ambas caderas, bloqueando nuestro camino.

"¡Hola! Somos de Inglaterra", respondió Sharon, sonriendo.

"¡Ha!", respondió con una mirada amenazadora en su rostro. Luego, apuntando dos dedos hacia nosotras, en un intento de parecerse a una pistola, entrecerró los ojos. "¡Disparo a los ingleses!", dijo, siniestramente.

"Bueno, ¿quién lo diría?", respondió ella. Nos mantuvimos firmes, hasta que el hombre finalmente se encogió de hombros y se movió a regañadientes, permitiéndonos pasar.

"No pensaréis que nos va a disparar mientras estamos trabajando, ¿verdad?", pregunté, recordando los boletines de noticias que habíamos visto en Seúl, donde coreanos disparaban a bailarinas extranjeras.

"¡Lo dudo!", dijo Sharon, poco convincente.

"¡No, no aquí!", respondió Louise, poco asertiva.

¡Comencé a desear que mi pistola de plástico 007 fuera real, completamente cargada para un caso de emergencia!

Después del espectáculo, durante el cual habíamos estado buscando constantemente entre la audiencia personajes maliciosos y cualquier cosa que pareciera un arma, nos retiramos a un pequeño café al otro lado de la carretera, donde podíamos calmarnos y tomarnos un refresco hasta que llegara el momento de regresar a trabajar.

Esto se convirtió en un hábito en las siguientes dos semanas. Sin embargo, rara vez nos sentábamos fuera de la cafetería sin que alguien se nos acercara. Afortunadamente, los encuentros con los coreanos en la cafetería fueron más livianos que en el club. Algunos estaban sorprendidos de ver a extranjeras en su ciudad y simplemente querían conversar con nosotras. A veces, no nos importaba, pero otras, particularmente cuando estábamos teniendo un mal día, hubiéramos preferido que nos dejaran solas.

En una de esas, un tipo se nos acercó y, en un intento de sacárnoslo de en medio, Louise adoptó un acento francés.

"¿Usted es de Francia? ¿No hablas inglés?", le preguntó el hombre.

"Muy poco", respondió ella con un perfecto toque francés.

"¿Y tú?", dijo, mirando en mi dirección.

"Muy poco; Hola, ¡cómo estás!", dije, ¡en la peor versión de un acento francés!

El hombre se quedó durante todo el tiempo del descanso y al final nos vimos obligadas a hablarle en inglés. Era inofensivo, pero nos hubiese gustado tener tiempo para nosotras mismas.

En otra ocasión, dos chicos nos pidieron nuestra dirección y me pareció muy divertido escribir:

Michele E. Northwood,
Pirado,
Los kimchi son gordos,

Inglaterra

Parecían bastante contentos cuando se fueron, dándonos un regalo; un pañuelo con la imagen de un faro. Automáticamente, me sentí culpable por mis tonterías.

Otra noche, uno de los miembros de la banda del club nocturno, un coreano, que insistía en usar siempre un sombrero de terciopelo, que juraba que era de California, se me acercó.

"¡Tengo que decir que eres muy hermosa!", dijo.

"¡Eh ... gracias!", respondí.

Inmediatamente, Sharon empezó a echar cosas en la maleta; aparentemente, no estaba contenta con que yo tuviese un admirador y ella no fuese el centro de atención.

"¿Te gustaría tener una cita conmigo?", preguntó en perfecto inglés.

"Lo siento, pero no puedo. Tengo un novio en Inglaterra ", le dije.

"Oh, bueno, respeto eso", respondió. "¿Saldrías conmigo a comer de todos modos, sólo como amigos?"

Acepté a regañadientes, pero luego le dije a Louise que me estaba arrepintiendo.

"¡No seas tonta!", contestó Louise. "Le has dicho que sólo quieres ser su amiga, por lo que no hay nada malo en conocerlo. Además, si consigues una comida gratis, es una ventaja definitiva, ¡porque sabes lo caro que es todo aquí!"

Tuve que admitir que ella tenía razón, pero al día siguiente, estaba muy nerviosa, ya que se acercaba la hora de la cita.

Llegó a tiempo y me fui con él, sintiéndome incómoda. Sin embargo, a medida que pasaba el tiempo y parecía más contento de estar en mi compañía, me relajé un poco. Me llevó a comer sushi en un restaurante japonés y también pude probar por primera vez el sake, el vino de arroz japonés. La conversación entre nosotros fluyó con bastante facilidad y en realidad, me encontré disfrutando de su compañía. Después me dejó en el yeogwan.

"¡Gracias por una agradable tarde!", dije.

Cuando me di la vuelta y comencé a irme, él tomó mi mano y se la llevó a los labios. Accedí, creyendo que iba a besarla, ¡pero inesperadamente, me mordió!

"¡ARGH! ¿Por qué hiciste eso?", espeté, frotándome el dorso de la mano, que ahora lucía un tatuaje temporal de sus dientes.

"¡Adiós!", respondió, con una sonrisa forzada, casi sarcástica en la cara. Sin más, ¡se giró sobre los talones y se alejó!

"¡Estúpido cerebro de Kimchi de California!", murmuré a su espalda. Los hombres en este país tenían algunas costumbres extrañas. ¡No sabía qué hacer! ¿Estaba él marcándome como su propiedad o qué?

¡Las chicas estaban tan confundidas como yo! Entonces, decidí enfrentarlo esa noche y preguntarle por qué había hecho algo tan extraño. Sin embargo, más extraño aún fue el hecho de que, la banda no apareció esa noche. De hecho, nunca los volvimos a ver. ¡Simplemente desaparecieron! La marca de sus dientes, sin embargo, permaneció en mi mano durante tres días completos, ¡un recordatorio duradero de mi extraña cita!

Esa misma tarde, después del trabajo, Louise y yo encontramos a Sharon preparando su bolso de viaje.

"¿A dónde vas?", preguntó Louise.

"Voy a Seúl esta noche a ver a Big Malc", respondió ella.

"No os preocupéis, volveré a tiempo para los espectáculos de mañana".

"¿Cómo vas a llegar allí?", le pregunté. No pude evitar admirar su nervio por viajar a otra ciudad, sola, en medio de la noche.

"En tren. Malc me ha dado todos los horarios de los trenes".

"¿Quieres que te acompañemos a la estación?", le pregunté.

"No, estaré bien."

Salió a las tres de la mañana, caminando por el campo en total oscuridad, para llegar a la ciudad y a la estación de tren.

Al día siguiente (12 de agosto), a medida que se acercaba la hora del espectáculo y no había señales de Sharon, estábamos empezando a preocuparnos.

"¡Tal vez ni siquiera llegó a Seúl anoche!", dije. "¡Quiero decir, le puede haber pasado cualquier cosa!"

"Bueno, en mi opinión, ¡es un poco estúpido viajar todo ese camino por tu cuenta!", respondió Louise. "¡Enfrentémoslo, destacamos como los pulgares en una mano, siendo extranjeras! Cualquiera podría haberla secuestrado".

"Lo sé. Podría estar en cualquier parte, ¿qué vamos a hacer?"

"Esperemos hasta después del primer show, si no ha aparecido para entonces, tendremos que llamar a la policía o algo así".

Louise se ofreció a hacer el solo de Sharon y volvimos a ensayar las rutinas en el pasillo del yeogwan, para consternación de las parejas clandestinas que se cruzaron con nosotras, en su camino hacia una hora ilícita de actividades sexuales. Más tarde, caminamos al trabajo preguntándonos dónde podría estar ella.

Al llegar al club, informamos al gerente de la ausencia de Sharon. Después del primer show y dos pases de discoteca, aún no había señales de ella y decidimos que sería mejor encontrar al gerente nuevamente y pedirle que llamase a la policía. Cuando salíamos del camerino, apareció nuestra chica alfa extremadamente nerviosa.

"¿Qué demonios te pasó?", dijo Louise.

"¡Lo siento, lo siento! ¡No pude conseguir un tren! Los horarios que me dio Malc estaban todos mal. ¡He tenido que pagar 65,000 wons (65 €) para volver aquí! "

"Bueno, será mejor que vayas a hablar con el gerente, ¡porque no es un héctor feliz!", le informó Louise.

Mientras Sharon se escabullía en una búsqueda frenética del jefe, Louise se volvió hacia mí.

"¡65,000 ₩ por un polvo! ¡Espero que sea de los que valen la pena!", bromeó.

Esa noche, a la hora designada para otro podio, ¡Sharon desapareció una vez más! Esta vez había vuelto al yeogwan para darse una ducha. En consecuencia, regresó quince minutos tarde a la siguiente sesión. Esto significaba que, una de nosotras tenía que cubrirla.

Tanto Louise como yo, le dijimos lo que pensábamos y que era necesario que empezase a asumir algo de responsabilidad. Después de todo, ¡se suponía que ella estaba al mando! No estaba dando un buen ejemplo. Por una vez, Sharon no respondió. Sabía que estábamos en lo cierto y a regañadientes, tuvo que tragarse nuestra bronca.

El domingo, a media mañana, Jim hizo una aparición sorpresa. Como supuse que Louise y su pareja, probablemente querrían añadir alguna marca más a la colección de fluidos del colchón, ¡pensé que sería mejor desaparecer! Yo seguía enfadada con Sharon, así que decidí ir al banco para cambiar algo de dinero y dar un paseo por la ciudad.

A la hora del almuerzo, decidí probar el hotel a la vuelta de la esquina del yeogwan para almorzar. Pedí `arroz con curry´, que, como su nombre indica, era un plato de arroz hervido, servido con una salsa de curry y verduras. ¡Tenía un precio razonable (para Taegon) y en realidad estaba delicioso! No podía esperar para contarles a las chicas sobre mi descubrimiento.

El "arroz con curry" se convirtió en mi alimento básico durante nuestra estadía en Taejon (para gran disgusto de Louise, ya que dijo que el olor a curry la hacía sentir mal). Habíamos reducido nuestra dieta a una comida al día y sólo comíamos fruta, galletas o patatas fritas, en un intento de prolongar nuestra solvencia. Estimamos que aquí, en Taejon, sólo con la comida, gastábamos tanto dinero en tres días, como en una semana entera en Seúl. El siempre esquivo Sr. Lee estaba siendo sólo eso, esquivo, así que no teníamos ni idea de cuándo, o incluso si, volvería a pagarnos.

Otro problema con respecto a la comida era que, el yeogwan, estaba lleno de hormigas, por lo que cualquier paquete abierto de comida se llenaría de insectos en cuestión de minutos. Un día, colgué una bolsa con media sandía en la pared, asumiendo ingenuamente que las hormigas no podrían escalar las paredes. Cuando volví más tarde, había dos líneas negras distintas de hormigas, de aproximadamente un centímetro de grosor, que subían o bajaban por la pared, llevando diminutos pedazos de mi fruta. La bolsa misma se retorcía con miles de insectos, lo que la hacía infructuosa (¡ja, ja!) para considerar comerla. Tratar de conservar cualquier alimento que no estuviera herméticamente cerrado, era una imposibilidad. Una mañana, me desperté y todavía medio dormida, rebusqué en un paquete de galletas. Estaba a segundos de darle un bocado, cuando algo me dio un mordisco. A través de los ojos nublados, me di cuenta de que mi galleta estaba llena de pequeñas hormigas marrones, ¡exactamente del mismo color que la galleta!

Esa noche, caminamos al trabajo acompañadas por Jim, quien había decidido venir y mirar. Se quedó para ver el primer pase y espectáculo en la discoteca, luego se fue, ¡probablemente por aburrimiento!

Después del trabajo, cuando regresamos al yeogwan, me di cuenta de que Jim, tenía la intención de pasar la noche con Louise, lo que significaba que estaba relegada a pasar la noche en la habitación de Sharon. Como ella y yo no estábamos en los mejores términos para hablar, debido a su viaje a Seúl y su aparición tardía el día anterior, no era algo que quisiera hacer. El ambiente era tenso cuanto menos, ¡pero no me apetecía forzar mi estadía en la habitación, para compartirla con Louise y Jim! Bueno, podría haberlo hecho, ¡pero habría sido un poco incómodo!

A la mañana siguiente, después de una noche de sueño agitado y despertar cubierta de picaduras de mosquitos; incluida una sobre mi ojo derecho, que parecía como si Sharon me hubiese golpeado. Fui con Louise y Jim a la estación de tren para ver a Jim abordar el tren de regreso al campamento base. Más tarde, Louise y yo dimos una vuelta por las tiendas y la ciudad, tratando de matar el tiempo.

En el camino de regreso al yeogwan, vimos a un granjero colocar una sábana blanca en el pavimento y cubrirla con pimientos rojos. (Normalmente se dejarían allí durante dos o tres días para secarse al sol). Insistí en tomarme una foto junto a los pimientos, ya que era la cosa más interesante que había visto desde que habíamos llegado a la pequeña ciudad.

El aburrimiento realmente nos dominaba. Durante el día, estábamos reducidas a tomar el sol, pero incluso eso, estaba demostrando ser bastante difícil. La idea original de usar la terraza de la azotea se nos quitó de la cabeza tras encontrarnos cara a cara, con un gran perro. No estábamos seguras de si era la mascota o la cena de alguien, y no queríamos saberlo, pero restringió severamente nuestras posibilidades para tomar el sol. El yeogwan no parecía tener ningún espacio exterior, por lo que tratar de encontrar un lugar alternativo donde pudiéramos recargar nuestros bronceados sin ser interrumpidas, estaba demostrando ser un problema.

No había absolutamente nada que hacer o ver en Young Soung. En esta última etapa del contrato, habíamos leído todos los libros que teníamos, al menos dos veces y habíamos escrito a casa más cartas de las necesarias. El `motel´ estaba rodeado de campos de maíz, arroz o pimientos y los habitantes de Young Soung, parecían dedicarse a las actividades agrícolas, que de nuevo no era algo en lo que pudiéramos involucrarnos activamente.

Las noches en el club también se habían vuelto bastante mundanas. Después de esa primera noche, el comportamiento de la clientela se parecía al de sus compatriotas de Seúl y generalmente, nos abordaban de una forma u otra cada vez que entrábamos al club nocturno. Debido al aburrimiento forzado, llegamos a la conclusión de que nuestra única opción viable, era comenzar a divertirnos durante el espectáculo.

"En mi opinión", dijo Sharon una noche, "¡La población masculina de Young Seoung preferiría ver un video sobre la cría de pollos, que ver a tres locas emplumadas!"

"¡Y tanto! Estoy de acuerdo", le contesté. "¡Creo que reaccionarían mejor si usara un par de botas de agua verdes, para la rutina de James Bond, en lugar de mis botas negras, altas!".

"¡Sí, también deberíamos cambiar las letras de las canciones!" Louise estuvo de acuerdo. "En lugar de `Finger on the Trigger´, debería ser: `Finger on the tractor´".

"¡Sí!". me reí, "Y en lugar de `All right now ´, podríamos cantar All rice now".

Para demostrar que teníamos razón, decidimos "rediseñar" nuestros trajes. Un atuendo que estaba compuesto por un leotardo rojo con una falda negra y plateada brillante y un sombrero a juego, fue el primero en tener una perspectiva diferente. Tomamos prestadas las boas de plumas rosas del número de apertura y metimos parte de ellas dentro de los sombreros. Colocamos el resto literalmente en la cara sin apenas poder ver, luego las envolvimos alrededor de nuestras cinturas y las dejamos colgar como una cola detrás de nosotras. ¡Estábamos absolutamente ridículas!

Lo extraño fue que los pocos miembros de la audiencia, que realmente se molestaron en mirar, no pestañearon. No creo que pensaran que era algo inusual, o tal vez en sus ojos, ¡fue una mejora! ¡De todos modos, nos hizo reír! Sharon, probablemente tratando de demostrar que en ocasiones podía actuar responsablemente, se negó a participar. Su única respuesta cuando salimos del escenario fue:

"¡No me puedo creer que hayáis hecho eso!", se rio ella.

Las chicas de Taejon tenían los mismos pasatiempos que las bailarinas de disco de Seúl; cada noche, en los diversos clubes donde habíamos trabajado, las chicas coreanas se sentaban y comían diminutas astillas de pulpo seco. Encendían sus mecheros y calentaban suavemente la carne seca durante unos segundos antes de morder el bocadito salado y masticar ... y masticar ... y masticar.

Su otro pasatiempo era coser. Muchas de las chicas tenían elaborados tapices y bordados que representaban escenas típicas coreanas: pagodas, tigres, paisajes, etc. Siempre me habían gustado ese tipo de cosas y estaba desesperada por encontrarlas.

En Seúl había intentado en varias ocasiones averiguar dónde podía comprar uno, pero nunca parecía hacerme entender. Cada vez que salía de compras en Itaewon, buscaba mercerías, pero era en vano. Era un misterio para mí. Obviamente, no poder leer coreano no ayudó, pero ahora estaba más desesperada que nunca por comprar un par. Sabía que me ayudarían a pasar el tiempo, aliviarían el aburrimiento y también, pensé que serían buenos recuerdos de mi tiempo en Corea.

Esa noche, me acerqué a una de las chicas y señalé el papel publicitario que parecía estar dentro de cada kit. Representa otros kits de tapicería disponibles. ¡La chica me entregó el papel antes de que tuviera que preguntar! Me emocioné mucho, como una niña con un juguete nuevo. Finalmente, tuve mi primera pista sobre el paradero de los tapices.

"Tendremos que salir e intentar encontrar los kits aquí, en Taejon antes de irnos", sugirió Louise.

"Sí, eso sería genial", le contesté. "¡Al menos nos dará una misión, algo que intentar y lograr mientras estemos aquí!"

Esa noche después del espectáculo, cuando comenzamos la caminata de veinte minutos a casa, estábamos pasando por el borde del bosque, cuando Sharon rápidamente se agarró de nuestros brazos.

"No miréis ahora", susurró con los dientes apretados. "¡Pero creo que nos están siguiendo!" Así que, por supuesto, ¡nos dimos la vuelta de inmediato!

"¡Mierda!", exclamó Louise. "¡Creo que acabo de ver a alguien esconderse detrás de ese árbol!"

"¿Qué árbol?", pregunté, mientras mirábamos en la penumbra.

"¡Ese!", respondió ella, ¡señalando hacia una zona con unos cien pinos!

"No puedo ver nada", dije entornando los ojos en la oscuridad de la noche.

"Sí, ¡pero eres más cegata que un murciélago!", respondió Louise.

"Sigamos caminando ... ¡pero más rápido!", sugirió Sharon.

Nos agarramos de los brazos y aceleramos el ritmo. Sin hablar, nuestros oídos estaban sintonizados para detectar el menor sonido.

En cuestión de segundos, oímos las ramitas crujir, como si un solo paso pesado, hubiera causado el ruido.

"¿Escuchasteis eso?" Sharon susurró ásperamente.

"¡Sabemos que estás ahí! ¡Vete a la mierda!", gritó Louise en la brumosa oscuridad.

Recibimos silencio como respuesta, que parecía acentuado por el tranquilo aire de la noche. Me sentí como si participara involuntariamente, en una película de terror predecible, donde el resultado, siempre era el mismo: ¡...y las chicas fueron asesinadas, una a una!

Luego se rompió otra ramita.

"¡CORRED!", gritó Sharon. No necesitábamos oírlo dos veces. Corrimos a lo largo del camino rural, tan rápido como fue humanamente posible al llevar con nosotras las bolsas de maquillaje, las de los trajes, vestidas con medias de malla y chanclas. No miramos hacia atrás, ni dejamos de correr hasta que estuvimos dentro del yeogwan, y la puerta cerrada firmemente detrás de nosotras.

"Eso es todo, ¡nadie debe salir sola!", declaró Louise.

La noche siguiente, volvió a pasar lo mismo. Tan pronto como llegamos al bosque, Louise creyó ver a alguien acechando entre los árboles y luego oímos ramitas que se rompían bajo sus pies.

"¿Crees que realmente hay alguien allí, o crees que estamos exagerando, nerviosas e imaginándolo?", le pregunté. "Podría ser un animal ..."

"¡Ni lo sé, ni me importa!", respondió Louise. "¡Sólo mantén los ojos y los oídos bien abiertos y avancemos!"

La noche siguiente, después de los shows, Louise y yo teníamos hambre, así que salimos en busca de comida sana y barata, ¡una búsqueda imposible! En lugar de esperar por nosotras, por alguna razón desconocida, Sharon decidió caminar sola hacia el yeogwan. Cuando regresamos y pasamos junto a la puerta de su habitación, ésta estaba abierta. Ella estaba sentada en la cama, esperándonos. Se mecía hacia atrás y hacia adelante, con las piernas pegadas al pecho.

"¿Estás bien? ¿Qué te pasa?", pregunté.

"¡Vi al hombre!", dijo ella, "¡El hombre del bosque! ¡Me siguió todo el camino de regreso al motel!"

"¿De verdad? ¿Qué hiciste?", le pregunté.

"¡Correr! ¡No había nada más que pudiera hacer!"

"¿Estás bien?"

"Más o menos, ¡pero fue realmente aterrador! Me escapé gritando".

"¿Cómo era? ¿Lo conocemos?", preguntó Louise.

Sharon pareció pensar durante un segundo antes de responder:

"¡...estaba muy oscuro para verlo claramente!"

De vuelta en nuestra habitación, Louise se sentó a reflexionar sobre la conversación.

"¿Sabes qué? Creo que está fingiendo para llamar la atención. ¡No creo que haya pasado nada!"

Cuanto más insistía en el tema, más me inclinaba a estar de acuerdo. ¿Por qué dejaría abierta la puerta de su habitación, cuando el establecimiento estaba abierto al público? El hombre pudo haber entrado en cualquier momento. ¡Si eso me hubiera pasado a mí, habría cerrado la puerta y construido una barricada detrás de ella!

¡Si el incidente realmente ocurrió o no, el hombre misterioso nunca fue visto ni escuchado de nuevo!

El viernes dieciocho nos encontramos con un grupo de cinco bailarinas australianas, que actualmente se encontraban en Taejon y trabajaban en otro club nocturno llamado "Kiss". A diferencia de las tres chicas que habíamos encontrado en el aeropuerto y el grupo de cinco que habíamos conocido brevemente en el Diamond, estas chicas eran muy amigables. En consecuencia, empezamos a salir juntas después del trabajo.

A pesar de que se quedaban en Taejon, las llevaban cada noche en furgoneta, para hacer varios espectáculos.

Como de costumbre, sentí mucha envidia por la cantidad de clubes en los que actuaban en comparación con nosotras. Llevaban más tiempo que nosotras en Corea y nunca habían tenido que bailar en podios o hacer consumaciones.

Una noche, una de las chicas, Fiona, finalmente logró hablar conmigo a solas.

"No sé cómo decirte esto, pero ... todas habíamos oído hablar de tu grupo antes de que coincidiésemos", dijo en voz baja.

"¿Oh si...? ¿Cómo es eso posible?", pregunté desconcertada. "¿Qué has oído?"

"Bueno, ¡sois la comidilla en Seúl!"

"¿Qué quieres decir?"

"Bueno, tenéis un apodo ..."

"Continua..."

"Bueno", dijo ella bajando la mirada. "Os llaman el 'desfile de los elefantes' debido al tamaño de tus dos amigas. Quiero decir, obviamente, no se refiere a ti, pero aun así ..."

"Huh! Eh ... bueno, gracias por decírmelo ... ¡supongo!"

"Lo siento, sólo pensé que deberías saberlo", dijo.

"Está bien, sí, bueno, ¡gracias!", respondí, sintiéndome avergonzada y enojada. ¡Hablando de poner un poco de tristeza en tu día! Me quedé con emociones enfrentadas. Una parte de mí estaba contenta de que Fiona me lo hubiera dicho, porque hasta ese momento había vivido constantemente con la esperanza de que las cosas cambiarían. Esta revelación fue lo que necesitaba para enfrentar la realidad. Me había estado engañando a mí misma. Las cosas nunca iban a mejorar. El momento en que habíamos estado trabajando en tres shows y discotecas durante tres meses en Seúl, había sido lo mejor a lo que llegaríamos.

"¡Vamos, anímate!", dijo Fiona, empujándome juguetonamente con el codo. "... aunque, para ser honesta, si estuviera en tus zapatos, ¡sentiría lo mismo!", dijo dándome una palmadita en el hombro.

En ese momento, nos metimos en una de las "carpas para trabajadores" ubicadas en la carretera. Esta era más grande que las de Seúl y también servían comida, así como alcohol. Una vez que recibimos nuestra cerveza OB, que sentí que necesitaba en ese momento, nos percatamos de tres hombres que ya estaban instalados en una mesa larga. Uno de ellos señaló un acuario, en el cual, dos pulpos languidecían ociosamente en el fondo, y le dijeron a la camarera que querían uno. La mujer se acercó a su mesa con un plato de hojas de lechuga y un plato con dientes de ajo pelados, ambos del mismo tamaño. Personalmente, pensé que se estaba precipitando un poco, ya que asumí que el pulpo tardaría bastante en cocinarse. Sin embargo, por un momento había olvidado que esto era Corea.

La camarera sacó a una de las pobres criaturas del tanque con un par de pinzas, la colocó sobre una tabla de madera, levantó su cuchillo y BANG, ¡quitó los ocho tentáculos de un golpe!

"¡¡¡¡URGH!!!!"

"¡OH DIOS MÍO!"

“¡¡ARRRGH!!”

"¡QUÉ BRUTA!" ... fueron sólo algunas de las interjecciones que emitimos, cuando emplataron los tentáculos ondulados y se los llevaron a la mesa.

Observamos atónitas mientras los hombres agarraban una lechuga, colocaban en su interior un diente de ajo, aliñaban con un poco de aceite y luego recogían un tentáculo (todavía retorciéndose) y lo colocaban dentro de la hoja. Luego la lechuga se enrollaba, se doblaba por la mitad y se comía entera.

Se repitieron las vociferaciones anteriores, y se expresaron algunos insultos en voz alta, que provocaron que los hombres se encogieron de hombros o se rieron de nuestras reacciones.

"¿Cómo es que se mueven aún los tentáculos?", preguntó Sharon.

"¡Porque los nervios no se han muerto todavía!", explicó una de las australianas.

"¡Eso es tan asqueroso!", respondimos algunas.

Los hombres encontraron nuestras expresiones faciales muy divertidas y decidieron ofrecernos un tentáculo que se retorcía. No lo comimos, pero pasamos el resto del tiempo en que se retorció, diseccionándolo en pedazos más pequeños para ver cuándo se detendría exactamente.

Al día siguiente salí sola a comer y a pasear por las tiendas. Las palabras de Fiona estaban constantemente revoloteando por mi mente, haciéndome sentir irritable y molesta. Necesitaba un poco de tiempo para mí.

No les había dicho a mis compañeras de baile lo que se había dicho. En primer lugar, porque no les hubiera gustado escucharlo y, en segundo lugar, a fin de cuentas, no cambiaría nada.

Esa tarde, el Sr. Lee apareció inesperadamente. Dijo que había recordado traer el correo, pero no el dinero, ¡entonces, no hay sorpresas!

"Vosotras terminar en Casanova lunes noche. Vosotras ir pocos días vacaciones Seúl", nos informó.

Todas sabíamos lo que eso significaba; varios días sin trabajo ... ¡eso, con suerte!

"No quiero unas vacaciones, Sr. Lee. ¡Vine aquí a trabajar!", le espeté.

"¡No hay trabajo, ni dinero! ¡Qué alegría!", respondió Louise.

"Está bien, Sr. Lee", sonrió Sharon.

"Vosotras trabajar, vosotras trabajar, ¡primero vacaciones!", dijo el Sr. Lee, ignorando a Sharon y mirando directamente a Louise.

"¡Sí, claro!", respondí sarcásticamente.

Esa noche, mi estado de ánimo estaba por los suelos mientras repasaba los acontecimientos de los últimos dos días. Ya había tenido suficiente y estaba lista para irme a casa. ¡La idea de regresar a Seúl, al sucio Central Hotel y además de eso, no trabajar, fue exasperante! Odiaba ser empujada de un lugar a otro por antojo de otra persona, pero al mismo tiempo sabía que estaba en una situación de indefensión e incapaz de hacer nada al respecto.

Esa noche en el trabajo, mi moral no había mejorado, así que cuando salimos para hacer el último podio de la noche para una audiencia de una sola persona, estuve a punto de estallar. Nuestro único cliente en todo el club estaba tan borracho que se había desmayado con la cabeza apoyada en la mesa y los brazos colgando balanceándose lentamente, recordándome a un chimpancé que languidecía.

Sharon subió a su podio a pesar de todo e inmediatamente comenzó a sonar la música. Mientras tanto, me subí a regañadientes al mío y me quedé allí. Mi mente estaba acelerada. Estaba tan furiosa. ¿Cómo me había dejado arrastrar a esta situación? ¡Estábamos haciendo estos podios y ni siquiera nos pagaban dinero extra por ellos! Estaba molesta conmigo misma, las chicas, Corea, con todo.

¡Decidido! Pensé. *¡Me largo!* Salté con paso firme y pasé al lado de una Sharon aturdida.

"¿Qué estás haciendo?", susurró.

"¡ME NIEGO a estar en ese podio durante quince minutos y bailar gratis en una habitación vacía! ¡Esto es ridículo!"

Sharon no lo pensó dos veces y saltó a mi lado.

"Estaba a punto de decir lo mismo", dijo.

¡Seguro que sí! pensé. "¡Venga, vamos!", dije.

El lunes por la mañana me había calmado y tenía una misión. Era la última oportunidad de ir a Taejon en la difícil búsqueda de tapices. Armadas con la hoja de papel que representa los kits, Louise y yo nos acercamos a un hombre que paseaba por la calle y le espeté el papel en la cara.

"¡Ah!", dijo y, girándose sobre sus talones, nos indicó que lo siguiéramos, así que lo hicimos.

"Esto parece prometedor", dijo Louise mientras el hombre corría por la calle.

"¡O no!", respondí mientras se detenía frente a una floristería.

"¡No!", le dije, comenzando a molestarme al instante, "¡Tapices, para coser!" Imité la acción de costura.

"¡Ne, ne!" (¡Sí, sí!) Insistió, guiándonos hacia la puerta.

"¡Estúpido cerebro de kimchi!", murmuró Louise, pero nos quedamos allí de pie cuando abrió la puerta de la tienda y todas mis esperanzas comenzaron a desvanecerse.

"¿Aquí?", le pregunté de nuevo. "¿Estás seguro?"

"¡Ne, kŭrŏssŭmnida!" (¡Sí, lo estoy!).

Louise y yo nos encogimos de hombros y entramos.

"¡Esto no pinta bien!", cantó Louise mientras mirábamos a nuestro alrededor, flores, jarrones, papel de regalo y otros accesorios asociados con las flores.

Una mujer emergió de la parte trasera de la tienda y se acercó a nosotras con cautela, mirándonos de arriba abajo. Parecía tan dudosa acerca de nuestra visita como lo estábamos nosotras.

"¿Si?"

"Eh ... ¿esto?", dije extendiendo el papel.

"¡Ahh!", exclamó y nos hizo señas para que la siguiéramos a la trastienda.

Todavía convencidas de que estábamos en el lugar equivocado, nos encogimos de hombros, pero decidimos seguirla.

Allí, en la parte posterior de la tienda, había un pequeño cubículo con casilleros, lleno del suelo al techo, con kits de tapicería. Señaló mi papel y me preguntó cuál quería. No podía creer mi suerte. ¡Estaba en el séptimo cielo! ¡Era la cueva de Aladino de la aguja! Señalé tentativamente un enorme tapiz que representaba a un grupo de bailarines coreanos y una pagoda, que era mi diseño favorito. Ella asintió y lo bajó de un estante. Le mostré otro que mostraba tigres en el bosque, seguido de un tapiz con ciervos en las montañas, otro de un atardecer y un quinto, parte de dos mujeres plantando semillas en el campo.

Cuando le pregunté el precio de cada uno, me sorprendió. Cada kit de tapiz completo, con material y toda la lana necesaria, costaba sólo 22,000 Wons (aproximadamente 22 €). Los más pequeños costaban unos 4 €.

"¿Cuál vas a comprar?", preguntó Louise.

"¡Todos!", contesté. "Puedo enviarlos a casa. ¡Esto me mantendrá ocupada durante años!"

"¿Son caros, en comparación con Inglaterra?", preguntó Louise.

"¡Ha! ¿Estás bromeando? ¡Ni siquiera podría comprar un tapiz con lo que pagaré por todo esto!", le contesté.

La mujer se mostró sorprendida cuando se dio cuenta de que quería hacer una compra a granel, pero estaba extremadamente feliz cuando le entregué 67,000 won (aproximadamente 67€). Mi búsqueda había terminado, aunque eso significase vivir de los fideos Ramen durante la próxima quincena, al menos ahora tenía algo para matar el tiempo mientras estábamos sin trabajo en Seúl.

12

VOLVER A SEÚL

El martes por la mañana, 22 de agosto, nos sentamos en el yeogwan cada vez más irritadas y desilusionadas a medida que los minutos pasaban dolorosamente lentos. Rodeadas de nuestras pertenencias, que estaban empaquetadas y listas, esperamos en un estado de total ignorancia con respecto a la tardanza de nuestro conductor, el Sr. Lee.

Apareció una hora y media más tarde de lo que había dicho. No se disculpó ni dio ninguna explicación por el retraso. Sin embargo, nos ayudó a cargar la furgoneta con todas nuestras pertenencias antes de llevarnos de regreso a Seúl.

Apenas hablamos en el viaje de regreso. Cada una de nosotras contemplaba en silencio qué podía depararnos el destino en este nuevo capítulo de nuestra historia en Corea. Tuve una clara sensación de hundimiento, cuando la Bongo Van se detuvo frente al Central Hotel. Miré a las otras; parecían tan decaídas como yo.

La habitación que nos asignaron esta vez era la 701, que era extremadamente pequeña. En el momento en que dejamos caer nuestras cosas en un rincón, teníamos que trepar sobre las camas para ir al baño, ¡o incluso para salir de la habitación!

"¡Esto es una pesadilla!", se quejó Sharon arrojando una bolsa sobre la cama elegida, "¡No hay suficiente espacio ni para darse la vuelta!"

"Sí, y el aire acondicionado es patético. Está encendido, pero no echa aire frío. ¡Va a ser un suplicio dormir en esta habitación!", dije, mientras estaba de pie en mi cama y jugueteaba con los botones del aire acondicionado.

"¡Y escuchad esos rasguños ...!", agregó Louise, mientras escuchábamos distintos ruidos de aplastamiento y chirridos dentro de las paredes. "Ahora podemos escuchar las ratas dentro de las paredes, y es de día. ¡Que Dios nos ayude esta noche!"

"¡Mientras se queden detrás de las paredes, a mí me vale!", le contesté, recordando mi confrontación con la rata en la escalera.

"¡Esta es la forma en que Lee intenta reducir costes!", respondió Louise. "¡No es capaz de encontrarnos trabajo, por lo que no puede darse el lujo de conseguirnos una habitación más grande!", asentimos con la cabeza, sabiendo que tenía razón.

A la mañana siguiente, nuestro agente llamó a la puerta. Él era la última persona a la que quería ver. Habíamos pasado una noche terrible, dormimos poco, aunque una descripción más acertada sería: ¡dormimos nada! Nos habían plagado hordas de mosquitos, el calor era abrumador y los ruidos de arañazos de roedores dentro de las paredes, resultaban inquietantes.

Haciendo caso omiso de nuestras quejas y moviendo el dinero bajo nuestras narices en un intento de aplacarnos, nos dio la paga de dos semanas de nuestro tiempo en Taejon y nos dijo que disfrutáramos de nuestras "vacaciones" involuntarias.

No es que nos hubiese dado más opciones así que, con algo

de dinero, nos dirigimos al Popeye en Itaewon para encontrarnos con Amy y su nuevo novio, el Sr. Kyong.

Nuestra breve visita programada se convirtió en una sesión maratónica de cinco horas, ya que el Sr. Lee también estaba allí cuando llegamos. Estaba de buen humor, o más bien, había tomado varias bebidas espirituosas antes de que apareciéramos, y parecía estar de un humor extremadamente jovial. Nos dijo que estaba allí para conocer a un cliente, pero nos invitó a su mesa y, como parecía estar pagando, aceptamos de inmediato.

A medida que avanzaba la tarde y los miembros de nuestra fiesta improvisada se embriagaban cada vez más, el Sr. Lee se giró para mirarme.

"Oh, yo recordar. ¡Tu hermana venir mañana!"

Como era la tercera vez que me decía que ella estaba llegando y no había aparecido, no me lo temé en serio.

"¡Sí, claro, Sr. Lee!"

Hizo su saludo alemán para mirar el reloj. "¡Ella estar avión ahora!"

"¿Qué?"

"¡Sí! Ella estar avión ahora. ¡Mañana tu ver tu hermana!"

"¡Pobre incauta!", me encontré murmurando en voz baja.

A la mañana siguiente, decididas a intentar mantenernos positivas y pensar en nuestros días de desempleo forzado como si fuesen días festivos, decidimos hacer turismo en el Gran Parque de Seúl, un parque temático que ocupa 157.000 metros cuadrados y está ubicado dentro del bosque natural de la Montaña Cheonnggyesan.

El parque se compone de diferentes zonas, destinadas a la naturaleza, diversión y educación. En ese momento, sin embargo, sólo estábamos al tanto del parque temático y ahí es donde asumimos que nos llevarían. Nuestro conductor, por otro lado, debió asumir erróneamente que estábamos más inclinadas hacia la cultura y nos dejó en la reserva natural llamada Tierra de la familia Green.

Deambulamos un rato buscando en vano cualquier cosa que se pareciera a una montaña rusa, o un pobre y desafortunado coreano vestido como un personaje de dibujos animados a la luz del sol, pero todo lo que pudimos encontrar fueron árboles; 470 especies diferentes para ser precisa, y una variedad de flora y fauna que incluye 35 especies de aves, ríos circundantes y la montaña Cheonnggyesan.

Llamamos al conductor del taxi por varios nombres despectivos, en cuanto nos dimos cuenta de que nos había dejado en un lugar completamente diferente al que habíamos querido ir. Finalmente, logramos detener otro taxi y llegamos al parque de atracciones a primera hora de la tarde.

El parque se basaba en un parque Disney, con desfiles y atracciones. Sharon y yo empezamos a divertirnos, pero Louise no estaba de muy buen humor, porque mientras caminábamos, la nueva cámara que había comprado en Taejon unos días antes, ¡había explotado inesperadamente dentro de su mochila y se prendió fuego!

"¡Estúpido pedazo de mierda de kimchi!", había comentado, arrojando la cámara en el contenedor más cercano.

Tuvo que ser irritante, cuando le pasé mi cámara (una copia exacta de la suya) y le pedí que nos sacara una foto a Sharon y a mí en lo que parecía ser un primordial balancín. Había un pedestal en el centro, con una tabla de madera en la parte superior. Debajo de la madera, en ambos extremos, había sacos de arroz.

A diferencia del balancín británico donde los niños se sientan en ambos extremos, en Corea, el aparato fue diseñado originalmente para mujeres que tenían que colocarse de pie en ambos extremos. El juego fue ideado para que cada mujer saltara al final de la tabla de madera que catapultaba a su compañera hacia el cielo. Esto se originó en la antigüedad cuando a las aristócratas coreanas no se les permitía abandonar sus locales amurallados durante el día. Se cree que, si saltaban lo suficientemente alto, podrían ver por encima del muro y vislumbrar otro mundo.

Sharon y yo lo intentamos varias veces, pero nunca nos elevamos más de medio metro en el aire, en parte porque nos estábamos riendo demasiado y en parte porque las dos teníamos miedo de rompernos un tobillo.

Hubo muchas otras oportunidades para sacar fotos, ya que había varias esculturas de dragones y una enorme estatua de un león en la entrada. Incluimos a Louise en nuestras fotos, por supuesto, para que pudiera tener copias cuando hiciésemos nuestro viaje semanal a la tienda de fotografía.

Más tarde, decidimos visitar el zoológico, algo que había querido hacer desde mi cumpleaños. Sin embargo, en ese momento en particular, ahora que se había presentado la oportunidad, tenía serias dudas sobre si entrar. Al ver cómo trataban a la mayoría de los perros en Corea, además del estado de otros animales que habíamos encontrado durante nuestra estadía, tenía miedo de enfadarme si las criaturas estuvieran en malas condiciones.

Sin embargo, entramos y me sorprendió gratamente su status quo y los entornos que se habían creado para los diversos animales.

Cuando llegamos al recinto de elefantes, no pude contener mi lengua.

“¡Mira! ¡Un desfile de elefantes!”, espeté sin poder aguantar una carcajada.

Ambas chicas me miraron confundidas, con expresiones irritadas, pero no pude evitarlo.

Esa noche, de vuelta en el hotel, me informaron de que mi hermana había llegado. Como era de esperar, el grupo de tres chicas se instaló en el Central Hotel, así que fuimos a ver a las recién llegadas.

Las tres eran altas y delgadas y esperaba que tuvieran mejor suerte que nosotras. Nos dispusimos a sacarlas de paseo esa noche y llevar al nuevo trío a Itaewon, el "núcleo" de Seúl, para mostrarles las vistas y los sonidos de la vida nocturna allí.

Parecía que habíamos completado el círculo, las veteranas mostrando a las 'novatas' el entorno. La historia se repetía. Nuestro tiempo en Corea del Sur estaba llegando a su fin. El suyo, estaba a punto de comenzar.

Por mucho que disfruté enseñando a las chicas las vistas, me sentí extrañamente protectora con mi hermana pequeña. Me encontré mostrándole en profundidad el distrito rojo (el de las fulanas) y advirtiéndola de que tuviera cuidado de con quién se involucraba. Mi hermana asintió y suspiró condescendientemente, sin apreciar que se le hablara como a una niña. Sin embargo, hacia el final de la noche, me di cuenta de que mi hermana y yo definitivamente no estábamos cortadas de la misma tela. Ella estaba más preparada para Itaewon de lo que yo lo estaría nunca, y ¡sentí que probablemente estaba obstaculizando su estilo!

Más tarde, en Twilight Zone, les presenté el kimchi coreano, pero accidentalmente (a propósito) olvidé mencionar lo picante que era. El trío de Collier se echó a reír cuando las tres `nuevas´ tomaron un gran bocado y fruncieron el ceño con disgusto.

"¡Bienvenidas a Corea!", me reí.

Tres días después de la llegada de mi hermana, trabajaban cuatro espectáculos por noche y estaban alojadas en un apartamento muy bonito, con aire acondicionado, televisión por satélite, lavadora y terraza. Nosotras, por otro lado, vivíamos en una caja de cerillas, con el aire acondicionado defectuoso, trepando sobre las camas para movernos y todavía sin trabajo.

Nos enteramos de que el Sr. Lee había vendido el grupo de mi hermana a un agente diferente. Nos dio a entender que, "de hecho", no quería a ese trío.

"¡Coreografía ser misma que vosotras y ellas bailar como niñas pequeñas!", había dicho. Personalmente creo que necesitaba dinero y vender el trío era su mejor opción. También dudo que vendernos se le pasase por la cabeza. ¡No hubiese obtenido un precio tan lucrativo!

Según el grupo de mi hermana, su agente las visitaba todos los días y se reunía con ellas después del trabajo para verificar que todo estaba bien. Las había sacado a comer todas las noches desde que habían llegado. Se aseguró de que tuvieran al menos un refresco entre cada espectáculo y también les dio un subsidio de comida además de su salario. *¡Así... cualquiera!*

Aunque me complació que mi hermana pareciera haber caído de pie, hizo poco para mejorar mi estado de ánimo. Para el lunes 28, llevábamos sin trabajo cinco días y las "vacaciones" empezaban a ser muy tediosas.

"Telefonea a Park otra vez", le dijo Louise a Sharon. "¡Ya me estoy hartando! ¡Esta habitación es la peor, no puedo soportar quedarme aquí por más tiempo!"

Ella tenía razón. El aire acondicionado era tan malo, que la habitación se sobrecargó a los pocos minutos de nuestra llegada. Habíamos tenido que mantener la puerta y las ventanas abiertas para permitir un poco de flujo de aire. Desafortunadamente, la ventana abierta, fue tomada como una invitación para que toda la población de mosquitos de Corea, entrase para tomar un trago de sangre gratis, mientras que la puerta abierta, implicaba que cualquier vagabundo que pasara por allí tuviese acceso a nuestra caja de cerillas cada vez que lo deseara.

"Dile a Park que tenemos que trabajar y que se nos está acabando el dinero, ¡eso podría hacer que se saque las manos de los bolsillos y se ponga a trabajar!", sugirió Louise a nuestra chica alfa.

Sharon marcó el número con un suspiro.

"Hola, Sr. Lee, soy Sharon. ¿Hoy trabajamos? ... ¿No? ... ¡Oh! OK, gracias"

"¡Deja que lo adivine...!", dijo Louise suspirando.

"Dijo que hoy no trabajaríamos pero que puede que nos lleve a la isla de Cheju-do, que significa 'La isla de las mil abundancias'"

"¡Sí, claro!", respondió Louise sarcásticamente.

"¡Se ríe de nosotras, nos engaña para mantenernos tranquilas!", le contesté. "No puede encontrarnos trabajo. ¡No entiendo por qué no nos envía a casa!"

"Bueno, si no trabajamos, podríamos volver a Itaewon", respondió Louise.

"¡Cualquier cosa es mejor que quedarse en esta habitación!", respondí.

El martes fue otro festivo obligatorio. Teníamos dudas de ir a cualquier parte, ya que esperábamos recibir buenas noticias por parte del Sr. Lee. Además, como no teníamos idea de si, o cuándo, trabajaríamos de nuevo, y por ende, ganaríamos más dinero, los viajes extravagantes estaban fuera de discusión. Sin embargo, pronto descubrimos que incluso hospedarse en el hotel podría ofrecer algún tipo de entretenimiento, ¡aunque no fuera de la variedad más agradable!

Esa noche, Louise fue a la base del ejército para estar con Jim. Sharon y yo nos estábamos acostumbrando a dormir, o a tratar de hacerlo, con el calor y los arañazos detrás de las paredes, cuando, sin previo aviso, Sharon se incorporó y gritó.

"¡ARRGH! ¡Una rata acaba de pasar por debajo de mi cama!"

"¡¿Qué?! ¿Estás segura?" Inmediatamente me incorporé e instintivamente atraje las piernas hacia el pecho.

"¡SÍ! Pensé que había escuchado algo en mi bolsa, porque tengo algunos paquetes de patatas fritas y cosas de chocolate, y me pareció oír algo que se arrastraba. ¡Encendí la luz y se escabulló debajo de mi cama!"

¡Sin previo aviso, la rata salió corriendo de debajo de la cama de Sharon para esconderse bajo la mía!

Ahora, era mi turno de gritar.

"¡¡¡ARRGH!!!", en un instante, salté sobre la cama de Sharon con miedo. "¡Oh, Dios mío!", exclamé, agarrándome el pecho, "¡Llama a recepción, no podemos quedarnos aquí!"

Sharon alcanzó el teléfono y explicó la situación.

"¡Venga! ¡Rápido! ¡Hay una rata en nuestra habitación!", se volvió hacia mí. "Dijo que vendrá mañana. ¡Y luego simplemente, colgó!", explicó incrédula.

Por un segundo, me quedé estupefacta. *¿En qué lugar no harían nada ante una situación así? ¿En serio esperaban que durmiésemos en esta habitación?*

"Bien, venga, vamos a la recepción", le dije.

"Está bien, pero ¿cómo vamos a salir de la habitación sin que la maldita rata nos siga y nos muerda?", preguntó Sharon.

"¡Probaré esto!", me incliné frente a su cama y logré abrir la puerta sin poner el pie en la alfombra. "Perfecto, contaré hasta tres y luego corremos".

"Ok"

"¿Lista? ... Uno ... ¡Dos ... TRES!", salimos a la velocidad del rayo de la cama al corredor. Cerrando la puerta detrás de nosotras, nos dirigimos directamente a la recepción.

Cuando le dijimos al personal de recepción que queríamos cambiar de habitación y el por qué, nos encontramos con una risa histérica que, dadas las circunstancias, ambas consideramos completamente desconsiderada y frustrante.

"Entonces, ¡quiero hablar con el gerente!", dije firmemente.

Uno de ellos descolgó el teléfono, pero no hizo ningún esfuerzo para marcar un número. Los tres recepcionistas se quedaron sonriendo, murmurando los unos a los otros entre risitas. Fue completamente exasperante.

"¡Venga! ¡Quiero que llames al gerente!", grité.

Otro recepcionista señaló con un dedo en nuestra dirección.

"Volved a la habitación, yo iré a buscar rata", dijo. "Cinco minutos"

Lentamente volvimos al piso de arriba y nos sentamos abatidas en el pasillo durante unos diez minutos, esperando a que alguien viniera y resolviera el problema. Habíamos asumido de manera crédula que llegaría con el equipo necesario para atrapar a la rata, pero cuando caminaba por el pasillo hacia nosotras, parecía que tenía las manos vacías. Debajo del brazo llevaba dos trozos de papel atrapamoscas. Abrió la puerta, entró en la habitación y pegó el papel debajo de las camas.

"¡Mañana, no hay rata!", dijo.

Se sacudió las manos y se alejó, obviamente complacido con su trabajo. ¡Nosotras, por otro lado, estábamos bastante menos impresionadas! Nos quedamos de pie, boquiabiertas, incapaces de comprender el pueril intento de atrapar ratas que acabábamos de presenciar.

"¿Eso es todo?", grité detrás de él mientras se alejaba por el pasillo.

"¡Tiene que ser una broma!", exclamó Sharon, pero lamentablemente, no lo era.

"¡Ese papel atrapamoscas no es más que un adorno!", dije. "¡Sería una suerte atrapar un ratón, pero no una maldita rata! ¿Viste el tamaño de esa cosa?"

"¡Sí, parecía más un gato que una rata!", respondió Sharon: "Una cosa es segura, ¡no podemos dormir aquí!"

"Entonces," dije, cuadrando los hombros. "¡De vuelta a la recepción, creo...!"

Cuando bajamos en el ascensor, estaba furiosa y según nos acercamos a la recepción por segunda vez, mi mal humor aumentaba y, por si fuera poco, nos encontramos con más risas por parte de los recepcionistas.

Golpeé el mostrador de la recepción.

"¡Danos otra habitación!" Siseé con los dientes apretados.

Mientras persistían con sus molestas risitas, me incliné sobre el escritorio de la recepción, intentando agarrar a uno de ellos por las solapas del uniforme y sacudirlo para que se sometiera. Estaba tan llena de rabia que, en ese momento, le habría golpeado, si no hubiera dado varios pasos hacia atrás, de repente se detuvo la risa y agarró el teléfono.

Al creer ingenuamente que mis acciones, tono de voz y expresión facial eran la razón de su repentino cambio de actitud, era completamente inconsciente de que ya habían hecho planes para entretenerse.

"Está bien, vais piso seis. Preguntar por la habitación 619 ", dijo el recepcionista.

Nos dirigimos hacia el ascensor, sabiendo muy bien que el sexto piso estaba alquilado por horas. Incluso tenía su propio mostrador de recepción. Sin embargo, ambas acordamos que cualquier cosa sería mejor que dormir en una habitación con una gran rata. Quiero decir, ¡no era como si nunca antes hubiésemos dormido en colchones manchados de semen!

Cuando salimos del ascensor, nos encontramos a un recepcionista sonriente que, al vernos, sonrió aún más. Supe de inmediato que nos habían engañado.

"¡No hay habitaciones, no hay habitaciones! Ja ja ja ja ", dijo.

"La recepción dijo que la habitación 619", le informó Sharon. Esto le produjo una gran carcajada.

"¿Qué es tan jodidamente divertido?", dije en un tono tan amenazador que me asusté a mí misma.

"¡Ja ja! ¡619 es mi habitación!", respondió. Se las arregló para contener la risa, pero todavía estaba sonriendo. "¡Puedes dormir allí, pero yo duermo contigo! ¡¡Ja ja ja!!"

Ya había aguantado todo lo que podía tolerar de este estúpido hombrecillo de mierda y perdí totalmente el control.

"¡DANOS UNA PUTA HABITACIÓN!", grité en su cara. Ventilando toda mi frustración reprimida en el escritorio del pobre chico, ¡me puse furiosa! ¡Empujé el teléfono al suelo, luego la lámpara, el libro de registro y todo lo que no estaba pegado al mostrador!

¡Desafortunadamente, esto no ayudó a resolver los problemas, en lo más mínimo!

"¡UNA CHICA LOCA, UNA LOCA!", gritó repetidamente mientras recogía los artículos del suelo uno por uno e intentaba volver a poner su escritorio en orden.

"Perfecto, no estamos llegando a ninguna parte. ¡Vamos, llamemos al Sr. Lee!", dije marchando por el pasillo.

"No podemos telefonearlo ahora", dijo Sharon, recorriendo el pasillo a mi paso. "¡Estará dormido!"

"¡Que suerte!", le contesté.

De vuelta en nuestra habitación, de pie en la cama, lista para una retirada precipitada al primer indicio de un roedor, marqué el número de teléfono de nuestro agente y esperé. El teléfono sonó varias veces, tiempo durante el cual comencé a dudar de si debería despertarlo a estas horas tan intempestivas.

Un extremadamente aturdido Sr. Lee contestó el teléfono. Era tan útil como el personal de recepción, pero al menos escuchó y no se rio mientras yo gritaba y deliraba.

"Ok, yo arreglar mañana", dijo.

Cuanto más insistía, más repetía la misma frase.

"Mañana ¿Ok?"

"¡No, NO ESTÁ malditamente Ok!", grité y golpeé el teléfono. Entonces me eché a llorar. Intenté mantener el tipo, pero no me había llevado a ninguna parte. Sharon trató de consolarme poniendo su brazo en mis hombros. Nos miramos, demasiado cansadas y rotas para hacer o decir algo más.

Unos minutos más tarde, salimos de la habitación, cerramos la puerta detrás de nosotras y nos sentamos en el pasillo. No podíamos dormir, estábamos adormecidas, debilitadas y derrotadas. Nos sentamos en silencio contemplando nuestra situación, ambas demasiado cansadas para hablar. Llevábamos allí una media hora, sin atrevernos a aventurarnos dentro de la habitación infestada de ratas, cuando escuchamos el timbre del teléfono. Sharon se preparó, abrió la puerta y luego saltó como un resorte de la puerta a la cama para responder. Le seguí de cerca.

"Era el Sr. Lee", dijo ella, mientras saltábamos al pasillo y cerramos la puerta detrás nuestra. "Habló con el gerente y tenemos otra habitación".

Una vez más nos dirigimos a la recepción a través del ascensor. Desafortunadamente para nosotras, las puertas del ascensor se detuvieron a mitad de camino y se abrieron en el sexto piso. Tan pronto como el recepcionista estresado nos vio, me señaló.

"¡TÚ! ¿Cuál es su nombre? Eres muy mala, ¡Vete a la

mierda! ¡Que te jodan!", me gritaba mientras nos acompañó a la habitación.

"¡Encantador!", respondió Sharon.

"¡Qué te den a ti!", agregué mientras las puertas del ascensor se cerraban lentamente.

A la mañana siguiente, temprano, regresamos a nuestro "cuarto de ratas" para inspeccionarlo con cautela. El papel todavía estaba allí, se había movido de su posición original y ahora estaba adornado con varias huellas grandes de rata, pero como era de esperar, la propia rata había desaparecido. Tanteamos las bolsas nerviosamente con la punta de los dedos, rezando en secreto para que no hubiera más roedores dentro de ellas, mientras sacábamos nuestras pertenencias con cuidado.

Fue durante este proceso de eliminación que apareció Louise.

"¿Qué demonios está pasando?", preguntó ella. "Uno de los chicos en la recepción está de mal humor. Me estaba maldiciendo. Realmente lo has cabreado, Michele. ¿Qué diablos ha pasado?"

Le contamos lo acontecido la noche anterior y rápidamente ayudó a recoger las pertenencias y cambiar de habitación a la 722. Como tarea de último minuto, saqué una libreta.

"No quiero que nadie más pase por lo que hemos pasado", dije. "Les voy a avisar".

Escrito en un rotulador negro fue mi advertencia para todos los futuros clientes de habla inglesa. Decía:

"¡Cuidado, esta habitación tiene ratas!

¡No te quedes aquí!

¡Pide otra habitación!"

Por la tarde, cuando el Sr. Lee ya no contestaba al teléfono y estábamos entrando a nuestro noveno día sin trabajar, emprendimos el largo viaje en autobús a su oficina. Nos vio venir, estaba acorralado y no pudo escapar. A pesar de nuestra emboscada, mantuvo su billetera bien cerrada y nos dijo que, si no nos encontraba trabajo en los próximos días, podríamos irnos a casa.

No me atreví a sentir la más mínima euforia con esta noticia. ¡El problema era que, en esta última etapa del juego, ya no creía una sola palabra de lo que decía!

Salimos las tres a tomar una copa para ahogar nuestras penas y, a nuestro regreso al hotel, llamó nuestro agente.

"El Sr. Lee dijo que el viernes iremos a Chuncheon", nos informó Sharon.

"¡Que Dios nos ayude!", respondí sarcásticamente.

"¿Dónde trabajaremos?", preguntó Louise.

"No lo sé, no lo dijo, pero es trabajo, ¿verdad?"

No respondimos, las tres estábamos momentáneamente sumidas en nuestros pensamientos, contemplando nuestro destino.

Esa noche, Sharon salió a una cita y Louise y yo nos acomodamos para dormir en la nueva habitación. Estaba preparada para una buena noche de sueño, después de lo acontecido la noche anterior, pero no fue así. Desafortunadamente, otra rata decidió hacer su aparición en nuestra nueva habitación.

Inmediatamente bajamos a la recepción, donde Louise sólo tuvo que inclinarse sobre el escritorio de la recepción y decir:

"¡Danos otra habitación o te arrancaré la cabeza y te cagaré en el cuello!", ¡Y un juego de llaves se le entregó milagrosamente de inmediato!

Me gustaría creer que los recepcionistas no querían que repitiera mi actuación de la noche anterior, haciendo todo lo posible para que no tirase de nuevo las cosas del mostrador, pero, para ser sincera, creo que Louise obviamente había perfeccionado su aspecto truculento y combativo con el paso de los años, que ahora conseguía como quien come pipas. ¡Nadie iba a meterse con ella! ¡Sin embargo, estaba feliz de que la situación se resolviera tan rápido!

Regresamos a nuestra habitación con la nueva llave, pero estábamos tan agotadas que decidimos no mover las maletas hasta el día siguiente.

"Voy a dejar una nota en la puerta para advertir a Sharon", dijo Louise. Garabateando rápidamente en un pedazo de papel, lo pegó al exterior de la puerta:

Sharon
¡La rata ha vuelto!
Ahora estamos en la habitación 618.

Nos dirigimos a la nueva habitación y caímos en un sueño inestable. A la mañana siguiente, cuando nos despertamos, descubrimos de inmediato que Sharon no estaba con nosotras.

"Tal vez se quedó con uno de sus novios", le dije.

"Tal vez", respondió Louise, "pero no preparó la bolsa de viaje. De todos modos, vamos, movamos nuestras cosas de nuevo a esta habitación".

Nos dirigimos a nuestro cuarto anterior y nos sorprendió encontrar a Sharon dormida en su cama.

"¿Qué estás haciendo aquí?", le pregunté. "¿No leíste la nota?"

"Sí, la leí ..." dijo aturdida. "¿...Y...?"

"Bueno, me sorprende que te quedaras aquí, ¡cuando sabías que había una rata!"

"¡Oh! ¿Era una rata de verdad?", dijo ella. "¡Pensé que querías decir que el Sr. Lee había regresado!"

¡Las tres nos pusimos a reír!

13

DOS SEMANAS EN CHUNCHEON

El viernes, primer día de septiembre, fue nuestro viaje de Seúl a Chuncheon, una distancia de unos 46 kilómetros que nos llevó aproximadamente una hora y media.

"¡Oh, qué sorpresa!", murmuré mientras nos deteníamos frente a otro yeogwan.

Sharon me miró y suspiró abatida.

"¡Oh sí, toda una sorpresa!", intervino Louise.

Al igual que en el motel anterior, una anciana descontenta se arrastró por el pasillo y nos mostró las habitaciones. En comparación con los primeros alojamientos, estas habitaciones eran un poco más grandes, pero, aun así, eran básicas y definitivamente no tan limpias. Una vez más, Louise y yo tuvimos que compartir cuarto, mientras que Sharon se apoderó de la otra habitación.

"¡Perfecto, yo irme!", nos informó el Sr. Lee, poniendo cincuenta dólares en la mano de cada una. Pero no pudo escapar lo suficientemente rápido.

"¡Espere un minuto! ¿Qué hay del trabajo?", preguntó

Louise, de pie frente a la puerta y bloqueando su salida. "¿Dónde está el lugar? ¿Cómo llegamos allí?"

"Sí, ¿a qué hora son los espectáculos?", me uní.

"Primer espectáculo empezar once noche. Segundo espectáculo doce. Gerente venir diez en punto. Él contar todo.", con eso, se despidió y salió corriendo por el pasillo.

"No me gusta como ha sonado eso", comentó Sharon.

"Ni a mí", confirmé. "Todo suena un poco sospechoso. Definitivamente aquí está pasando algo que no nos está diciendo"

Esa noche, cuando nos acercábamos a nuestro último lugar de trabajo, acompañadas por el sonriente gerente, escuchamos los aullidos más horribles provenientes del interior.

"¿Qué demonios es eso?", pregunté, refiriéndome al terrible maullido.

"¡Oh no! ¡No me lo puedo creer!", gimió Louise. "¡Vamos a trabajar en un bar de karaoke!"

Sharon se echó a reír nerviosamente.

Las primeras impresiones de nuestro nuevo destino para bailar, no fueron buenas. Las paredes exteriores estaban cubiertas de tierra, desmoronadas y necesitadas de un repaso y una mano de pintura. Sin embargo, si pensábamos que el exterior estaba en mal estado, no era nada en comparación con el "vestidor". Uso la palabra a la ligera, ya que en realidad era un pasillo. Más estrecho que el que habíamos atravesado todas las noches en el club Diamond en Seúl. Este también tenía paredes inclinadas, pero con "características" adicionales, como enormes telarañas colgantes con arácnidos del tamaño correspondientes, GIGANTES; basura por el suelo, tuberías de agua oxidadas en el techo que goteaban constantemente sobre la alfombra ya empapada y todo el lugar estaba sucio. ¡Olía a una mezcla de moho, cerveza rancia, comida podrida y alfombras viejas empapadas!

Después del deprimente vestidor, se nos mostró la zona de baile, igualmente deprimente. En primer lugar, era totalmente imposible seguir una coreografía, ya que los instrumentos de la banda ocupaban la mayor parte del espacio. Todo lo que quedaba, era una delgada franja de tablas de madera, de aproximadamente un metro y medio de ancho. Había una pequeña pieza adicional que sobresalía, supuestamente utilizada como un podio para bailarinas. Dudé seriamente que el lugar hubiera tenido grupos de baile pisando aquellas tablas con anterioridad. Los cantantes borrachos, arrastraban las canciones en un micrófono, pero definitivamente, las bailarinas ¡no creo!

La falta de escenario hizo que estuviéramos relegadas a la pista de baile. Un área que estaba mal equipada para un espectáculo en el suelo, ya que la única iluminación existente, estaba en el escenario. Para nuestra primera actuación, nos acompañó la luz de dos bolas de discoteca, así que, básicamente, bailamos en la oscuridad y, ocasionalmente, nos salpicaban unas gotitas de luz cristalina de colores. El suelo estaba tan resbaladizo, que parecía una pista de hielo y nuestro primer espectáculo se parecía a un ensayo, fue un desastre; tropezamos, perdimos el equilibrio y nos deslizamos por el suelo en un vano intento de mantener el equilibrio.

De vuelta en el camerino, después del primer show, el ambiente no era muy jovial.

"Todos esos años de entrenamiento y exámenes de baile que hemos pasado, ¿y para qué? ¿Para trabajar en este agujero de mierda? ¡Es simplemente deprimente!", se quejó Louise, mientras intentábamos cambiar nuestros trajes sin que nos gotearan las tuberías oxidadas.

"El suelo está empapado", se quejó Sharon mientras perdía el equilibrio y pisaba la alfombra mojada. "¡No la pises con las mallas puestas, o tendrás los pies mojados toda la noche!"

"¡Es más fácil decirlo que hacerlo cuando los empleados del local, a su paso por el corredor, nos empujan hacia las paredes sucias!", me quejé.

El gerente, que parecía haber estado constantemente en segundo plano y siempre dentro de nuestra periferia, se acercó a nosotras, sonriendo mientras comenzábamos a vestirnos para el segundo espectáculo.

"¡No! No show ahora. ¡Ahora hacer disco!", dijo, señalando hacia el escenario.

"¿Qué?", gritó Sharon, hundiéndose en el largo banco que corría a lo largo del pasillo.

"¡Tienes que estar bromeando!", gimió Louise.

"¡Ahí vamos otra vez!", dije. "¡Este será otro regalo gratis, cortesía de Mr. Estúpido Park! Como lo hicimos una vez, ¡ahora lo está dando por sentado!"

Las chicas bajaron la cabeza abatidas. Sabían que yo tenía razón.

Sharon jugó su carta de "Soy la chica alfa" y decidió que Louise y yo deberíamos hacer el primer turno (*¡como si no lo viéramos venir!*). Como no habíamos traído ningún otro traje que no fuera del espectáculo, nos encontramos rebuscando en el estuche, improvisando de nuevo.

Diez minutos más tarde, Louise y yo nos dirigíamos a la zona del club. El gerente señaló el pequeño podio que sobresalía del escenario.

"¡Ve allí!", me dijo. "Tú", le dijo a Louise, "¡Sígueme!".

Mientras tomaba mi posición en el pequeño podio que sobresalía, observé a Louise mientras se encontraba literalmente caminando a través de los clientes hacia un podio que estaba detrás de la barra principal, en el centro de la sala.

Desde el momento en que tomó su posición, fue "atacada". Se encontró bombardeada con proyectiles en forma de cubitos de hielo, los hombres la escupían, o intentaban subirse al podio. Louise luchó valientemente, de la mejor manera que pudo. Se agachó y se desvió para evitar ser tocada por manos errantes u objetos ferozmente lanzados.

El personal del bar fue testigo de todo a través de unos ojos muertos y no hizo absolutamente nada por ayudar. Después de unos siete minutos de ataque constante, Louise no pudo soportarlo más. Saltó del podio y regresó al "vestidor". No la culpo. Sólo podía esperar que ahora, su ira no se proyectara sobre mí.

Cuando salí del escenario y regresé al pasillo, encontré a Sharon consolando a Louise que, como era de esperar, estaba llorando. El gerente vio lo que estaba pasando y me agarró del brazo.

"¿Cuál ser problema?"

"¿Cuál es el problema?", respondí con incredulidad. "¡El problema es este lugar! ¡Es un TUGURIO!", sólo le faltó darme las gracias, de ahí deduje que poco había entendido, ya que simplemente asintió y sonrió con una expresión de asombro en el rostro.

"Ahora cambias para próximo show. Empezar doce y media, la siguiente discoteca, una en punto"

"No, el segundo show es a las doce en punto", argumenté.

"¡Cambio de hora!", dijo y se alejó.

Me dejé caer en el banco con un suspiro, al lado de mis compañeras. Todas sentimos lo mismo, ¡profunda desilusión!

Después del trabajo, caminamos a casa en silencio. Sharon salió a buscar un teléfono y hablar con el Sr. Lee, pero regresó llorando.

"¡Él no quiere saber nada!", sollozó ella.

Louise llamó a Jim y ella también lloró, pero extrañamente, por una vez, yo no lo hice. Sentí que había llorado todas las lágrimas que podía derramar en Corea. Sólo estaba enfadada, extremadamente furibunda.

Al día siguiente, nos dijeron que no trabajaríamos las próximas dos noches. No pudimos establecer el motivo, pero Louise aprovechó esta oportunidad para ir a Uijeonbu a ver a Jim. Tuve visiones de quedarme sola en Chuncheon, pero Sharon no se fue, así que esa tarde, salimos a comer algo. Mientras estábamos comiendo arroz Om, dos jóvenes se nos acercaron. Querían hablar en inglés y ambos tenían un buen nivel. Después de las bromas iniciales, uno de ellos se inclinó sobre la mesa con una expresión de complicidad en el rostro. *¿Otro mordisco?*, temí.

"Entonces, ¿cómo es vivir tan cerca de la DMZ?"

"Eh ¿perdón?, pero, ¿qué es la DMZ", le pregunté.

"¿En serio no sabes qué es la DMZ?", respondió con incredulidad.

"¿No...?", dije, pero tenía la sospecha de que no me iba a gustar la respuesta.

"Bueno, algunos lo llaman Dead Man´s Zone (Zona del Hombre Muerto), pero el significado real es Korean Demilitarized zone (Zona Desmilitarizada de Corea)", explicó.

Nunca he sido muy espabilada, miré a Sharon, que se encogió de hombros. Ella estaba tan despistada como yo, así que le pedí que elucidara.

"¿No sabíais que estáis viviendo a sólo unos minutos de la frontera entre Corea del Norte y Corea del Sur?", preguntó sorprendido por nuestra falta de conocimiento.

"¡No puede ser!", intervine.

"Sí, la DMZ es una tierra de nadie, ¡lo que divide la totalidad de la península coreana por la mitad!"

"¡Guau!", respondí, si a eso se le puede llamar respuesta.

"Es básicamente una zona de guerra entre las dos Coreas", continuó, su sonrisa se ensanchó cuando mi boca se abrió de sorpresa. "Hay un protocolo estricto. ¡Si los soldados consideran que estás haciendo algo mal, como tomar fotos, por ejemplo, pueden disparar a matar!"

"¡No me jodas!", respondí.

"Sí, ha habido historias de balas perdidas que matan a transeúntes confiados..."

"¡Mierda!" Sharon se quedó sin aliento, inmediatamente mirando hacia arriba en busca de metralla.

"... ¡Podemos llevarte a los límites del país si quieres!", se ofreció. "¿Te gustaría ir?"

"Eh, gracias, pero no, gracias", le contesté. "¡Creo que nos lo vamos a perder!"

Sharon asintió vigorosamente para mostrar su conformidad. La idea de sobrevivir seis meses sólo para ser asesinada por una bala perdida, era una perspectiva desalentadora y razón más que suficiente para no aceptar la invitación.

Poco sabíamos que sólo seis meses después, el 3 de marzo de 1990, el cuarto túnel de infiltración construido por Corea del Norte se descubriría cerca de Chuncheon. Construido para montar un ataque sorpresa en el sur, el túnel se había infiltrado en Corea del Sur dos kilómetros y medio. Medía 182 centímetros de alto por 182 centímetros de ancho, suficiente como para marchar en filas, tres hombres hombro con hombro.

(*Tal vez los maullidos de los coreanos en el bar de karaoke, había servido para algo después de todo. ¡Seguro que su canto ayudó a disimular el ruido de la excavación del túnel!*).

Al día siguiente, por puro aburrimiento, me senté en el tejado con Sharon y tomé el sol durante tres horas y media. Esto me hizo cometer un pecado capital para una bailarina, ya que me dormí y olvidé quitarme las gafas de sol.

"¡Maldita sea! ¡Pareces el negativo de un panda gigante!", se burló Sharon cuando regresamos a las habitaciones.

Miré mi reflejo en el espejo y me encogí de hombros.

"Es cierto, pero me imagino que, como no trabajamos esta noche, mi bronceado tendrá la oportunidad de disminuir un poco. Y si no, ¡a quién le importa! ¡De todos modos, estamos bailando prácticamente a oscuras! ¡Dudo que alguien se dé cuenta!"

El lunes por la noche, justo después de que termináramos el primer espectáculo de la noche, actuando ante una audiencia de diez personas que estaban más interesados los unos en los otros que en nuestro programa, el Sr. Lee nos visitó en el vestidor / pasillo.

"Vosotras dar a mí muchos problemas! ¡Muchos problemas!", dijo, observando la escena dos veces, entrecerró los ojos cuando llegó a la altura de mi cara, que estaba bañada en base de maquillaje para ocultar mis ojos de panda.

"¡Huh! Créeme, no tiene tantos problemas como nosotras, ¡trabajando en este basurero!", le contesté.

"¡Es un agujero de mierda!", añadió Louise.

Nuestro agente, obviamente no estaba de humor para discutir. Sacudió la cabeza, nos alejó con pequeños gestos, como quien espanta moscas y se fue.

Me sentí extrañamente victoriosa. No pudo contraatacar. Me hizo darme cuenta de lo mucho que Corea me había endurecido. Había llegado sin apenas poder murmurar una palabra a nadie, pero en los últimos seis meses, había tenido que aprender a defenderme. Me di cuenta de que la única forma de sobrevivir en este mundo orientado hacia los hombres, era a través de la confrontación. Si no, al formar parte del sexo femenino, abusarían de ti una y otra vez; te menospreciarían e ignorarían.

Una hora más tarde, cuando el gerente vino a informarnos

que había cambiado la hora de nuestro último pase de discoteca de la 1:00 am a la 01:45 am, Louise y yo nos negamos rotundamente a hacerlo.

"¡No! ¡No puedes cambiar la hora cuando quieras!", argumentó Louise.

"¡No lo hacemos y punto!", respondí atacando.

"¡Soy el gerente!", respondió él, dictando su ley, golpeando el suelo con el pie y apretando los puños.

"¡Y no nos importa!", respondí.

Sharon, por otro lado, quien probablemente pensó que estábamos a punto de perder nuestro trabajo, rápidamente se puso un leotardo y le dijo que lo haría.

Pareciendo bastante abatido, el gerente miró en mi dirección.

"¿Por qué tú estar siempre enfadada?", preguntó.

No estaba segura de si su uso de "enfadada" se refería a que yo estaba loca, furiosa, o ambas cosas, por lo que repliqué con mi respuesta habitual:

"¡Porque, este lugar es un tugurio! ¡Es horrible, está sucio, y TÚ sigues cambiando los horarios! ¡Ya he tenido suficiente!"

"Bueno, ¡tal vez te vayas a casa!", respondió él, olvidando sonreír por una vez.

"¡Por mí, bien!", espeté, luego me mantuve firme y lo miré fijamente hasta que giró sobre sus talones y se alejó.

Mientras Sharon bailaba en el podio, Louise y yo nos calmamos y decidimos esperar a que terminara, para que no tuviera que caminar sola a casa. Supongo que ambas nos sentimos un poco culpables de que ella hubiera tenido que trabajar en nuestro lugar.

En retrospectiva, resultó ser una buena decisión porque, cuando salimos del club, encontramos al gerente esperándonos afuera.

"¡Venir, hablamos!", dijo, sonriendo otra vez.

Lo seguimos mientras él trotaba por la calle y debo admitir que sentí un poco de pena por él. Después de todo, probablemente estaba recibiendo órdenes de una autoridad superior y sólo hacía su trabajo. Nos invitó a comer, supuestamente para hablar sobre los shows, pero se emborrachó tanto, que dudábamos seriamente de que recordase todos los acuerdos cuando se despertase al día siguiente, ¡probablemente encubriéndose en una mega resaca!

Dos días después, el miércoles 6 de septiembre, las tres hicimos un viaje al banco más cercano para cambiar algo de dinero. Tan pronto como entramos en el establecimiento, nos sentimos como exhibiciones en un espectáculo de monstruos. Todos nos miraban fijamente, señalando y riendo detrás de las manos y, aunque esto era algo habitual para nosotras, por alguna razón, ese día en particular, ¡lo encontré extremadamente molesto!

Nos acercamos al mostrador y pedí cambiar dinero. La cajera coreana que, por alguna razón desconocida, estaba vestida con un atuendo tradicional coreano, me miró directamente a la cara, se rio detrás de su mano y luego salió corriendo. Cuando escuché más risas detrás de mí, estaba a punto de estallar.

"¡ESTÁ BIEN!", grité. "¡Os daré a todos algo para que os quedéis boquiabiertos y os riais de mí!", caminando hacia el centro del banco, comencé a cantar tan alto como me permitió la voz.

"ESTRELLITA DÓNDE ESTÁS, ME PREGUNTO QUÉ SERÁS..."

Una segunda cajera, corrió hacia el mostrador agitando los brazos hacia arriba y hacia abajo en un movimiento de calmarme.

"Señora, señora, ¡siéntese, por favor, espere un momento, por favor!", dijo, (¡aunque se veía completamente estresada por mi comportamiento inapropiado!)

"EN EL CIELO O EN EL MAR..."

Sharon se sentó con la boca abierta y Louise se estaba riendo tanto, ¡que pensé que iba a necesitar ir al retrete!

"UN DIAMANTE EN EL CIELO..."

Un guardia de seguridad se acercó a mí con cautela e intentó agarrarme del brazo, pero me encogí de hombros y continué cantando.

"ESTRELLITA DÓNDE ESTÁS..."

La segunda cajera se acercó a mí con nerviosismo y me puso unos billetes en la mano.

"¡Señora, por favor! ¡Aquí está su dinero!"

Cogí el dinero y, mientras caminaba hacia la puerta abierta, escoltada por el guardia de seguridad, Louise y Sharon, canté la última línea.

"¡ME PREGUNTO DÓNDE ESTÁS!"

Terminé con una pomposa reverencia.

Los siguientes días transcurrieron sin nada memorable. Pasé mis días tomando el sol o cosiendo uno de mis tapices, y las tardes, observada por el gerente del bar de Karaoke, que continuaba acechándonos mientras sonreía constantemente.

Como se predijo, había olvidado convenientemente todo lo relacionado con nuestra charla y cambiaba continuamente los horarios de los shows y discotecas.

Una noche, durante una de las sesiones de discoteca, un hombre se acercó y me entregó una propina de 10,000 wons, luego, durante el segundo puesto, un hombre diferente me entregó 20,000 wons, de modo que ese día en particular, los cambios de horario me parecieron un poco más tolerables.

El 11 de septiembre, el bar Karaoke contrató a una bailarina de discoteca coreana. Esta tenía el ego más grande que jamás habíamos encontrado en la comunidad de bailarinas de discoteca. Pensaba que era la abeja reina, y que cualquier otra persona a su alrededor, era un simple secuaz.

Durante los siguientes días, ella constantemente nos dedicaba miradas condescendientes cada vez que nos encontraba. En sus ojos, se consideraba la parte más importante de los empleados del bar de karaoke. Sin embargo, con nuestro amplio conocimiento (hasta ahora) de cómo se veía, actuaba y vestía una bailarina de discoteca coreana, sabíamos que ésta palidecía en comparación.

. Después de tratar de monopolizar el vestidor / pasillo, gritarnos sin razón aparente y, durante tres días consecutivos, esperar hasta que estuviéramos en el escenario para amontonar todos nuestros trajes, ya era suficiente. Queríamos venganza. Esa noche, esperamos a que subiera al escenario para tomar represalias.

Tiramos toda su ropa al suelo y rompimos su sombrilla. Hubo una tensión nerviosa en el pasillo / vestidor mientras esperábamos su regreso y reacción. Imaginé discutir y el posible lanzamiento de algo, pero no sucedió. Entró en el pasillo y se quedó allí mirando sus pertenencias arrojadas sobre la alfombra empapada, cuando pasamos a su lado, ignorándola por completo, para subir al escenario.

A partir de ese momento, se dio cuenta de que había mordido más de lo que podía masticar. Su actitud se volvió mucho más tenue y nos dejó a nuestro aire, lo que nos pareció muy bien a las tres.

Al día siguiente, Sharon tomó un autobús a Seúl para intentar atrapar al ilusorio Sr. Lee en su oficina. Regresó, después de viajar todo el día, con el correo más reciente y la astronómica suma de salario de un día para cada una de nosotras. Sharon estaba completamente agotada y harta, así que me comprometí a llamar a nuestro "agente" al día siguiente.

"¡Sr. Lee!, ¡necesitamos dinero! Sé que mañana es festivo, así que esperamos verte el viernes", le dije con autoridad.

“Ser festivo hasta domingo. ¡Ahora bancos estar cerrados!”

"Bueno, ¿qué espera que hagamos, Sr. Lee? ¿Morirnos de hambre?"

"¿Por qué vosotras no decir ayer?", dijo bruscamente, perdiendo la calma.

"Porque no es mi trabajo decirte nada, es de Sharon. De todos modos, ella no debería tener que pedirte nuestro dinero, ¡es tu trabajo entregarlo!”

"¡Ser imposible! ¡Imposible!”, respondió.

"Tiene dos opciones, Sr. Lee. Si traes el dinero el viernes, trabajaremos. ¡Si no, no lo haremos!”

"Oh, perder trabajo, yo no dar dinero", gritó y colgó el teléfono.

"No creo que venga", dijo Sharon, cuando pensó que me había calmado un poco. "A él no le gusta que le hablen así".

"Bueno, ¡funcionó la última vez que tuve que hablarle así!", respondí: "Cuando estábamos en Seúl".

"Eso es verdad", confirmó Louise.

Al día siguiente, nuestra capitana, recibió una llamada telefónica del Sr. Lee diciéndole que había hablado con el gerente del club y le había pedido que nos dieran 20,000 ₩ (aproximadamente 20€). Una pequeña fortuna, considerando que habían transcurrido 21 días desde el último pago. Lo saboreé como una victoria.

Esto significaba que podríamos disfrutar de una comida caliente por primera vez en cinco días.

El domingo 17 de septiembre, marcó nuestro último día de trabajo en Corea del Sur. Habíamos realizado más de 300 shows y más de 150 discotecas. Estábamos de mejor humor cuando la cuenta regresiva para volver a casa, se acortó aún más.

Ver la luz al final del túnel hizo que todo, lo que normalmente nos molestaba o nos estresaba, pareciera trivial y sin importancia. Incluso la mujer coreana en el yeogwan, que tenía la costumbre de abrir la puerta de nuestra habitación con su propia llave en medio de la noche para gritarnos, agitar los brazos y luego irse, no pudo empañar nuestro estado de ánimo. De todos modos, no teníamos ni idea de por qué gritaba, así que generalmente nos dábamos la vuelta y volvíamos a dormir.

La única china en el zapato fue, como siempre, nuestro agente. Me recordó a la parca: esquivo y tortuoso, un ente peligroso siempre detrás, en las sombras, esperando a oscurecer nuestro día. Nos había dicho que estuviéramos listas para salir de Chuncheon el lunes a la una de la tarde. Nos sentamos en el yeogwan durante seis horas, antes de que llegara a las siete de la tarde. Al llegar, no dio ninguna explicación o disculpa y nos dijo que nos apresuráramos, como si fuera culpa nuestra que llegara tarde.

Viajamos de regreso a Seúl, asumimos que volveríamos al Central Hotel infestado de ratas, pero no, aparentemente, ¡no había habitaciones libres! Nos condujo a tres hoteles diferentes donde empezamos a descargar el equipaje de la furgoneta, sólo para volver a subirlo, ya que el Sr. Lee no pudo llegar a un acuerdo con los propietarios.

Cuando paramos por cuarta vez, Louise y yo decidimos quedarnos en la Bongo Van en lugar de quitar nuestras pertenencias una vez más. Sharon acompañó al Sr. Lee a la recepción de un yeogwan.

Louise y yo lo estábamos viendo casualmente mientras caminaba hacia la entrada cuando, ¡BANG! Caminó directamente hacia una de las puertas de cristal cerradas. Su cabeza rebotó contra el cristal y se tambaleó hacia atrás. Sharon lo agarró por los hombros y, maniobrando hacia un lado, lo empujó a través de la abertura hacia la recepción. A pesar de que sabíamos que debía haberse lastimado, las dos, y el conductor, lo encontramos muy divertido.

"¡Bingo! ¡Eso es el karma!", se rio Louise.

En consecuencia, nuestros últimos días en Corea se consumieron en nuestro tercer yeogwan. El Sr. Lee nos pagó un poco más de dinero, pero aún nos debía unos 1.000 €. Sin embargo, este impulso monetario nos dio la oportunidad de hacer nuestro último recorrido turístico.

Llamamos a Amy y nos reunimos en Itaewon para hacer un viaje en bote por el río Hanggang. Los ferris atraviesan el corazón de Seúl viajando de este a oeste. Cuando nos acomodamos en nuestros asientos, viajamos bajo los puentes que sostenían los trenes, fotografiamos el edificio 63 que sería nuestra próxima parada en la excursión y tomamos fotos tontas con el sombrero del capitán y agarrando el timón del ferry.

El edificio 63, llamado así por sus 63 pisos, cuenta con 249 metros de altura y es famoso por ser uno de los monumentos más reconocibles de Seúl. En el sexagésimo piso, se encontraba la plataforma de observación, también llamada `63 Golden Tower o Torre Dorada´ que contaba con un observatorio donde podíamos tomar fotos de Seúl y había una vitrina con dos figuras a tamaño natural de un hombre y una mujer coreanos, vestidos con sus trajes nacionales tradicionales.

Visitamos el acuario, o centro del mundo marino en la base del edificio.

Una vez más, antes de entrar, dudaba del bienestar de los animales, pero debo decir que todo estaba en perfectas condiciones. Además de peces, también vimos tortugas, delfines, focas y pingüinos. Fue un hermoso día relajante, aunque, para mí, la idea de no tener que trabajar esa noche tenía mucho que ver con eso.

Esa noche, regresamos a Itaewon y visitamos los lugares habituales. Fue una experiencia decididamente extraña para mí, ya que sentí que habíamos vuelto a casa.

Mientras caminábamos por la calle principal oí:

"¿Michele?"

Al darme la vuelta, me encontré cara a cara con una chica con la que había trabajado en una temporada de verano un par de años atrás.

"¡Lisa, hola! ¿Cómo estás?"

"¡Bien!"

"¿Qué estás haciendo aquí?"

"¡Bailando! Somos un grupo de cinco chicas. Hace un mes que estamos aquí. Lo estoy disfrutando mucho", dijo ella. "Estamos haciendo cinco y seis shows por noche."

"¡Eso es genial!", le dije. "Estoy por irme a casa. No puedo esperar ¡He tenido suficiente! ¡Hemos tenido una mala experiencia tras otra!"

"La única mala experiencia que hemos tenido fue en nuestro primer hotel", me dijo. "¡Se llamaba Central Hotel y era horrible! Estábamos en una habitación muy pequeña y podíamos escuchar cómo rascaban las ratas detrás de las paredes. ¡Alguien incluso había escrito en el calendario en inglés, ¡No te quedes en esta habitación, hay ratas!"

"¡Esa fui yo!", exclamé.

"¿Tú? ¡No puede ser! ¡Qué coincidencia!", dijo.

Tuve que estar de acuerdo en que lo era.

"De todos modos, nuestro agente nos sacó de allí inmediatamente a otro hotel", explicó.

"Nosotras no tuvimos tanta suerte sólo nos cambió de habitación. Pero creo que le dijo al bicho el número de la nueva habitación, porque la rata también se vino." dije.

Dos días después, estábamos listas para volar de regreso a Inglaterra. Cargadas con todo el equipaje de nuestros meses en Corea. Increíblemente, a pesar de todas nuestras experiencias negativas, nos sentimos un poco desanimadas ante la idea de dejar el país.

Park nos llevó al aeropuerto y nos pidió nuestros documentos de identidad. Decidí no entregarlo, ya que había planeado guardarlo como recuerdo.

"¡Lo perdí!", le dije, "¡No tengo ni idea de dónde está!"

"¡¿QUÉ ?!", Exclamó. "¡Tú no encontrar, tú no ir de Corea! Ser documento muy importante. ¡Muy importante!", comenzó a caminar hacia arriba y hacia abajo, en un estado de gran aprensión.

"¡Oh! ¡Mire!I ¡aquí está!", dije, encontrándolo milagrosamente en dos segundos en un bolsillo lateral de mi bolso y dándoselo a regañadientes.

Nos sentamos en silencio, embebiendo nuestras últimas vistas de este increíble país. Nos despedimos bruscamente de nuestro molesto agente, quien entregó a regañadientes el resto del dinero que nos debía, nos dimos la vuelta y nos alejamos de él para siempre.

Más tarde, cuando nos sentamos en el avión y comenzó a rodar hacia la pista, un hombre inglés que estaba sentado frente a nosotras metió dos dedos en la boca, simulando vomitar, mientras miraba por la ventana.

"¿Por qué hiciste eso?", preguntamos riéndonos.

"¡Argj! ¡Este lugar es de lo peor!", dijo. "¡Pasé aquí dos semanas y he estado viviendo de los burritos de mi esposa! ¡La comida es absolutamente horrible! ¿Cuánto tiempo lleváis aquí?"

"¡Seis meses!"

"¡SEIS MESES! ¿Cómo demonios habéis sobrevivido?"

Nos encogimos de hombros y nos reímos de nuevo.

"¡Guau! ¡En verdad que os admiro!", dijo asombrado.

¡Y si conocieras toda la historia, nos admirarías aún más!, pensé.

Diecisiete horas más tarde, cuando el avión aterrizó en Inglaterra, a pesar de todo, sabía que había tenido experiencias sorprendentes, aunque a veces aterradoras y molestas, que nunca olvidaría. Mi tiempo en Corea me abrió los ojos a un lado sombrío del mundo del entretenimiento, del que nunca antes había formado parte y del que no tenía conocimiento. Me había introducido en una cultura, tradición y actitud diferente y, a pesar de todo, estaba agradecida por la oportunidad de haber podido vivir allí.

De vuelta en casa, mostré con orgullo mis fotos y recuerdos, explicando a un público absorto (mamá y papá) cada experiencia en detalle. Estaba de vuelta, pero una parte de mí todavía quería estar en Corea.

Tres días después, recibí una llamada telefónica de Marion, la agente inglesa.

"¡Tengo el contrato perfecto para ti!", dijo ella. "Está a

medio camino de una montaña, en medio de la nada. ¡Te encantará! ¡Está en la isla de Hokkaido en Japón!"

Humm, pensé. Eso suena muy interesante. Siempre he querido ir a Japón ...

FIN

BIBLIOGRAPHY

AZ Quotes, (1998) AZ Quotes [on line] (accessed 22 July 2018)

Baum.L.F. (1900) 'The Wonderful Wizard of Oz', Chicago, George M. Hill Company.

Carroll, L (1865) 'Alice's Adventures in Wonderland', UK, Macmillan.

Dahl, R. (1964) '*Charlie and the Chocolate Factory' USA, Alfred A Knopf*

Good Reads (2011) Quote by Agatha Christie [on line] https//www.goodreads.com

Kyŏngju (1988) '*Kyŏngju,A Thousand – year Capitol*', Manri-dong, Chung-gu, Korea Textbook Co. Ltd.

Outlander, Season 3, 'The Doldrums'(2017) [TV] Channel 4, November 19th 2017

Taylor, J. (1806) 'The Star' later known as 'Twinkle, Twinkle little star', published in 'Rhymes for the Nursery' London. Original Publisher not known at this time

POST DATA

`Creo que una de las cosas más extrañas de la vida son las cosas que uno recuerda´
(Agatha Christie)

Me acordé de la cita anterior, cuando descubrí mi diario original y me senté a leerlo nuevamente. Descubrí que, a lo largo de los años, había olvidado convenientemente algunos de los momentos más terribles y sólo recordaba las experiencias positivas o divertidas.

Hoy, como lingüista con un título en inglés y español, y siendo mayor y más sabia, recuerdo algunas de mis entradas en el diario con gran vergüenza. Algunas de las formas en que hablé con los coreanos, con quienes pasé mi tiempo, o cómo los traté, fueron totalmente innecesarias. Mi única excusa es que era demasiado joven y tonta para abrazar realmente la cultura, el idioma y las costumbres de ese país increíble. Supongo que sólo la experiencia y la edad, ayudan a una persona a madurar y ver el error de sus formas. (Aunque ... también diría que tal vez, en ocasiones, parte de mi comportamiento fue requerido dentro del contexto de las situaciones en las que los coreanos, particularmente hombres, me colocaron) ... Esperemos que también hayan crecido y convertido en mejores personas.

Como la escritora Freya Stark citó una vez: `Los buenos momentos se deben atesorar como una buena cosecha de uvas, trillarlas y embotellarlas y hacer vino y guardarlo durante años a reposar, para luego degustarlo junto al fuego. Si el viajero ha envejecido bien, no necesitaría deambular por más tiempo, tendría una buena cosecha y pocas dificultades para recordar; los momentos rubí, brillarán en su vaso a voluntad´.

Con esto en mente, mi agradecimiento a la verdadera 'Louise' por su constante apoyo durante todo el contrato. Su carácter, su retorcido sentido del humor y su existencia en general, que me ayudaron a superar algunos momentos difíciles y me proporcionaron algunos buenos recuerdos. Siempre recordaré nuestro tiempo en Corea con gran cariño.

También me gustaría reseñar el mas profundo agradecimiento a mi marido y traductor de este libro, quien a estas alturas conoce mi historia casi tan bien como yo misma. Creo que has hecho un gran trabajo de una forma cuidadosa y cariñosa, por ello te estaré agradecida eternamente. Por otro lado, si no disfrutais el libro, puedo echarle la culpa a él (ja ja ja!)

No me gutaría dejar atrás el enorme, amable y cariñoso trabajo de Laura Crespo Dozo, quien leyó el manuscrito y me ayudó a editarlo así como encontrar discrepancias.

Gracias por dedicar tiempo para leer mi libro. Si hay algo que no te ha gustado, dímelo; si lo has disfrutado, cuéntaselo (los tiempos modernos, hacen que las reseñas sean uno de los recursos más valiosos para un escritor) y busca la secuela:

“Fishnets and Fire-eating:
A dancer´s diary in Japan.”

Estimado lector, gracias por tomarse el tiempo de leer `Fishnets en el lejano oriente: la verdadera historia de una bailarina en Corea´. Si lo ha disfrutado, ¿sería tan amable de dejar una breve reseña? El boca a boca es el mejor amigo de un autor, y cada crítica es muy importante. Incluso una sola frase sería muy apreciada. Gracias de antemano.

Si desea recibir información sobre futuros lanzamientos, concursos y regalos, no dude en suscribirse a la dirección de correo electrónico a continuación. Del mismo modo, si no ha disfrutado el libro, no dude en ponerse en contacto conmigo para que pueda seguir mejorando: shereenorthwood1968@gmail.com

También puedes seguirme en:
www.facebook.com/Michele.e.northwoodauthor.
https://twitter.com/northwood_e
https://pin.it/pgntr35gwhjmab

Un viaje en barco por el río Hanggang.

Lo más interesante en Taejon, los pimientos secandose al sol.

Comiendo Kimchi por primera vez.

Yo, afuera del Estadio Olímpico.

En la base del ejército estadounidense.

Itaewon por la noche.

Yo, actuando.

La rutina de James Bond 007.

En la calle en Itaewon.

Yo, mi almuerzo y dos tanques. Mi foto favorita!

Fishnets - En El Lejano Oriente
ISBN: 978-4-86751-436-8

Publicado por
Next Chapter
1-60-20 Minami-Otsuka
170-0005 Toshima-Ku, Tokyo
+818035793528

30 Junio 2021

Lightning Source UK Ltd.
Milton Keynes UK
UKHW011833150721
387247UK00001B/93

9 784867 514368